大鱼

有爱的青春陪伴者

我见月光

Moon

怀南小山——著

四川文艺出版社

图书在版编目（CIP）数据

我见月光 / 怀南小山著 . —— 成都 : 四川文艺出版
社 , 2024. 8
ISBN 978-7-5411-6995-3

Ⅰ . ①我… Ⅱ . ①怀… Ⅲ . ①长篇小说 – 中国 – 当代
Ⅳ . ① I247.5

中国国家版本馆 CIP 数据核字第 2024G08L95 号

WO JIAN YUE GUANG

我见月光

怀南小山 著

出 品 人　　冯　静
责任编辑　　叶竹君
特约编辑　　雪 人 听 听
装帧设计　　颜小曼　唐卉婷
责任校对　　段　敏

出版发行　　四川文艺出版社（成都市锦江区三色路 238 号）
网　　址　　www.scwys.com
电　　话　　0731-89743446（发行部）　　028-86361781（编辑部）

排　　版　　长沙大鱼文化传媒有限公司
印　　刷　　长沙鸿发印务实业有限公司
成品尺寸　　145mm×210mm　　　　开　本　32 开
印　　张　　18　　　　　　　　　　字　数　591 千字
版　　次　　2024 年 8 月第一版　　印　次　2024 年 8 月第一次印刷
书　　号　　ISBN 978-7-5411-6995-3
定　　价　　65.80 元

目录

×

上 册

目录
×
下 册

第一章 / 少女心事

仙鹤，悬月，雪山顶上那一抹色。

1

四月，沉云会馆的棠梨花开了。

院里阳光一透，花斑落满秦见月的戏袍。清清明明的一个敞亮午后。

秦见月静坐绮户轩窗前，往颊上推匀一抹朱色胭脂。外面的乳白花色衬得她面色娇娆，神韵轻俏。

"他教我收余恨、免娇嗔，且自新、改性情。休恋逝水，苦海回身，早悟兰因。"

后台演员练嗓的声音此起彼伏，尾音在天花板上一圈一圈绵长地回荡，惊得枝头喜鹊扑腾着翅膀停在窗棂，意犹未尽地踱步徘徊。

放在手边的手机响动了一下，秦见月放下手中脂粉盒。

打开消息，是她的老师孟贞发来的：今天我就不过去了，跟着师姐他们好好唱。

秦见月回了一个字：嗯。

本身不紧张，听孟贞这么一说，秦见月心里倒是没谱了起来。

这还是她头一回给人唱堂会。

所谓堂会戏，旧时有为贵胄演出之意。通俗来说，就是一富家子弟包了场，他们今天的戏尽为一人唱。人家点什么曲儿，他们就得唱什么。

这是秦见月从戏曲学校毕业的第二年，此前在燕城城南的破落小剧院待了一阵，后来剧院经营不善、停业整顿，又逢行业日薄西山，院长拼尽全力也没将剧院拯救起来，剧院里头的小演员就这么尽数被遣散打发了。

很快，秦见月被母亲介绍到孟贞门下的私人戏班子。

孟贞其人，秦见月的妈妈秦漪的老师。

秦漪年轻时是孟贞的嫡传弟子，跟着孟贞唱了小二十年的戏，后来转向教育行业。

秦见月赋闲在家一段时日，秦漪问过她，是想接着唱，还是去教书。秦见月不假思索地答道："要唱。"

他们的京剧戏班叫作"三春班"，大本营就在这老城区的沉云会馆。

平日里和剧场演出没区别，轮班上台。不过秦见月不大走运，一来就要应付大人物、大场面。

旁边的陆遥笛哼哼吱吱唱完了选段，心情颇为畅快。她挂上耳坠，忽而脑袋一歪，问旁边的南钰："哎，师姐，今儿过寿的是哪位爷？"

南钰道："程家公子他奶奶。"

陆遥笛闻声倒抽凉气："程家？是那个程？"

"就是那个。"她们眼神交流，小心谨慎，南钰声音又压低了些，"不能惹的'程'。"

"真的假的？你也不敢惹？"

南钰："我敢个屁。"

黛青色的眉笔在眉峰轻微一滞，秦见月眸子敛下，余光探到二人中间。

她对那个姓氏向来多了十分的谨慎在意。

京城脚下的富户程家，这几个标签拼凑到一起，无消多问，她心中恍惚有了个答案，眼前亦出现一个遥远而模糊的身影。

掐着笔端的指腹不自觉收紧一些。

未免胆怯。

秦见月又细想，师姐话音含糊，是"陈"也未必呢？她总是多心。

平下心来，继续描眉。

陆遥笛八卦人八卦魂，拖着凳子凑到南钰跟前，虚声道："师姐你见过程二爷本尊吗？听说超级帅。"

南钰"啧"了一声，用眼神示意她注意稳重，不过眼波流转一圈发现周遭人士都在各忙各的，转面又神色一报，冲着陆遥笛低语一句："他经常来这儿听曲，你以后见着他机会多呢。又帅又贵。"

南钰瞅着陆遥笛的花痴样，打趣她："一会儿唱的时候你可千万别往台下看，省得哈喇子流出来，丢死人。"

陆遥笛气笑，没大没小去拧她的脸。

一侧的秦见月心迹复杂，手里的笔尖便那么来来去去几下，无意识地将吊眉的眉尾绘深。

"见月，这是不是你的手机？有电话。"

陆遥笛指了一下一直在出声的手机，这才将秦见月的思绪拉回。

她拿起手机看了眼来电，是她的表哥秦沣。

家丑不可外扬，秦见月选择出门接听。

秦沣开口友善得出奇，嬉皮笑脸："好些时候没见了，抽个空出来叙叙旧？"

秦见月不跟他废话，走到长廊尽处，低声问他："要借多少？"

秦沣那头顿一下，笑得没皮没脸："你这说的什么话，我找你就是为了借钱是吧？真伤感情。"

秦见月蹙眉，压低声音："不说我挂了，一会儿要上台。"

"哎哎——"秦沣话一转，"那什么，你先支我八千，赶明儿赚了连本带利还你。"

秦见月揉了下眉心："最多五千。"

"成成成，五千就五千。"秦沣嘿嘿一笑，"爱你啊老妹儿，么么哒。"

秦见月又想着劝诫几句什么，终是止语。

她杵在二楼长廊，脚下是有了些年头的红木地板，让人踩得吱呀作响。身后的动静不大，蹑手蹑脚。

秦见月回头看去，南钰和陆遥笛两个小姑娘头叠着头，缩在门板后边在偷看什么。

"哪个呀哪个呀？你指我看啊！"这是陆遥笛的声音。

南钰不满她的咋呼："嚷嚷什么，你声小点儿。"

秦见月顺着二人目光看过去，底下宾客将至，大幕尚未拉开，观众席幽深如暗夜。仅大门门缝透进一点儿光来，众人簇着一名老妪说话，奶奶身前戴着贺寿的花儿，古朴的八仙桌上摆着一只鲜艳红润的蟠桃。

是大户人家的阵仗。

老人家容光焕发，膝下承欢，笑意盈盈。

她的视线接着向后面挪，在隐晦暧昧的黑暗里，倚在一张八仙椅上的男人清贵而孤高，面上带着和煦淡笑在听旁人说话，半边身子沐浴在门缝里的光下。

阴影与光明的交替令他的身形轮廓影影绰绰，并不明晰可辨。

男人修长的指拢住雕花的紫砂杯，胳膊闲散地撑在身侧的桌沿。

杯口贴住薄唇，轻呷一口上好的金骏眉。

极致的容颜隐在薄雾青烟之中。

秦见月的呼吸霎时滞住。

他一如往昔，慵懒、骄矜、清净孤绝，姿态像一只鹤，性子又如一只猫。

时隔经年，她竟也能一眼将他认出。

然而他不再是大她两届的风云人物程学长。

而是京城程家的二公子——程榆礼。

时光的灰尘被掸尽，这个讳莫如深的名字再次清晰地撞到秦见月的心坎上，未灭的心火被添了一把柴，再一度轰然灼烧起来。

这一刹鲜明的感知，说不清是热或是疼。

鬼使神差，正在和长辈交谈的男人忽地掀起眼皮，往阁楼上看了一眼。

男人狭长而淡漠的那双眼猝不及防和她对上，一秒不到，秦见月背过身去，心虚地钻进休息室。

只留背后陆遥笛的尖叫："哇哦，真的好绝！"

窗外棠梨在风口沙沙作响，春叶在眼下郁蒸，糊成一团浓厚的青绿。

秦见月一闭上眼皆是他那双笑不及眼底的眸。她重执眉笔，指骨都打战。

大幕掀开，好戏登场。头一出戏演的是程派的《锁麟囊》。

程榆礼应了奶奶的话，坐到最贴近她身侧的凳子上。长辈的宠爱昭然若揭。奶奶今日精神倍增，喜笑颜开，饶有兴致同他指点唱法。

程榆礼低眉，微微侧身倚着奶奶。老人家翘着指头指着台上道："这姑娘不错。"

男人眼一眯，往台上定睛瞧去，淡声问一句："哪位？"

"旦角儿。"

程榆礼的视线落在唱花旦的姑娘身上。

厚重粉墨遮不住她五官的灵巧秀气，看着像是个初出茅庐的，秋瞳剪水，神色里还沾了点儿怯。

开口唱腔却是极为老道自然，嗓音条件又是天生的好，古朴而婉转的一套唱法，穿云裂帛，余音绕梁。

唱词结束，程榆礼才开口评价一句："确实不错。"

"是不是新来的？"奶奶忽地又问，"哪天排她的戏啊？我改天还得来。这么两句怎么能过瘾。"

程榆礼说："稍后我给您问问去。"

台上很亮堂，秦见月看不到台下。她不知道是怎么唱完漫长的一出戏，下台时才发觉自己紧张到半条腿都发麻。

中场休息，她回到二层阁楼，又接到妈妈秦漪的来电问候。

秦见月寻了个僻静处接听。

站在二楼晦暗无灯的楼梯口，脚下是一块滑腻的陈旧木板。

秦漪问她："唱得怎么样？"

秦见月一整出戏都演得心猿意马，怏怏地答了句："就那样唱。"

秦漪沉默一阵，声音沉下去一截，说明来意："王诚微信你怎么还没加，你二姨刚又来催我了。"

秦见月听见这事莫名心烦："我说了我不想相亲，加他干什么？"

"你就给你二姨一个面子，跟人聊两句又不耽误你时间，没准处得来呢。实在不行再找个借口推了也不要紧。"

秦见月说："你直接就跟二姨说，我不相亲，我这辈子都不结婚，你叫她闲得没事去拜拜送子观音求十个八个孙子，管别人的事儿干什么呀？真是吃饱了撑的。"

她讲话声音绵软，纵使是在生气，也毫无杀伤力。

秦漪道："哎，我说你这孩子——"

秦见月不再听，低头愤懑地将电话掐断。

她携着一股脾气，转身往下走，一抬头倏地望见站在楼梯转角处的人。

秦见月瞳孔一紧。

男人许是怕惊扰她的通话，也没往上走，就耐心十足地在那儿候着，身姿颀长，倚在护栏上，两腿修长，站姿不拘。身上穿件质地绵软的青灰色的衬衫，下摆扎在西裤的腰带里。

太过黑暗的环境让人看不清他的神情，只隐隐让她看见衬衫领口里雪白的一片肤色与硬朗锁骨。

他太过高挑，即便不冷脸，不发脾气，也给人很强的距离感。

狭长慧黠的瑞凤眼微微眯起。

南钰的形容没有错，程榆礼给人第一眼的感觉就是：又帅又贵。

秦见月步子顿了三四秒钟，察觉自己陷入进退两难的境地。

而后她迈步往前，试图镇定地越过他。

然而戏服厚重看不到脚下，加之心猿意马的慌乱，让她一下踩空。尖叫都没有来得及发出，秦见月膝盖一屈。

男人眼疾手快往前，长臂伸开，稳稳搀住险些摔倒的秦见月。

与其说是搀，不如说是抱。

她现在正以一种古怪的姿势被他拥在臂弯，秦见月清晰感受到他有力的手臂正托住她的腰身。

程榆礼低头看着秦见月近在咫尺的一张脸，他开口声音低沉厚重，几乎是通过胸腔传递给她——"扭到了？"

垂眸，是她粉白的绣花鞋。

秦见月重新踩在地上，右脚一用力，筋脉的疼痛令她不自觉地"嘶"了一声。手想要去摸旁边的墙壁，但是太远。她索性撑着程榆礼的手臂，借之撑起弯曲的腿，而后努力地站直身子。

"还能演？"男人松开箍住她的右臂，望着她藏在鞋袜中的脚踝，但看不出个大概。

秦见月垂着眸，眼神虚焦望着他指尖蓄了半截烟灰的烟，点一点头，轻声道："可以。"

程榆礼却道："甭唱了。"

男人的声音醇厚沉冷，京腔纯正而圆润。语调是淡淡的，却带着一种不容商榷的口吻。

秦见月唇瓣轻抿，她不大敢看他，仍坠着视线淡淡说："没有人替我。"

他看穿她的担忧，往她跟前走了一步，看着女孩轻颤的睫，慢条斯理地说了句："我的地界儿，我还做不了主？"

她稍稍抬起眼，对上他不咸不淡的双眸。

转角处是个小看台，旁边恰有两张金丝楠木的太师椅。

程榆礼修长指节屈起，轻叩椅背，咚咚两下，示意她在此坐下。

他撤灭落灰的香烟，另一只手拿出手机拨打电话。

对方很快接通，程榆礼道："这儿有一姑娘伤了脚，你给送些扭伤药来。"

他低头望见因方才那一跌而被甩落在地的物件。

程榆礼躬身拾起，是一朵翠色的绢花。

他偏头看向在椅子上乖巧坐下的秦见月，抬手将手中绢花嵌入她的凤冠。

女孩儿怯怯抬眉，又是那副恍惚跟忐忑交织的神色。目之所及，他修长漂亮的指节，正触在她的头饰上，细心工整地为她摆弄混乱的绢花。

程榆礼替她戴好头饰，目光下至，看着她的眼。

他又对尚未挂断的通话说了句："尽快。"

暗恋一个人，碰见那一刻会习惯性慌乱，继而退缩，在很快的时间内调整局面，后退到能够把控事态的安全范围。然后静静地观察，精打细算自己的出场方式。

在对方视线里的一举一动，都该是拿捏好分寸的表演。每一个步伐，每一个笑容的弧度，举手投足，都是刻意。

然而眼下，一明一暗换了位置。要多不自然有多不自然，局促无所遁形。秦见月咬着唇，短暂的对视里，她的眼里凝了些情绪。瞳仁一颤一颤，眸眶干涩。

她想起和妈妈狼狈的通话过程，想起方才那踏空的一脚，都是最不愿让人见到的窘迫。越是想掩藏什么，越是露出马脚。

简直想要找地缝钻进去。

他身上薄荷与烟草混合的香气沾上了她的发梢，真实而隐秘。程榆礼打量她凝重的神色，好奇地问了句："怎么，认识我？"

秦见月忙摇头，别开眼去。

她心中兵荒马乱的重逢，却是他眼里的初遇。

这一刻，她多希望他不在。

然而事与愿违，程榆礼倒是在另一张椅子上颇为闲适地坐下了。

他人在身侧，影子就倾覆在她身体的一边，秦见月静下心来谛听，他的呼吸隐隐入耳。

男人仍旧是矜贵而有界限感的，并不那么优越高调，而是神态里隐隐有一道浑然天成的孤高。像仙鹤，像悬月，像雪山顶上的那一抹色。他是一切触手不可及的东西。

秦见月挨着他坐，连手指都拘谨。

程榆礼叠起双腿，秦见月不敢抬头看他，只听见他再度开口说话的声音，是在通话，懒懒散散、浑不在意的语调："奶奶，今儿的戏就唱到这儿，后台出了点儿事故。您早些回去休息。"

他将她的扭伤定义为事故。

听不到他奶奶说了些什么。

他继续道："嗯，我让人送您。"

秦见月掌心汗湿，余光打量他搁在膝盖上的一只洁白冷感的手，腕上挂着一串沉香珠。

通话结束，程榆礼挂断电话。

秦见月抬眼看他。

程榆礼眼型狭长，眼光锐利，机敏之外，又显着万事不过心的冷淡。他说："从前没见过你。"

秦见月攥着戏服的手渐渐松开，缓解掌心那一点儿闷热。

其实是见过的，见过好多次，短暂的擦肩，甚至对话，都有发生过。不怪他健忘，被遗忘是暗恋者的宿命。

她点了点头："我在别的会馆唱，这个月才跟了孟老师。"

程榆礼细致观察她抹了浓妆的侧脸，半晌问了句："叫什么名字？"

"秦见月，拨云见月的见月。"

他品了品这个名字，掀起嘴角，赞誉道："你好浪漫。"

不算太糟糕的评价，秦见月心头一暖，也轻笑了一下："是我爸爸取的名字。"

程榆礼徐徐道："你有一个浪漫的爸爸，他有一个浪漫的女儿。"

气氛总算不那样僵硬难堪，她弯了弯唇角："谢谢。"

如果爸爸还在世，听到这样的话一定也会很开心。

来送药的人叫"阿宾"，是程榆礼的一名小助理。他噔噔几下踩上楼梯，看见坐在一起的程榆礼和秦见月，忙将东西递过去。

秦见月道谢，打开看一看，是喷剂和药膏。

"下回哪天登台？"程榆礼望着她手里的动作，这么问了句，顺便将桌子中央的小台历取过，一页一页翻看过去。上面画的都是些京剧各大门派的人物肖像。

她答："25 号。"

一时间没了声。

不知他问这个是何用意。

少顷，秦见月又鬼使神差接一句："你会来吗？"

程榆礼总算慢慢悠悠翻到了 25 号那一页，视线停留在此。他并未抬眼，散漫回答道："当然，否则我问你做什么。"

心中有花开的声音。

担心让他察觉出什么，她敛了眸，不敢做表情。

但他显然无暇在意。

在一旁的阿宾忽然开口提醒一句："程先生，您 25 号要去见白——"

"见不成就推了。"

程榆礼抬眼看他，打断阿宾的话，语气稍重，有对他哪壶不开提哪壶的指责之意，又开口："总得和秦小姐凑个巧。"

秦见月低头，将装药的袋子打了个乱七八糟的结，又拆开重新打，还是乱七八糟。

阿宾没再说什么，只道："程先生，外面落雨了，咱们早点儿回去吧。"

他问："老太太呢？"

"已经送走了。"

程榆礼"嗯"了声，将日历上 25 号那一页撕了下来，语调自始至终是轻淡的："记得上药。"

愣了半天才反应过来他在和自己说话，秦见月忙应了句："好。"

日历纸被他揣进裤兜，程榆礼起身，说："走吧。"

曲终人散，灯火阑珊，春雨入夜，花影幢幢。他背影远去，短暂的眼光交错的温度消失始尽，那没有来得及多看几眼的眉目又渐渐消散。

青灰的绵软衣衫像是隔着毛玻璃，浓稠地化作一团，一丝一缕叠上多年前挺拔的少年身姿。

人已经消失，一行演员闹闹哄哄地上了楼，在互通消息为什么今天能提早下班。

秦见月直至此刻身体才总算松懈下来一些。

心中擂鼓作响。尘封的心事抽丝剥茧，她以为自己已经长大，变得沉稳大方，可事到临头还是只敢对着他的背影独自欣喜。

一如年少。

2

秦见月跟着戏班的车走。

回程的商务车上，她和陆遥笛坐在最后一排。

陆遥笛是和秦见月同一批来拜师的，也对沉云会馆的一切表示新奇。

东问西问。

南钰是她们的师姐，介绍说这一片老城区属于戏曲艺人的丛薮，会馆众多。当时有开发商要来占地，还是让程家给拦下的。

亏了程家有个爱听戏的老太太，他们如今还有个地儿唱曲。

陆遥笛话多，叽叽喳喳说完，到后面都没人应声。直到她提到一个名字："欸，今天我近距离看到程榆礼了。他那个脸长得是真好，我差点儿上手去摸了，怎么能精致成那样！"

她绘声绘色，手还伸出来做出抓的姿势。

闭眼休憩的秦见月闻声，抬了下睫毛。

坐在前排的南钰哼笑一声："他从小学起就是风云人物了，以前三中的女生都为他痴狂。"

"我的天，真的假的？"陆遥笛脑袋往前伸，手攀在前座椅上望着南钰，一副要听八卦的姿态。

"具体的我就不知道了，道听途说。"南钰耸肩。

陆遥笛又喃喃道："他是三中的啊？这么近，跟我就隔了一条街，我实验的。"

南钰说："那你知道的应该比我多啊，我高中在九中，中考没考好，被'发配边疆'了。"

陆遥笛道："我上高中他都毕业了，哪有机会见到。"

她一边说一边偏头看窸窸窣窣在袋里取喷剂的秦见月，抓住秦见月的小动作——"欸，见月，你是哪个学校的？你跟程榆礼差不多大吧。"

秦见月的手一顿，低低地应了一声："三中的。"

南钰和陆遥笛同时惊讶地看她："你跟他是校友啊？"

陆遥笛嗓门大得秦见月头都疼："有没有一手八卦，快分享！"

秦见月摇头："没有。"

她掀开半身裙，往疼痛的脚踝处喷了些药，涂抹几下。药味偏浓，秦见月合上盖子，将车窗降下来一些。外面的细雨停下，春风拂面，清新而洁净。

陆遥笛顿觉无趣。忽又想起什么，她冲着南钰问："他有女朋友吗？"眨巴着一对跃跃欲试的眼睛。

南钰笑了声："我只能说，你没戏。"

陆遥笛发出一声绝望号叫。

与此同时，秦见月的心脏也重重往下塌了一截。没声没息，但觉闷沉。

"所以是有喽？如果没有的话我还能努力努力。怎么就没戏了？"

南钰瞥过来一眼，只道："人家要跟白家那样的名门大户结亲，你拿什么努力？"

秦见月心不在焉地抹着药，伤口越发变得寒凉。

南钰的话里有对陆遥笛的暗暗鄙视，并不明显，若是放在明面上的瞧不起，还能让人有个争论一把泄愤的机会。

可她偏用那种微妙语气，很是刺人。

南钰本人也是出身名门，家世显赫。平日里相处还算是"平易近人"，但那点优越感还是会时不时蹦出来作祟一下。

陆遥笛鼻子出了口气，手臂一抱，一声不吭地玩起了手机。

车厢里陷入诡异的安静。

车子送到南钰的住处，她下了车，礼貌地和司机告别。

紧接着，蓄势待发的吐槽声音在秦见月的耳边响起："人家要跟白家那样的名门大户结亲。"陆遥笛学着南钰的话阴阳怪气起来，翻了个白眼，"有什么了不起吗？还能瞧不起人呢，嘁！"

她脑袋一歪，枕在了秦见月的肩头："你说呢？月月。"

秦见月正要开口，手机消息传来。

她打开一看，通讯录新的朋友那里有一个"1"。

莫名的期待让秦见月谨慎点开，是一个黑色动漫头像。

继续点进去。

请求添加好友的对话框弹出来一句：你好，我是王诚。

秦见月："……"

这是她晾了二姨给她介绍的这位相亲对象第三次。然而王诚看起来对秦见月很是满意，即便热脸贴了冷屁股，也锲而不舍地联络她。

秦见月听从了秦漪的意思，通过了他的好友请求。

王诚发来一个"龇牙"的表情。

秦见月也礼貌回：你好。

王诚：唱完了？

秦见月：嗯。

王诚：哪天休息？请你吃个饭？

她在思考怎么拒绝。

打了一排字又删掉，秦见月常常苦恼于社交。

又有新的消息弹出来，秦见月退出她和王诚的聊天框。

是孟贞发来消息：表现不错呀月月，程先生说他很喜欢你。

一阵春雨蒙蒙，雨点被风吹落，透过车窗缝隙拂在她的脸颊，湿津津的。

一滴芝麻大小的雨点落在手机屏幕上，放大了和孟贞的聊天框里的汉字。

秦见月用手指将雨点抹去。

又一滴落下，覆在那个"程"字上面。

她再一次擦去。

她缓缓地、不舍地，再读一遍老师发来的话："程先生说他很喜欢你。"

喜欢的意思有很多，譬如满意、赏识。

那她可不可以曲解一下他的喜欢？只当是为满足当年的自己。

当年，秦见月是费了好大一番劲才进的三中。她因为偏科严重，物理没及格，总分擦着线，才堪堪挤进了燕城这所最好的中学。

收到录取通知书那天，爸爸妈妈可算松下一口气，带着她到各处寺庙还愿。入学前妈妈带她去整牙，医生说牙套要戴三年，秦见月心一横答应了。

那些提心吊胆的时刻，而今她已然记不甚清，只记得箍牙的医生手法差劲，弄得她很是不适。

人们都说青春是最美好的时候，对秦见月来说可能是个例外。她至今仍然能够想起她高中时期惨绝人寰的审美，以及发育得不够全面的身体。她个子不高，站队总在前列。整个人的形象用如今的眼光看去，浑身上下只写着四个字：乳臭未干。

这样一个不起眼的小女孩，在一个无人知晓的角落里遇到了她命中注定的劫。

整完牙齿的第二周，高中入学，那天秦见月起床晚了些，她打车去学校。雨是在中途下的，校门口堵车严重，司机开得也是心浮气躁："小丫头，我就把车停在这儿，你自己走进去好吧。"

秦见月扫视窗外："不能再往里面开一点儿吗？"

"这里太堵了。"司机指一指前面的交警，"不到一个小时出不来。"

秦见月撇了一下嘴，低声说了句："好吧。"

她付完钱下了车，冒雨往前冲。

好不容易跑到教学楼的大厅，又突然发现她没有看分班表。

而她没有手机，无法与外界联络。他们的公告栏在露天广场上，她只能去那里看名单找班级。

彼时上课铃声响起，广场上已经没有人。秦见月只好把外套的兜帽盖在头顶，不出三分钟，身上已然半湿，雨滴落在她颤动的睫毛上。她眯着眼扫视名单，艰难地寻找自己的名字。

雨势变大，视野是模糊的。

秦见月擦了擦眼皮上的雨水，下一秒忽地听见一阵噼里啪啦的声音。

头顶的雨纷纷落在一柄伞的伞面上，细长雨水如一道道银色弧线，轻巧地滑落在地。

那一阵冰冷的浇淋戛然而止。秦见月稍一眨眼，她睫毛上的珠子缓缓下坠，世界再一次变得明晰起来。

盖在她头顶的是一把黑色的雨伞。

穿着校服的少年与她并肩，他的伞并不大，此刻正歪到她这一边替她挡雨。

蒙蒙雨雾之中，少年身长而挺拔。

再定睛细看眉眼，他眼眶狭长，眉目里有着处变不惊、闲云野鹤的淡薄。皮肤很白，加上这样清冽又凛然的气质，让她想到岿然不动的雪山。

他一只手举着伞，另一只手握着手机。

腕骨从校服的袖口露出，是看起来很有力量的骨骼与手腕。衣衫上淡淡的清香融入她的鼻息，又被裹进肺腑，那么的清澈动人。

少年看着通告栏，嘴角似有若无地勾起，情绪还沉浸在通话中。

替她撑伞，自己却淋了雨，但他并无半分不适，镇定自若地端着手机。

困顿之中，她像是看到一束光。

在秦见月维持了四五秒的打量之后，少年漫不经心地垂了下眼，看她。

只一眼，她慌乱地低下头，声音细若蚊蚋说了句："谢谢，你可以不用给我撑……"

对方压根儿没有听见，因为秦见月的尾音完全被他带着淡薄笑意的声音盖过了。

少年举着伞的手并没有分毫偏斜，他对着手机开口："没去班上呢，在给钟杨找班级。"

如意料之中，他不是新生。

声线粗沉而富有磁性，是她从未在同龄男孩之间感受过的成熟，强烈的吸引力让她心跳脱缰。

秦见月从玻璃反射中看到他们的暗影。

她被完好地拢在伞下，而他的一半衣物被雨打湿。两人之间隔了些很有分寸感的距离。

通话仍在进行，他扫阅太快，名单繁复，陡生几分不耐，于是问道："对了，哥，你还记得他中考多少分来着？"

而后，他轻笑一声："那我倒着找。"

三中的分班按中考成绩，秦见月在他看不见的地方隐隐红了下耳朵，因为她也正倒着找。

对自己的名字分外敏锐。很快，在十五班的名单上一眼捕捉到"秦见月"这三个字。

在她的名字上面的那个人名，叫作钟杨。

秦见月用手点了一下玻璃，轻道："十五班。"

在少年凑近过来确认之前，秦见月急忙缩手，猛然胆怯，没出息地转身冲进了雨中。

走到屋檐底下，快速抖落了雨水。她穿行在教学楼的教室之间，脚步慌乱而匆匆。

上了楼梯，秦见月漫步在走廊上，这才回眸眺望来时的广场。

然而已经没有人在那里，亦不再有车驶过。整个学校都变清净，只剩一层一层茫茫水汽，团在视野之中，让人分不清一切的虚实。

风雨之中的木芙蓉依旧，枝丫晃荡，悄悄见证一出静谧的情窦初开。

秦见月失魂落魄站了许久，下一阵铃声响起，她才被提醒要去做什么。她松开握紧的拳，察觉出掌心黏稠的汗湿。

开学是忙碌的，但在搬书、领校服、开班会这一系列让她忙得焦头烂额的事情之间，秦见月的思绪时不时被那个突然闯进她世界的少年占据。

想到因为她而被整个淋湿的袖口，又愧疚地猜测，他会不会因为淋雨而生病。

以及，很想再见他一面。

秦见月一边包着书皮一边走神，回忆他那双凉津津的眼。

同桌齐羽恬忽然戳了她一下，小声道："有个帅哥欸。"

秦见月闻声抬头。齐羽恬凑过来："后面。"她便回头望去。

从后门进来两个人，走在前面的男生脸上挂着闲散的淡笑，眼有些睁不开的困倦，长相痞气。另一个男孩子将手勾在他肩上，冲他耳边说了句什么，少年笑骂了一句"滚蛋"。

最终二人挑了座位坐下，正在她们的后排。这让齐羽恬很高兴，她给秦见月递字条：见月，你能不能帮我问一下他叫什么名字？

晚自修期间，秦见月正咬着笔头苦思冥想老师布置的作文题目。展开齐羽恬的字条，她苦恼于自己不是个会拒绝的人。

她撕下作业本的一角，在上面写：同学，你叫什么名字？

折起来，放到后桌空荡荡的桌面上。

她没看清那个男孩的脸，只见他趴着睡觉的毛茸茸的颅顶。见状，旁边的男孩拍了拍那位帅哥的肩。

被唤醒的男生坐起来，抓了抓头发，半晌才看到那一张小小字条，展开看了下。他垂着眼皮，提笔写字。

一团字条飞到秦见月的桌上。她将其展开，看到龙飞凤舞两个字：钟杨。

秦见月微微惊讶地回头。

少年没再趴下，他倚靠在身后的书柜一角，狭长的一双眼紧紧地看着秦见月。

钟杨的五官有一些女相，唇红肤白，精致漂亮。右耳耳垂戴了一个黑色方钻耳钉。眉目里是满得要溢出来的纨绔气质。

跟她对视上，他微微挑一边眉，表示询问她的意图，或者等待她的自我介绍。

"我叫齐羽恬。"旁边的女孩先秦见月一步谨慎发话。

钟杨的眸子自然而然转到另一侧，他看着齐羽恬，应了声"嗯"。

秦见月瞄到齐羽恬涨红的耳郭。

齐羽恬没话找话一般，对钟杨开口道："你的耳钉还挺好看的。"

她说完，氛围陷入沉默。

不出五秒，有物体被抛掷过来，哐当哐当滚落在齐羽恬的桌面上。

"你的了。反正也不能戴了。"他说。

秦见月向桌上的耳钉投去视线，齐羽恬欣喜地将其捻起。

轻快又隐秘的少女心事交叠，在这个阴云密布的夜。

就像牙齿矫正、大雨倾盆，这一些又酸又疼的感知、沉闷黏稠的心迹，构成她无以回望的年少岁月。

"到咯见月，快别睡了。"

商务车在夜色中驶进兰楼街，停在一间亮着纸糊红灯笼的四合院门口。

秦见月是被陆遥笛推醒的，她在最后一段车程颠簸中昏沉睡着。

醒来后脖子有些泛凉，秦见月打了个寒噤，而后和同伴道别，下车。

院中灯灭，一片昏黑，她去包里胡乱地探，摸到家中钥匙。将要打开门，手中手机显示有来电。

是陌生的本地号码。

秦见月接通，对方开口便问："好些没？"

秦见月听见这轻懒的声音，愣了下，步子也谨慎地止住，嘴唇微翕，却讲不出话。

意识到致电的突然，没有做介绍，男人忽地轻淡一笑："我是程榆礼。"

她傻傻地应："我是秦见月。"

他又不由得笑一声："我知道，秦见月。"

她的名字被他念得像一首诗。

秦见月回头关上院门，又听见程榆礼说了句："脚伤好了告诉我。"

她说："只是小伤。"

"不管小伤大伤，说一声。"

他声音淡淡的，幽然且温和贴着她的耳，却仍显虚浮不切实："怕忘了，也怕总惦记着。"

怎么会不喜欢呢?

1

程榆礼还告诉她,这算作工伤,按理讲,他要赔钱。

秦见月闻言,不觉莞尔。发丝被一阵夜风扇动,如水温淡的笑靥隐于暗处。

她沉吟须臾,轻道:"好,我会联系你。"

他淡淡"嗯"了一声:"晚安。"

"晚安。"

挂断电话抬起头,她看到四合院里的芍药开了,春花争妍,满目娇艳。

院落两旁的花圃中央劈开一条小道,秦见月脚步轻快地走向家中厅门。

今天妈妈不在家。秦漪平日里在学校授课,除却周末和节假日,不会回家久住。于是秦见月一人霸占这清净小院,低眉是她养的花草,抬眼是她在二层阁楼圈的鸟儿。

一切悠然。

炉火熊熊蒸着底部焦黑的药罐。

秦见月坐在小小竹藤椅上,静候在火炉一侧,心不在焉地看着扑腾的罐盖。清苦的中药味呛鼻,她捂着嘴巴打了两个喷嚏。

换季易着凉,秦见月觉得嗓子眼有些涩痛,喝药趁早。

窗外月光如水,秦见月坐在一方纯白静谧的亮色之中,托着腮。耳畔咕噜咕噜的沸腾声变得绵长遥远,取而代之是他温柔的声音。

她的眼微垂着,扇动蒲扇的动作滞住,好像时光在这一刹定格。

他说:我是程榆礼。

熟悉的自我介绍。

清楚地记得，那是在高中入学十天后，开学典礼上的第二面。

一见钟情的保质期在她繁忙的学业与疲惫的军训时光里被削得很短。她对那位热心肠的撑伞少年的记忆维持了不足一周。一周之后，她逐渐淡忘了他的相貌，脑海中只剩下朦胧的轮廓和他说话的清润声音。

很多时候，遇见不是靠精打细算、日思夜想就能惦念来的，它总是发生得猝不及防。

秦见月的班级正对着主席台，站在队伍的中前排，她清清楚楚地看到发言的校长额前被打湿的一缕头发，以及坐在诸位领导最右侧的少年。

他皮肤干净，白得晃眼，在明亮的日光之下，又与那日雨天的模样有所不同。沉冷里多了一丝懒倦，垂眸细看发言稿。手撑着半边脸，眼睛合上，久未睁开。

早晨暖烘烘的阳光为他的困意助力，在无人看到的角落，他偷偷打起盹儿。

那一眼让她心脏猛烈抽搐一下，倒并非疼痛，而是被突如其来的惊喜提点起来的雀跃。

那天的雨水、那天的伞，埋根于她的记忆深处。

校长讲得激情十足："同学们，你们是国家的栋梁、父母的希望。你们是早上八九点钟的太阳，你们是祖国的未来！"

而他旁边的少年睡得旁若无人。

秦见月见他如此气定神闲的模样，忍不住笑了下。

"我的发言到此结束。下面，我们有请高三（10）班的学生代表程榆礼同学为我们发言，大家掌声有请！"

下面响起捧场的热烈掌声。

而浅眠的少年尚未苏醒，把校长这话晾了一分钟有余。

"喀喀！"在一旁的教导主任面色难看地拍了一下少年的肩。

他掀起眼皮，坐直了身子，看向校长，神色带着十足的如释重负之意。秦见月读懂他的眼神——终于到我了？

他并不像大多的学生，习惯性地在老师面前摆出拘谨的姿态，而是满面的从容与淡然，反倒像是校领导请来的贵客。

翻开演讲稿，少年温暾开口："同学们好，我是高三（10）班的程榆礼。"

程、榆、礼。

秦见月站在操场中央，在心中跟着默念了一遍这个名字。

浸在他温和的声音里，等待冗长的发言稿念完。不用隐藏视线，终于可以满足地看他。秦见月从没有如眼下这般认真地听完过一次演讲。

最终，结束语讲完，程榆礼懒倦的声线未落，台下忽地传来一声激动的呐喊："程榆礼我喜欢你！"

紧接着，起哄的声音此起彼伏。

校领导满脸难堪，黑着脸正要斥人。

程榆礼静静地笑，一边将纸折起，一边不疾不徐地拨过被挪走的话筒，回应那道热烈的声音："谢了。"

遥远的温柔误人青春，秦见月成为无端被击中的一员。

她在熙熙攘攘的人流里听见讨论他的各种声音。

据说，三中有三类人不能惹。一是校霸；一是校霸的朋友；还有一类人，是程榆礼这样的存在。

没有人说得清缘由，总之不要惹，不要闲言碎语，也不要想着去高攀。

他和普通人之间的距离，是永远不可能被拉近的。

"伤筋动骨一百天"不是句夸张话，秦见月没想到她以为的小伤居然迟迟不见好转，平常走路行动倒是无碍，不过裹着踝骨那根筋时不时刺痛一下。

就像出现在眼前一次，带来了一点儿温度，又在一觉醒来后无影无踪的男人，让她不太好过。

25号这出戏是一部小剧场京剧，名为《青冢前的对话》，秦见月唱的是主角王昭君的戏份。好容易盼到约定日期，她提前一天便对镜念诵唱词，却频频出错。

汗湿的掌心令她的忐忑昭然若揭。

那天格外困顿，夜长梦多，惊蛰已过，屋外春雷滚滚。

秦见月让雷声惊扰得一夜没睡踏实，翌日醒来，帘外风雨大作，天空黑压一片像昏夜。看一眼时间，她从混沌中惊醒。

"喀喀！"嗓子眼干涩作痛，秦见月拧着眉，抚着发烫的额头，摸到手机给老师打电话，"老师，我现在过去还来得及？"

孟贞一听她说话这嗓子，愣了下："怎么了你这是？"

"可能有一点儿感冒……喀喀、喀……"

"听听你这声音，这哪是有一点儿感冒？外面雨太大了，快别来了。我找人给你送些药过去。"

秦见月晕乎起身，抄起外套往外面走："不行的，我跟人约好了。"

推开厅门，外面水汽溅入门槛。

听见这一头哗啦啦的声音，孟贞认真劝道："我说，你这就是来了也唱不了啊。"

秦见月不听话，截了辆车就赶去会馆。

一路上意识昏沉，只觉得这车开了好些时候。秦见月疲乏睁眼，以为到了地方，才发觉人还在高架。

司机解释说雨天路滑，开得慢。

"喀喀。"秦见月把口罩戴上，看一眼时间，已经快八点半了，"能开快点儿吗？"

"姑娘赶着去听戏啊？"

秦见月摇头，没回应他。

快马加鞭赶到，秦见月一边收伞一边走进门廊，高高戏台上已经曲终人散，只剩几个后勤大爷在做卫生。二楼妆室里有人进进出出在清理戏服，她看到几名卸了行头的演员正在准备下班。

空荡的大堂里人影稀稀落落，秦见月失魂般杵在天井中央。

壁龛中红烛的灯花一片一片拓在她的身上。暴雨里淌过来的痕迹流落在地上，洇湿地面。

"月月，孟老师说你生病了，你怎么还过来了？"陆遥笛走过来打量她。

秦见月问："你们演完了？"

"对啊，"陆遥笛低头看表，"这都几点了。"

"谁替我演的？"

"孟老师亲自上的。"

良久，秦见月才轻轻地"嗯"了一声。

她在想，他或许是没有来吧。

这么大的雨，何必为那个口头约定特意赶过来一趟。

太当回事的只有她自己罢了。

抱着这样的想法，已经说不清是轻松抑或失落，秦见月倚在一张长椅上，困倦闭上眼。

那天的奔波让秦见月的体温烧到了38℃，她在医院度过后半夜。孟贞很负责地陪她挂完水，又将她送回家中。兵荒马乱的25号，她在消毒水的气味中度过。

恢复精神那天，天气转晴，秦见月收到了王诚的消息。他在微信中传达问候：听说你发烧了，好些没？我托人买了一些补品，见面时带给你。

秦见月：谢谢，不用费心。

王诚：没事，已经准备好了。

既然这样说，秦见月再找不到推托的话。

他们约在一座茶楼见面，地点很是幽深僻静。茶楼有一雅称，名作"候月斋"。

骑楼枕水，斋下溪水潺潺，古意幽微。

王诚是个斯文人。高校讲师，戴一副眼镜，除了年纪稍长，没有太大的毛病。

和他见面之前，秦见月还是抗拒的，但她收到妈妈一通长篇大论的抒发。秦漪在消息中写道：月月，我已经提前替你打听过了，王诚人还算比较规矩厚道，没有恶习，可以试着接触一下。感情需要培养，婚姻也需要门当户对。家里状况不比当年，妈妈给你介绍的都是精挑细选过的。

这一条，她没有回复。

秦漪又道：不要封闭自己。

秦见月思前想后，回了一个字：行。

那个过期的约定被虚弱昏睡的那几个雨天带走，仿若没有发生过一般。只不过那三个字的名字偶尔仍会令她恍惚一下。

王诚的话很多，在他滔滔不绝的高谈阔论里，秦见月没礼貌地走了神。

她今天打扮得很素净，可以说没有打扮，如墨般浓黑的长发被发卡简单地盘绕起来，清冷的一双眼呆滞望着无趣的街景。

候月斋的对面是一间大户，放养鸽子的老人翘首看天。

"你唱京剧有什么好玩的事吗？"见她默不吭声，对面的男人主动抛过来话题。

秦见月摇头说道："没有，挺枯燥的。"

"不会吧？"王诚忽地笑起来，"我奶奶喜欢听戏，你可以给她老人家表演个变脸什么的。"

"……"好会聊天。

秦见月抿了一口茶水，满口涩意，点一点头，没有接话。

王诚尴尬笑了一笑："我是不是说错话了？"

她大度地微笑："没事。"

王诚打量她一番，指着她脑后的蝴蝶发卡："你这样看起来还挺贤惠的。"

秦见月愣了一下，而后得体地笑了笑，但眼里并没有笑意。她将发卡拆掉，头发散落在肩。她提议说："我还有些事，今天就到这里吧。"

王诚说："好吧，你要是忙就算了，下次有空请你吃饭。"

秦见月淡淡"嗯"了一声，心中却在腹诽，最好不要再有下一次。

她和王诚前后脚下了楼。

男人提出要送秦见月，秦见月婉拒了。她目送王诚驱车离开，正要走出巷子，无意瞥了一眼街口那位放鸽子的老人。

倏地，视线就被吸引过去。

老人的旁边站着一个青年人。他穿一身黑色工装，微微侧头看着旁边人，老人在和他攀谈着什么，程榆礼静静地听。男人的手中擒着一只白鸽，被束缚的不适让小鸟扑棱着翅膀，扇动不停。

他的眼在稀薄的光下呈现淡淡浅棕。

瘦削的脸颊，短促的发，微弓的谦卑体态，身上的凛然贵气在此时被削弱。他闲适地立于巷口，陪着大爷悠然地玩鸟说笑。

老人四下看了一周，注意到不远处杵着的秦见月，招呼她过去："姑娘，来帮个忙成吗？"

程榆礼跟着抬头，轻淡的双眸扫过她的脸。

视线短暂交汇。

秦见月脚步滞了一下，愣住片刻，才缓缓抬步走过去，看向他："要做什么？"

程榆礼道："抓一下鸽子，敢不敢？"

这是一只闹腾活泼的鸽子。看到他另一只手上的葫芦鸽哨，猜到他要做什么，秦见月点一点头，便伸出手去照做。

一瞬，他手腕的珠子贴了一下她的手背，十分清浅的触碰，但砭骨的凉意入侵体肤。

她旋即躲开。

等她握紧了鸽子，他松开手，纤长的二指夹出它的尾翎。秦见月稳住手中的动作，确定它不再挣扎，她悄悄抬眸去看他的侧颜。

程榆礼很认真细心地往尾翎上嵌入鸽哨，并没有分出心来和她说些什么。

很遗憾，他已经把她忘了。

可能是因为那一天见面她化了戏里夸张的妆容，让他分辨不出她的本来样貌；可能是因为过去时间太久，他的记忆里已经没有这号人；也可能，不需要任何的解释，他没有记住她的理由。

完全是意料之中。

秦见月别过眼去，心中一阵疏狂的野风卷过平芜。

在她心不在焉之际，程榆礼悠悠地开口，戏谑道："握这么用力，是要把它掐死？"

她赶忙松了松力度，抱歉说："不好意思。"

程榆礼看着她局促的模样，低低笑了声："没玩过？"

秦见月摇头："没。"

鸽哨装好，他提示说："好了。"

"……"秦见月一下没反应过来。

他重复一遍："好了，松手。"

秦见月这才迟钝地将手撒开，鸽子猛烈地扑腾了一下翅膀，那股要飞到她脸上来的阵仗，让她吃惊地往后瑟缩一下，轻声尖叫。

下一秒，秦见月被人扶住肩膀。她很快镇定下来，稳住脚跟。

被放飞的白鸽跟上鸽子群，鸽哨声绵长幽深地在橙黄的落日余晖中徘徊回荡。

秦见月的视线跟着梁上的鸽子打着转，身侧的程榆礼已然不动声色靠近她一些。他声音压得很低很碎，淡淡的："王昭君本该是你唱的吧？"

秦见月骤然抬眼。

他躬下身子，又看着她问了一句："那天怎么没去？"

见她眼里写满惊讶，程榆礼清浅笑一声："不记得我了？"

2

程榆礼的视线在她的脸上停留。看她细如弯月的眉，看她打战着往下敛的双目，意外地发现，对视的时候总会发生眼下这般有意的避躲。

秦见月的右眼眼角下有一颗淡色的痣，给她的气质添一份恰到好处的羸弱。

她略显生硬地弯了弯唇："怎么会不记得？程榆礼。"

他伸手替她捻下肩膀上一片轻盈的鸽羽。

秦见月解释说："那天是有事情。"

程榆礼点一点头。他看起来是个情绪很淡的人，没有悦意，也没有责备。少顷，他才轻轻笑着，自嘲一般："比我重要的事？"

头顶的鸽群绕梁飞行，鼓噪一片。

鸽哨的声音让秦见月觉得头疼。她自小在胡同生长，小的时候爸爸也养过鸽子，她在这样闷沉的声音中长大，却没有亲自接触过这一类古旧的手艺。她在程榆礼的身上隐隐看到些公子哥的秉性，但显然不是顽劣的人。

只是游手好闲，对任何有趣的小玩意都沾点兴趣，但这兴趣又并不浓厚。

或许，和女孩张弛有度的交涉也是兴趣的一环。

秦见月想了想说："你很介意的话，我给你赔罪。"

他并不客气："就现在吧。怎么赔？"

想不到什么新意，赔罪的方式就是请吃饭。程榆礼表示接受。

临走前，他和那位长辈道别："兰叔，我们先撤了。"

"我们"这个词，让狭路相逢的两个人变成出双入对的同伴。

秦见月慢行在他身侧，往巷口走。斜阳拉长身影，影子在地面流动交叠。

他们去地道的燕城菜馆，程榆礼挑的地方，她被邀请乘坐他的车。

程榆礼开的是中档性能的奔驰，不算招摇。

秦见月坐在副驾，瞄到中控台上摆放着的一张工作证，她的视力还可以，辨认出证件上的照片是他本人，而证件单位写的是某某军工研究所。

秦见月微讶，又凝神看了一看，确认自己没有看错。

收回对他"游手好闲公子哥"的评价，没有人不会对科研人员多几分敬重。

她想象中的程榆礼，该是做任何事轻松自在、念书、工作都可以随心所欲，再不济也能回家继承家业的那种人。含着金钥匙出生，早就被命运分到了不需要努力也能够鹏程万里的未来。

为什么要去选择一条相对难走的路呢？

她此时才真切地发觉，其实失去他的消息，已经很多年了。

车里，两人相对沉默地待着。

秦见月又汲取了一点儿和他有关的信息。

有的人以为这是一段全新的遇见，却不知道身边人早就对自己了如指掌。如果他会读心术，一定会觉得毛骨悚然吧？

毕竟还是秦见月请客，她在餐厅里坐下时显得有几分紧张。

忐忑翻开菜单，第一时间去看的不是菜名与图片，而是价格，人民币标识后面一水都是两位数，只划到招牌菜才见百元出头。

烟火气令人亲近，秦见月触在菜单上的指都变得雀跃。

程榆礼坐得闲散，手肘撑在椅子扶手，指关节支起太阳穴，闭眼休憩。

并不会看透她跌宕的心绪，他连睫毛都清净。

秦见月勾了几道菜，没听见对面吱声，她掀起眼皮瞄过去。

偷窥的第四秒钟，程榆礼终于睁开眼。他看过来，淡淡地问："好了？"

她轻一点头，将手里菜单合上。

"点了什么？"他没接她递过来的本子，只这么问一句。

秦见月给他报了几道菜名。

程榆礼伸出手："够了，就这样吧。"

二指夹住菜单，往旁边侍应生手上一搭。

秦见月垂下眸，余光里是他提起茶盅的手。茶水流进杯底，在这一阵微弱的流水声里，听见他似笑非笑问一句："很怕我吗？"

她愣了下："我怕你做什么？"

茶壶被搁置在桌面，一杯斟好的茶被他纤长漂亮的指骨轻轻往外一推，停留在秦见月的桌沿。她看清他雪色的指与修剪得干净圆润的甲面。

"可以正大光明地看我，我不吃人。"

淡薄幽香钻进鼻腔，是茉莉。

秦见月不吭声，端杯饮茶，化解局促。

被问到学戏多久了，秦见月答："小学就开始了。"

他说："你唱得很好。"又补充道，"我奶奶喜欢你。"

说起奶奶，秦见月不禁要问："她那天没去吧？"

"没有。"

她点一下头："那就好。"

程榆礼打量着她乖顺的眉眼，揶揄道："睬老太太不行，睬我就可以？"

秦见月忙说："我没有这个意思。"

他淡淡一笑，不置可否，又轻道："那欠人的戏，总该要还吧。"

秦见月说："孟老师唱得比我好。"言下之意，他不必再听一遍劣等的戏。

程榆礼却说："你知道我想听你唱。"

幽然空灵的弦乐声从餐厅大堂里传来。秦见月低着头，轻声地打趣他一句："付钱就给你唱。"

程榆礼也笑着，想了想，开口道："谈钱多没意思，我送你个礼品怎么样？"

"什么礼品？"

他指了一下窗外。

秦见月偏头看去，两个小孩坐在一个小摊铺前。被围在中间的是一位正在作画的中年人，搭起来的简陋台子上放着几个动漫人物的手办。

两人用餐完毕，到了画手跟前细看，秦见月对这些幼稚的东西没有表现出太大兴趣。但程榆礼说了句："喜欢哪个，你挑，我给你画。"

她顿时浮想了一番。

程榆礼学过国画，他的作品在学校展示橱窗里几乎没有被取下来过。

他的每一幅画都被记录在她的手机里，那些花鸟、水果、竹子，有一阵时间欣赏了太多遍，秦见月至今仍历历在目。

程榆礼要为她画画，这一件事让她的虚荣开始作祟。秦见月没有拒绝的理由，便随意指了一个哆啦A梦，程榆礼悠闲地在画师旁边坐下，借了他的工具认真执笔。

秦见月将要凑过去，他孩子气地说："不要偷看，我会紧张。"

秦见月不禁笑了下。

不出五分钟，"礼品"很快就完成，他神秘地将画纸卷起，用细绳系好，打了一个活结。

方才还在黄昏，此时已然入夜。夜里阴云聚拢，程榆礼没立刻将手里东西交给她，细思一番，问道："约个什么时间？"

秦见月说："还是你定吧。"

他挑一下眉："我定？我怕有的人太忙碌。"

她惭愧笑说："这次肯定不会了。"

程榆礼垂眸看着她，目光柔和，说道："这样吧，下回抬头看见月亮的时候，我就去见你。"

没有料到有这样做约定的方式，她问："如果那天你正好有事怎么办？"

"事情也分个轻重缓急，延一延不打紧。"

秦见月笑问："见我是急事？"

"你说呢？"用画卷轻轻敲了敲她的额头，他淡声说，"我可是言而有信。"

秦见月接过他的画，正要拆开。

程榆礼忙握了一下她的腕制止，说："回家再看吧，万一不喜欢，我的面子岂不是要兜不住了。"

他的手心一团火热，握得她手腕快要燃烧起来一般。

秦见月低头轻笑着，很给面子地将活结重新系好。

怎么会不喜欢呢？他把哆啦A梦画成蜡笔小新她都会觉得可爱。

秦见月到家时，院门敞着，她再往里头走，看见妈妈的一根拐被嵌在门缝中。

院中摆着一个烧纸钱的铜盆，焰火燃尽，烟熏火燎，纸灰飘飘扬扬让她呛了一鼻子。

"妈妈。"秦见月加快步伐往里面走，"你什么时候回来的？"

秦漪在小房间点蜡升烛。香灰的气味铺陈在狭窄房门之内，散发着浓厚而古怪的馥郁。

秦见月看到被摆在红烛中央的爸爸的遗照。

听见唤她的声音，秦漪回头看秦见月："快来，给你爸拜拜。"

秦见月点了两炷香给父亲供上，秦漪紧随其后。

秦见月退到她的身侧，眼尖看到妈妈额角的几缕青丝。秦漪在地上放了一只枕头，扶着膝盖要跪下去。秦见月过去搀她一把："你不方便就别跪了。"

秦漪没听她的话，还是屈下不便的腿脚，给亡人磕了几个头。

照片上的爸爸江淮俊美如初，这张证件照是他过世那年拍的。如今有人在苍老、有人在成长，逝者却是青春永驻。

江淮生前在外交部工作，妻子秦漪出身梨园世家。夫妻关系向来融洽，外人看来也很是登对。

家庭变故发生在秦见月高三那一年。爸爸应酬完回家的路上，因为酒驾而致使惨剧发生。江淮当场死亡，秦漪折了一条腿，再也无法登台。

那个惨烈的春天，至今也有六年了。

秦漪在江淮的遗照前跪了很久才起来，问见月："对了，你跟小王谈得怎么样？"

"嗯？"秦见月一时间没想起来这个小王是谁。

和程榆礼吃了一顿漫长的晚餐，她都忘了她今天出行的目的是和王诚相亲。没有多加谈论的必要，秦见月糊弄道："还可以。"

"还可以是什么意思？行还是不行？"

她避不开追问，便如实告诉妈妈："我不喜欢他。"

秦漪是一个很传统的女人，她很坚持地对见月说："喜欢不重要，门当户对才是最重要的。"

这话听得秦见月皱眉，她不想时时刻刻因为这些话题跟妈妈发生争吵。

但"门当户对"这一类词汇又对她的自尊造成不可避免的刺痛。

也许正是因为她方才才和程榆礼分别，不愿被揭穿两人之间那赤裸的差距。

秦见月鼻子酸了一下，她跟妈妈说："我只是想找一个可以理解我的人，如果没有，那我也可以不结婚。"

不想再接受指责，她钻进自己的房间，闭门不出。

秦见月没有开灯，平静地躺在黑夜里，睁着眼睛却没有聚焦。

她在想少年时期的程榆礼。

那些年，她尚可以为了看他刻意去制造偶遇，去贴近卷过他身体的风，去触碰货架上被他挑剩下的薄荷糖，去看窗户里姿态懒倦的身影、一走神又望到玻璃里出神的自己。两方身影重重叠叠，他看过来，和她发生漫不经心的对视。

他伸出手合上窗户。手臂伸长，校服便缩进去一截，骨感的手腕超出了袖口，洁白而温柔。

一模一样的校服，像情侣装。

他们都是学生，只不过脚步一前一后。

而阔别校园，脱下校服，他们可以坐在一间车厢，却置身两个世界。

他们之间的高墙不会为一个女孩的贪婪和私欲而坍塌。

他是赫赫有名的程家二公子，她是被他召来唱戏的小演员。

终于，秦见月想起什么重要的事，她从包里取出程榆礼给她留的那幅画。

有没有一种可能，这也算是一种变相的得到？最起码，他真真切切地为她经停了五分钟。

尽管是作为交换条件，程榆礼有一幅画是为她而作。不必患得患失。这是货真价实的馈赠。

秦见月打开台灯，小心翼翼地展开纸张轻薄的画卷。颜料变干涸，形成固定的色彩，被昏黄的灯涂抹上一层暖光。

哪有什么蜡笔小新、哆啦A梦。

画纸上是一个半身的女子，穿淡粉的戏袍，戴繁复精美的头冠。眸子垂着，睫如细纱，楚楚动人。

她眼角的那颗泪痣被涂抹成一枚细闪的朱砂色花钿。

卷纸被一点一点展开，直到最底下，她看到两行工整的小楷——

听说有泪痣的女孩都很漂亮。
原来是真的。

3

秦见月盯着"漂亮"二字走了神，从文字传递出来的情感让她觉得虚无，她贪心地想象程榆礼亲口对她讲出这句话。想入非非之际，不免脸红。压根儿没发现脸上的笑意已经无法抑制住，她羞赧地将画纸重新卷好。

又因想要多看一眼重新摊开。

再珍重地卷起来。

冒着傻气的动作，机械重复几次，直到手机响动了一下。

显示：cyl 请求添加您为好友。

手机发烫，心跳慌乱。

秦见月紧张地站了起来。

他的网名一贯简单。高中的时候第一次意外获知他的联系方式，是阴错阳差，在钟杨发的一则打比赛获胜的说说底下，她看到 cyl 点了一个赞。秦见月壮着胆点进他的空间，但没有看到任何内容。

一分钟后，她的访客显示"+1"——cyl 访问了你的相册。

秦见月惊得从床上坐了起来，一时间身躯僵直，身体被热潮束缚住。

访问相册的目的很好猜，无非就是想知道她是谁。

她飞速地点进自己的空间相册，大批量的照片，一张一张看，幸好都是些无关痛痒的网图。唯一有本人照片的那个相册，被她上了锁。

一阵慌乱后，秦见月总算镇定下来，点进有照片的那个相册。她自恋地觉得里面有几张自拍还是挺可爱的，一边庆幸他没有看到，一边又遗憾他没有看到。百感交集。

这一桩小事让她陷入失眠。

合眼睡不着，秦见月又忍不住打开手机，戳进 cyl 的空间。

然而这一次屏幕上赫然显示的是：你没有访问权限。

好像整个人被抛进一个湿冷幽深的山谷。低到极致的气压让她无法喘息，凌空的失重感让她难受得眼角泛起潮气。

越界了吗？被讨厌了吗？

揣测了千百种可能性，试图为自己找台阶下，无论怎么编织理由自我安抚，终究还是抵不过屏幕上那道冷硬的隔绝，它真实又残忍，像嵌入心脏的冰凌。

生平第一次，她睁眼到天亮。

还有谁会记得许多年前的一些小情绪呢？丧失了访问权限的秦见月会记得。

那一些年，恒久的失落跟酸涩、折戟沉沙的悲怆、鲜为人知的黯然，迄今仍然清晰如昨。

看着手机上姗姗来迟的添加消息，是通过名片。不出意外，应该是孟老师推过去的。

秦见月不觉间又晾了他一阵，终于按下了添加键。

他应该是在候着，很快发来消息。

程榆礼：还喜欢？

斟酌了一下，半晌，秦见月只发送出去两个字：喜欢。

程榆礼：那就好。

程榆礼：画笔拿得不顺手。瑕疵多了些，见谅。

秦见月：你常画人像？

程榆礼：第一次。

心情难得畅快，她轻轻勾了勾唇角。

咚咚咚的敲门声让秦见月从手机聊天里回过神来，秦漪的声音传来："月月，你出来一下，跟你说个事。"

秦见月把门打开："怎么了？"

洗完澡的秦漪正拿一块干毛巾擦拭着头发，她本要开口，见女儿一脸笑意，忽地，嘴巴顿住一下，往屋里瞅瞅，像是担忧秦见月在里面藏了什么人似的，确定屋里没人，又上下打量秦见月一番。

在秦见月的催促下，秦漪才开口道："我要说那什么来着——哦，秦沣最近好像惹上什么事，他要是跟你借钱你千万别借，有去无回。"

秦见月愣了下，她没细问，也没告诉妈妈她已经借过一次，少顷，只点点头："嗯。"

不论秦漪是否提醒，秦见月都心知肚明，借给她那位纨绔表哥的钱是收不回来的。就当亲眷一场，念及情分，给他一些接济罢了。

秦漪又问："药喝了没？"

秦见月点头："喝了。"

"行了，早点儿睡啊。把你嗓子好好养养。"秦漪走前，还狐疑地往她房间里探头。

秦见月催着："知道了。"

送走妈妈，她重新坐下，关闭灯光，在暧昧的黑暗里郑重地继续进行他们的聊天。

秦见月：我要买一个好一点儿的画框把它装裱起来。

程榆礼：夸张了。

程榆礼：既然如此，我改天重新给你画一幅。认真一点儿。

秦见月：不用，浪费你的时间。

程榆礼：怎么会。

秦见月抱着膝盖坐在床上，细思着要如何回应。

而刚打出来两个字，程榆礼的消息已经提前发过来：早些休息。

看来他是要睡觉了。

秦见月便删除了输入一半的内容，改为：好。

程榆礼：尽快见面。

有些突兀的通知，让她方才落下的唇角又不禁扬起。

秦见月：晚安。

程榆礼：晚安。

秦见月复工那天，她和陆遥笛、南钰一起在会馆附近的小餐厅吃晚饭。戏馆的几面之缘，让陆遥笛对程榆礼很感兴趣，几句闲聊又扯到他的身上。

聊他的车。

"两个 M 叠在一起是什么车？"陆遥笛用牙签在桌上画了一下她形容的车标。

南钰告知："迈巴赫。"

程榆礼来会馆通常开这辆。

"听起来就很贵。"很有探索精神的陆遥笛随即拿出手机搜索价格，又问道，"这车是不是坐着很舒服？"

南钰笑说："你这不废话。"

陆遥笛道："他哪儿来那么多钱？"

南钰说："靠专利啊。你想想看这技术得多香饽饽，一个专利都够吃一辈子了。更别说人手上还有好多。"

"欸，"陆遥笛想了想，又好奇地看向秦见月，"他上学那会儿是不是成绩特好？"

秦见月吃下一块排骨，点头说："特别好。"

这掷地有声的语调里还带点莫名其妙的骄傲。

陆遥笛饶有兴趣地看向秦见月："你说说他以前的事儿啊，我太好奇了。"

"他成绩很好。"

陆遥笛："说过了。还有别的吗？交过几任女朋友之类的？"

说实话，没有听说过程榆礼交过什么女友。

秦见月尚在思忖，南钰的奚落已然蹦了出来："还在做梦嫁入豪门啊？"

"……"

不怪陆遥笛气得龇牙咧嘴，南钰讲话的确是直接。太过直接的话总是刺耳。

"八卦一下都不行了？"陆遥笛别扭地鼓着嘴巴，有点儿气急。

南钰给她顺了顺毛，笑说："好了好了，赶紧吃吧你——别夹那么多豆芽，齁咸。"

陆遥笛被几句话哄好，才算安静下来，闷头进食。

秦见月寥寥几口就已然饱腹，她放下筷子安静等候。

今晚的戏结束得早，秦见月是最后一个离开的，她想着留下来打扫一下后台卫生，便没有跟着车走。

在休息室卸了妆，褪下单薄的绣花鞋，从敞开的推窗往外看去，秦见月渐渐停滞了动作，望着那一两片阴云悬在天上，阴沉天空看似又酝酿着一场雨水。

哪天才能放晴呢？

无端这样想着，忽闻会馆门口一阵骚乱声。

"是这儿吗？"

"就这儿吧。这不写着呢，沉云会馆，不识字儿啊你！"

是两个男人粗线条的争执噪音。

被惊扰的秦见月从窗户往下看去，楼下有四五个男人。其中一个人手里正提着一个铁桶，桶里装了一团浓厚液体，具体是什么东西她辨别不出，只隐隐有预感山雨欲来。

而后便听见一道踹门的声音，来势汹汹的男人在楼底下大吼："有人吗？姓秦的在不在？"

会馆已经闭灯，楼上只有秦见月一人，楼下还有一个值班的叔叔。后勤大叔睡得有点儿蒙，还没反应过来这是怎么了，为首的男人已经噔噔噔往楼上走了。大叔直嚷嚷："哎哎，干吗呢？"

叫也不应。

秦见月把休息室的门带上，站在楼梯尽头，不明所以地问："你们找我吗？"

男人抬头望着她："你姓秦？"

她点头说："对。"

"秦沣是你哥是吧？"男人走到秦见月的面前，垂眸看她，并没有很好神眼色。

"是我表哥。"秦见月坦诚接话，心中直打鼓。

"他欠钱不还，你今儿替他还上，我就不跟他计较。"男人从兜里掏出一包烟，抖了一根出来给自己点上。

秦见月皱眉问："他欠了多少？"

"五万。"

她一下腿发软："五万？我没有这么多钱。"

男人把烟抽得风生水起，对这个回应倒也不意外，只咬着烟蒂说："没钱借什么高利贷。"

接下来，秦见月被一把推到旁边。

"滚开！"男人领着几个人往里面走。

秦见月赶忙追上："你们不要进去，这是公家的地方。"

男人哪听得进她的话，指使身边的小年轻："看看有什么值钱的，能拿都拿走。"

秦见月说："不行，这里没有值钱的东西，戏班子能有什么值钱的。你用不到的——喂！不要动里面的东西！"

被人扯着衣领，秦见月摔倒在门外。

几个壮汉提着铁桶，对着衣架上的戏服就开始泼东西。一大片一大片通红的油漆无情地被倾倒在精美的袍子上。

秦见月喊了一声："不行，你别泼衣服！"

然而她的制止是无效的，每次往里面冲都被男人捏着肩膀扔出来。

秦见月只能眼睁睁看着那半桶油漆让整个墙角变得泥泞难堪，刺眼污浊的红色令她瞬间湿了眼眶。

谁愿意白白承受这样的无妄之灾？

"一点儿小教训。"男人的烟吸完了，随手丢弃在地板上，踩灭，"让你哥赶紧把钱还了，不然我明天还来，敢报警的话我和他没完。"

人走之后，敞开的门送进来一点儿暮春的风。

她没有接话，余光送走这群肇事的浑蛋。看着木门一下一下撞到墙壁，发出哐哐的声音。

说是一点儿小教训，确也只是一点儿小教训。不幸中的万幸，他们没有把她怎么样。

这场闹剧很快结束了。

秦见月在这个风口倚着墙壁坐下，腥臭的气味嚣张地冲上天灵盖。

楼下的大叔这才赶上来："怎么了这是？"

他扶着秦见月起来："天哪，怎么把屋里搞成这样？"

大叔拿出手机要打110。

秦见月捏了一下他的腕子："先别报警。"

大叔又关切地问："怎么回事啊？你是不是招什么人了？"

"一点儿家事。"她缓缓地摇头："您去忙吧，我自己打扫就行。"

"你行吗？"

"没事，一点儿漆。擦掉就行。"

秦见月走进去，看着狼藉的地面与被毁掉的戏服。她迟钝了几分钟，才慢吞吞地开始收拾清扫。

门框撞着墙，不停地发出无序的噪声。

她将不能再用的衣服尽数取下，暂时堆叠在一旁的红木沙发上。

哐——哐——

下一秒，像是被人抵了一下，门的声音滞住。

秦见月回头望去。

男人站在半明半昧的光影之中，黑色衬衣衬得他的体肤尤为干净惹眼。站在高高的门槛外，足尖顶着被风吹得乱撞的门框。

他站的地方没有灯光，因而自她的角度看去，像是一道颀长的虚影。

宛如梦境。

许多许多遍，在梦里见过这样的他。

但通常，只是她在窥探。他在做自己的事，忙碌、游戏，或是闲散与人闲谈。他并不会注意到角落里的一双黯然的眼。

永远不会。

而这一次，程榆礼却同时也在直直地望向她。

因此，他的神情变得前所未有的清晰。清晰到让她半晌才反应过来，原来这不是梦。

秦见月赶忙摸到沙发上一件干净的外套，遮住脚边一片没有清理干净的斑驳油漆。

她用手指轻蹭眼睑，拭去一层薄薄水汽。她低低说道："今天没有月亮。"

程榆礼看着她泛红的眼，难测心迹。少顷，他才说道："没有月亮我就不能来了？"

他说着，往里面走。

秦见月表现出很刻意的排斥，堵住他的来路，她说："打烊了，今天不唱了。"

程榆礼也很及时地止住步伐，打量她："大晚上来看你一眼，就这么迫不及待赶我走？"

语气是无奈的。他漫不经心地揶揄："秦见月，你说说看，我的殷勤都献哪儿去了？"

怔愣一刻，秦见月终于敢抬眼看他。

雾蒙蒙的一双鹿眼撞上他狭长的眸。

程榆礼别开眼去，偏头环视一圈，看见被堆在沙发上的污浊衣物，预料到什么，他问了一句："让人欺负了？"

她抿着唇，一语不发。

程榆礼伸手去够了一下脏乱的戏服，展开细看。黏稠的漆狡猾地沾上他的指腹，他轻轻一搓，将其揉去。

楼下又传来一阵响动，秦见月风声鹤唳。她警觉细听，发现是女孩的声音，正要缓下一口气。

南钰问："你放哪儿了？我帮你找，你别上来了。"

陆遥笛说："就在我盒子的第二层，你打开就能看到。"

听见上楼的轻快脚步声。下一秒，秦见月变得更加警觉。

她急迫地对程榆礼说："师姐来了，你藏一下好吗？"

他弓着身子去掀开地面上的外套，狼藉入眼，他顿了一顿，维持着一贯的从容淡然，还在嘲弄似的打趣她："藏什么？偷情了？"

直起身子，程榆礼回眸看她紧张得不行的样子，不由得被气笑："还是你觉得我见不得人？"

第三章 / 宣示主权
女朋友。

1

　　程榆礼的质问很到位。为什么要藏呢？秦见月也说不清，她想要隐藏起来的究竟是眼前这个人，还是她心底那些讳莫如深的小秘密。

　　南钰的脚步近了些，眼见就要拐个弯过来了。

　　程榆礼也没让秦见月为难，看她脸色僵硬难看，他微微笑着，无奈摇一下头，便转身推开里间的小门，自行走进更衣室。

　　"哎，见月你还没走啊——我去，这是什么味儿，这么冲。"

　　隔着一道墙，他听见外面攀谈的声音。

　　程榆礼走到窗前，用指抵着漆木窗棂，慢条斯理将其推开。悄然让如水夜色流淌进来，视野里几分寂寥。

　　"啪。"打火机被引燃，一段青黄的火焰在黑夜里窜起，徐徐沾上烟头。

　　袅袅烟尘里，男人将手抄在口袋里，长身鹤立在窗口，微微眯起眼，感受浓厚烟香的入侵。

　　"师姐你找什么？"秦见月的声音。

　　南钰说："笛子家里钥匙落这儿了，你看见没？"

　　"哗啦。"拉开抽屉的声音。

　　"这是不是？"

　　"对对，就是这个。还真在这儿——行了，那我撤了，你也早点儿回去啊，晚了没车了。"

　　秦见月温温糯糯地"嗯"了一声。

接下来，动静渐隐。很快，陷入彻底的平静。

而后，两三道脚步声靠近过来，更衣室虚掩的门被她用指头戳开。

"她走了。"她轻声地通知一声。

程榆礼淡淡地"嗯"了一声，没急着走，也没回头看她。他高大身影斜倚在窗前，被烟雾虚虚笼着，闲云野鹤般贵气幽然。

气定神闲吸完了烟，程榆礼从更衣室出来，走至秦见月的跟前，开口道："再有人来找碴儿，你和我说。这事儿不难解决。"

秦见月眼里晃过一道诧异。

他的眼中有看破不说破的笃定，无形之中洞悉她的心事。

她很想说，这不好解决的，不单单是找不找碴儿的事。但她又怎么和别人开口讲这一些难堪家事，何况面前的人还是程榆礼。

秦见月不吭声，垂头用湿巾擦拭着戏服上的垢，做最后的徒劳挣扎。

下一秒，余光里的程榆礼将手腕上的沉香珠拂了下来。紧接着，凉凉一串珠子被揣到她的掌心。

秦见月错愕抬眼。

程榆礼平静看着她，他的手指还停留在她的手心，尚未急着退开，泛着冷气的指尖在她的手心划拉游走两下。

弄得她一阵钻心彻骨的痒。

辨别出来，他写了一个数字。

20。

接着，程榆礼问："够吗？"

"……"

"不够我再——"

秦见月忙说："够的。"

他"嗯"了声，用指头轻轻点了点佛珠："这是保底价，别让人诓了。"

秦见月抓住那串珠子，收下肯定不好，但也为难于怎么退还。她的难堪写在脸上："我不要你的。"

程榆礼望着她，浅浅一笑，像在安抚："燃眉之急，人之常情。"又道，"想还的话，今后有的是机会。也不是什么大数目。"

他不再管秦见月的郁结，指着那一摊衣物道："这些不用整理了，我明天找人送新的来。"

秦见月低头看着，她无序地揉着手里的佛珠，神色无措。

她的头发长而厚重，覆在腰脊，垂眸时刻遮住全部神情，从他的角度看去，只剩一片鼻梁的阴影和打战的睫。

伴着心底一点儿担心，程榆礼低下头，看到她病弱般欠缺安全感的眼神。

她抿着唇，神色凝重说："是我哥哥。"

程榆礼沉吟片刻，点了点头，随后通情达理地说："可以理解，谁家都有那么一两个不省事的亲戚。"

秦见月闻言，感恩道："谢谢。"

她话里有话，但仍表现得欲言又止。

程榆礼欺身往前，细细看她的神情，声音很低地说："怎么了，怕被人知道？"

知道小姑娘面子薄，像哄小孩似的，他笑了下："我不说，你也别说。"

她又感激地说一遍："谢谢。"

一串佛珠让他将她划进一个无形的范畴，两人的距离被一种古怪的关系拉近。

程榆礼不再说这件事，问她："月底发小过生日，一块儿去？"

秦见月愣了下："我吗？"

他说："这儿除了你还有别人？"

她喃喃问："为什么……"

程榆礼没有回答原因，只说："你可以不愿意。"

秦见月忙摇头："我没有不愿意。"

他看着她，淡淡一笑，不再多言。

秦见月顿时心头涌上一点儿暖意，也微微笑了下："你现在还想听戏吗？我给你清唱。"

程榆礼找了张凳子闲适地坐下，淡道："不必了，这个点了。"

他敛了眸，想了想，又道："你可以给我讲讲是个什么典故。"

"好啊。"秦见月在他旁边的凳子坐下，问道，"你想听哪一出？"

他说："你欠我的那一出。"

那一次他没有听上的，曲目是《青冢前的对话》。

"讲的是蔡文姬在归汉的途中，路过王昭君的墓，两个都是作为时代牺牲者的女性灵魂相遇，产生了共鸣。以她们的经历作为蓝本，构建出了这样一个小剧场的故事。虽然没有我们的大戏那么恢宏磅礴，但是我很喜欢这出戏。"

很难得，见到这样口若悬河的秦见月，程榆礼细细打量她，认真听着，这个女孩也只有在讲起戏的时候才会这样神采奕奕。

"因为在传统的京剧故事里，女子往往受到封建社会的牵制，多半成为时代的牺牲品。这一直也是戏曲的弊端所在。就好像——"

秦见月想了想如何形容："蝴蝶，如果说西方的话剧是会飞的活的蝴蝶，那中国的戏曲就像是蝴蝶的标本，虽然五彩斑斓，非常漂亮，但是被按在墙上的。固定成型的那一套。

"但这出戏打破了古代男性思维的审视，情节没有那么的跌宕起伏，引人入胜，演出方式也很简单，内容却非常精彩。总之它很触动我。"

滔滔不绝讲了许久，秦见月有点儿陷在自我的陈述里，停顿的那半晌才觉得有点儿尴尬。因为程榆礼一直没有接茬，她声音低下来一些，略带歉意地说："会不会有点儿无聊？现在的年轻人不喜欢听戏。"

他摇一摇头："不无聊，我爱听。"

不接话是因为不想打断她的思路。

秦见月抿了抿唇。

"你接着说。"程榆礼道。

"嗯。"

接下来的时光两个人平静独处，这个夜晚是丰盈饱满的，她很久没有这样畅快聊过自己的专业内容。

好在，他并不排斥。

怕她讲得累，程榆礼还给她倒了杯茶。暗香浮动。

程榆礼垂眸，摸了摸自己的手腕，没了饰物，空空荡荡的，还有些不习惯。

他又看向秦见月，发现她的腕上戴了一个发圈。

趁她喝茶解渴的停顿时刻，程榆礼冲她勾勾手指。

"嗯？"秦见月不解。

他指了一下她的发圈。

"这个吗？"秦见月把发圈拿下来，递给他。

淡粉的细绳，上面缀着一个粉色小猪。很简单、很普通的发圈。贴近还能闻见上面一道隐隐发香。

程榆礼捻着它，看了两秒，而后不客气地套上自己的手腕。

竟也颇为熨帖。

他满意地看着发圈，狡黠地笑了笑，蛮横地说："归我了。"

秦见月被噎了下，一时间臊得脸泛红，像夜里倏然开出了一株夹竹桃。

秦见月没有动程榆礼的佛珠，她先去联系了秦沣。秦沣这个老油条，说是因为借钱时填了紧急联系人，对方才会摸到她的戏馆去。

秦见月饶是想骂他两句也无济于事。只要一个人没有道德，你就绑架不了他。

秦沣虽然是秦见月的表哥，但是因为父母离异后又各自组建家庭，便自小被放养，跟秦见月一家的关系非常亲近。

尽管秦沣如今游手好闲的，常做生意常破产，但秦见月想起儿时哥哥一直保护着她，她总是狠不下心来伤害他们之间的情分。

她是个心软的人。

秦见月不知道秦沣外债多少，她能想办法帮他凑上这五万。唯一的条件是，叫他去工作。不要再搞那些所谓的大事业，又苦口婆心地劝，有的人天生就没有富贵命。

秦沣在电话那头低眉顺眼地应，行行行，是是是。

程榆礼定制的戏服很快就到了，这件事情他确实遵守承诺替秦见月瞒下，具体用的什么说辞她不清楚。

除却衣服，他还给所有演员备齐了从头饰到鞋整套装置，连戏台子都被重新装饰一番，整个沉云会馆焕然一新。众人皆是欣喜。

只有秦见月知道，唯她那一件衣裳是特别的，领子上绣了"见月"二字，她也是某天夜里收整行头的时候才无意发现。

秦见月莞尔一笑，立刻用手机拍下。

常年作为觊觎的一方，那患得患失的心绪让她认为，有一些小温存，眼下如若不抓住，顷刻便会消散。

只是快到月底，秦见月愁着一件事。

那天接到齐羽恬的来电，她问："月月你找我什么事啊？我明天回去了。"

起因是秦见月问齐羽恬在不在燕城。

高中的情谊最为绵长，自从高一做了同桌，齐羽恬到现在也一直是秦见月关系最亲近的朋友。

齐羽恬大学时报考的是电影学院，只是一直没找到出头的机遇。直到前两年因为参加一档选秀节目，凭借可爱的外貌积累了一些人气，才算真正开始在演艺圈里崭露头角。她是属于一边唱歌一边演戏的两栖艺人，有什么走红机会都会去试一试那种。

她吸引的粉丝普遍比较"亢奋凶残"，圈里像齐羽恬的这一类人，俗称"爱豆"。

秦见月回答她："我想借你一件衣服。"

翌日，她去见了齐羽恬。

齐羽恬已经习惯了明星的派头，帽子口罩墨镜三件套备齐，只是下楼接个人也要这样全副武装。

"有必要吗？你有那么红？"秦见月也只有对熟悉的人才这样打趣。

齐羽恬作势去掐她脖子："你在说什么鬼话！我可是有两千万粉丝！"

秦见月笑着躲开，而后告知她借衣服的目的："朋友的朋友过生日。"

齐羽恬一语道破天机："朋友的朋友过生日你都要去？那你这个朋友挺特别啊！"

她意味深长地"喔"了一声，戳着秦见月的鼻尖尖："如实招来，你是不是有情况了？"

秦见月羞着，躲开她的追问："你到底有没有好看的裙子啊？"

"你告诉找哪个朋友。"齐羽恬按着她的人衣柜门，不让秦见月看，不依不饶地问。

被她缠得没辙，秦见月说："他叫程榆礼。"

"谁？程榆礼？"齐羽恬大惊，"是我知道的那个程榆礼？！"

秦见月轻点头："就是他。"

"快快快，八卦时间到，快说怎么认识的？"

秦见月被按在墙上，无奈地笑："你怎么那么多问题，不借了。"

齐羽恬从往外面走的秦见月身后搂住她，托着她的腰把她丢进自己的衣帽间："来吧来吧，都是你的。"

秦见月解决了经济危机，比她想象中的简单一些。本打算今天把佛珠还给程榆礼，但是礼裙没有口袋。

携带不便，便想着下一次再交还。

借来的是一件普通款式的香槟色仙女裙，细吊带抹胸，裙面上有一层薄纱。和见月平时钟爱的宽松针织的穿衣风格大相径庭，她被束着腰也有一些不习惯。

长发微微蓬松，天然鬈曲，海藻一样坠在肩颈之后。

秦见月安静地等在家门口。他说过来接她。

于是，她提前一个小时就打扮好自己，忐忑静候，呼吸一阵一阵地不畅。

燕城已经进入春夏交替之际，夏日将至，但夜里的风还是带着暮春的些许凉意，扫过她袒露的锁骨，秦见月缩了缩手臂。

整点，迈巴赫准时抵达她家的巷口，稳稳停在秦见月的跟前。开车的是阿宾。

程榆礼没有下车，他降下车窗，眯眼打量她。

阿宾为她打开后座车门。秦见月说谢谢。

秦见月上车后，程榆礼轻笑一声："好隆重。"

她略显紧张，谨慎问他："会不会有点儿浮夸？"

他低着头，微微摇头，笑说："顿时觉得自己有点儿配不上。"

秦见月很小声道："不是给你朋友庆生吗？和配不配得上有什么关系？"

程榆礼说："他也不配。"

她微微笑着，垂下视线，看到他戴在手腕上的小猪发圈。

还真当一回事，秦见月笑意渐深。

"口红没涂好。"看着她的脸，程榆礼这么淡淡说了一句。

"真的吗？"秦见月惊慌吸起一口气。

"嗯，多出来一些。"

他只这么说，却也不清楚地告诉她哪里出了问题。

秦见月没有随身带镜子，他显然也没有。

程榆礼看着她半晌，总算笑了起来："帮你擦一下？"

"……嗯。"

窗外霓虹闪烁，光影有序地从车厢里穿过。两秒亮，两秒暗。

他在这样错落的灯光之中欺身过来，抬起手，指腹抵上她的唇。

2

有很长一段时间，程榆礼的相貌在秦见月心里是虚焦的。

就像人眼见了光源会下意识地躲避，他的眼睛会让她觉得刺痛。

正大光明的凝视于她而言是奢望，人在眼前，她不敢看，只能远远去偷瞄。因此他遥远。

眼睛、额角、鼻梁、嘴唇，都是无法一笔一笔清晰拓下的虚影。

她最熟悉的永远只是他的背影。

可是即便胆怯，也会奢侈地想着去亲近。只是到了真正对视的那一瞬间，她会没出息地别开视线。然而那短短交织的一两秒钟，又足以让她回味很久。

那是躲在暗中窥看他的侧影无法得来的悸动。

原来他的眼睛是那么好看。原来，他就是美好本身。

那她呢？有没有因为在讲话露出牙套的边边角角，刚才那阵风有没有把她的头帘掀到底，眼神够不够淡定，脸上有没有露怯？

她趴在炎夏的教室里，在欣喜跟忧愁之间反复跳跃着，度过一整个昏沉欲睡的下午。苦恼于，刚才不应该跟旁边同学说笑的，她笑起来会显得眼小。

唉。

在纸上写满了奇形怪状的"程"，莫名期待起下一回相遇。

——程榆礼，说出来你会不会觉得好笑？一个短得近乎没有发生过的对视，让我满心都是你。

她已经摸清楚规律，不跑操的大课间，他一定会去一趟书店。

"齐羽恬，我想去看看这个月的《萌芽》有没有到。"秦见月邀请她的同桌。

齐羽恬睡眼惺忪坐起来，第一时间回头看一眼钟杨空荡荡的课桌，随手捡起一个橡皮砸在他书呆子同桌的额头上："他人呢？"

"打球。"

齐羽恬手揣在校服口袋里，站起来跟秦见月说："走吧。"

精心制造的偶遇在她的计算范围内。

他在教辅书籍的货柜旁，凝神看着一排排书脊上的文字。穿着和她一样的蓝白色校服，微微抬头。手臂散漫地叠在身前，两指松松夹住一本书，薄薄书本因他抱臂的动作而微微下坠。

秦见月的眼漫不经心地扫过书刊，余光里是他的一举一动。看到他手里书的颜色，再去书架上查找。

是一本古书，叫作《洛阳伽蓝记》。

他的喜好总是独特，秦见月微微掀起唇角。

"程榆礼哎。"齐羽恬忽然把她拉到一边。

秦见月一惊："谁啊？"

"就是他。"齐羽恬指过去，"看见没，他旁边那个是祁正寒。"

"又是谁啊？"这位是真的不认识。

"传闻中两大校草，你觉得他俩谁比较帅？"

"……祁正寒吧。"

女孩子莫名其妙的别扭让埋在最深处的名字变得难以启齿。

齐羽恬说："可是祁太花心了，"她口吻鄙视，"身边总是有不同的女生。"

许是她声音太大，程榆礼淡淡瞥过来一眼，看一看齐羽恬，又看向她旁边的秦见月。

视线相撞，一两秒的交汇让秦见月脸色憋红。

齐羽恬惊得捂住嘴巴，往她怀里揣了本杂志："糟了，被听到了，快逃！"

秦见月被她扯着往外跑。秦见月不知道为什么要逃，但在那阵温暖干燥的风里，她笑着。她们跑过绿荫和操场，步伐变得轻盈喜悦。

甚至什么都没有发生。只是被他看上一眼，她就满足。

——那些平静而和煦的漫长光阴，想起他，被填满鼓胀的温暖。

有时候，这场喜欢也是快乐的，源于她热爱幻想。有许多甜蜜的时刻，统统存在于她的想入非非中。

失落跟愉悦都是那么简单，那么容易因为他而被放大。

……

眼下，猝不及防被拉近的距离让秦见月滞住了呼吸，如临大敌。真实的触感提醒着她，这不再是想象。在她眼前这个真实的可以触碰到的人，是她心心念念的程榆礼。

没有异常贴近，却已然让她慌张得手心冒汗。终于，她也可以这样磊落地直视他。

关于长相的焦虑无端开始作祟。不知道她不完美的鼻梁、单薄的眼皮，会不会令他觉得遗憾失望。这样想着，她又不自觉地坠下眼去，脑袋也随之低下去一截。

这种躲避已成为习惯。

"别低着头。"他用食指轻轻勾起她的下巴，让她隐在暗处的唇角重新沐浴在光下。

程榆礼没有那么多的想法，暖热的指腹贴着她的唇线擦拭。

"好了。"

一切烦乱交织的心情在他退开的一瞬间消散。

秦见月低低地应了一声："谢谢。"

她轻抿了下唇，他指尖的触感尚未消失。

"左边绕吧，这里太堵。"程榆礼突然开口，秦见月看他一眼，原来是在和阿宾说话。

她想起什么，问道："你过生日的朋友叫什么？"

他偏过头来看她，回答说："钟杨。"

秦见月顿了一下。"钟杨"这个名字听起来也有些生疏了，明明他们以前关系还不错。

"认识吗？"他若有似无地轻勾着唇角。

"嗯……"她有点儿无从答话，该怎么说呢？

程榆礼又说："不认识？"

这样的话，听起来像确信她是认识似的。秦见月不明所以地看着他。

随后他提示了一句："他很有名。"

"……"

秦见月恍然，她险些忘了钟杨是非常厉害的电竞圈大神，于是顺理成章地点头承认："认识的。"

松一松手掌，散掉手中攒积的汗。

裙摆被她攥紧的那一片重新被抻平整，铺盖在膝盖上，略略发热。

钟杨过生日在他爸爸的山庄。幽深之处的纸醉金迷，僻静里的繁华。

穿过一片泛着冷意的山谷，程榆礼的车慢慢上行。

悠闲之际，一辆来势汹汹的跑车嘀嘀两下喇叭，将它超了。

秦见月看向窗外，火红的敞篷车上，车主鼻梁上架着一副墨镜，快把他巴掌大的小脸整个遮住。

钟杨偏头看着车里的程榆礼，轻勾唇角，挑衅意味十足地吹一声口哨，而后将油门踩到底，轰然驶去。

程榆礼失笑。

眼见胜负欲十足的阿宾就要加速，他淡定劝了句："别计较，让着他。"

庄园门口，跑车随意地停在一片草地上。钟杨懒散地倚靠在车门上抽烟，等着程榆礼过去。

秦见月远远看到，他的副驾上坐了个金发碧眼的女孩。

"这位是？"钟杨注意到程榆礼身侧的人，眼神里写着意想不到。

他摘下墨镜，躬下身子，用很不客气的眼神凝神去看她的脸，不可思议道："秦见月？真是你啊。"而后轻哂道，"女大十八变，美得我都认不出了。"

秦见月微微笑说："钟杨，生日快乐。"

钟杨没有变，还是那个玩世不恭的大少爷。

有人说他很渣，但他对秦见月一直都不错，有一回大雪天，自行车在路上断了链条，也是钟杨帮她把车扛到三公里外的修车行。凭良心说，她觉得钟杨挺好的。

无非也是因为没跟他牵扯上情情爱爱，没有渣到她的头上。所以他是个好人。

钟杨看向程榆礼："你带过来的？"

程榆礼道："不然？"

他戏谑笑了下，说："挺能啊你！这我老同学，有点儿交情。"

程榆礼点了点头："知道。"

秦见月愣了下，怎么就知道了？

或许是因为随口应付，她用这样简单的判断中断了胡思乱想。

钟杨用手指夹着一只烟盒，磕了磕他的肩头，小声揶揄："铁树开花。"

程榆礼轻轻笑了笑，说："管好你自己。"

钟杨女朋友是个法国人，叫 Isabel，是长在他审美点上的明艳长相，身材也很诱人。不过女孩子看起来年纪很小，也就十八九岁的样子。她叫他杨，他们用英语交流。

秦见月听不明白。她和程榆礼走在前面，隐隐捕捉到身后的谈论里什么 Peking Opera（京剧）的字眼，而后 Isabel 惊喜地"Wow"了一声。

程榆礼偏头问她一句："你喝酒吗？"

秦见月摇头。

他"嗯"了一声，想了想，说道："走，打牌。"

穿过油绿的宅院，抵达一道古旧的门，上面用一行复杂小篆写着"上善若水"，再往上走是石阶，曲径通幽。走着走着，身后二人没再跟随，宁静小坡上，她跟程榆礼并行。

"牌九会玩吗？"他问。

"这是什么？"秦见月嘀咕一句，"听都没听过。"

"没听说过？"程榆礼淡淡笑着，轻道，"教你，很简单。"

"好。"

快要到目的地，热闹的声音传来。

止步于一间露天的茶室门口。头顶叶片上的雨露陡然滴落在秦见月的锁骨上，她不禁瑟缩，起了一身鸡皮疙瘩。

"程公子来了。"迎过来的是女人的声音。

秦见月脚步不由得慢下，遁在他的身后。

程榆礼平平地应了一声。

有人的视线落在他身后的秦见月身上。什么都没说，却也什么都说了。

茶室被林间禅意笼着。

他们在长几前坐下，程榆礼给秦见月介绍一起的几位牌友，她友好点头打招呼。

在他的身侧，她拘谨地坐着。面前摆放着一盏玄色宫灯，灯芯旧黄，灯面绘以山水。旁边案几上的青铜卣里嵌着一株细长的竹叶，露珠淋漓。

程榆礼给她推来一片小方碟，里面是青白色的宫廷糕点。

秦见月尝了一口，甜得倒牙。

看她愁眉苦脸，他倒是幸灾乐祸的神色："不好吃？"

"齁甜。"秦见月手足无措地举着被咬了一口的糕点，吃进嘴巴嫌腻，放回去也不是。

纠结至极。

下一秒，指尖空了。

程榆礼夺走她手里的糕点，咬下一口，低低评价道："还成。"看着她，小声说，"是你口味太淡了。"

没等接话，他把剩余的几口吃净，轻轻搓了搓指腹上那点碎屑。没有注意到在一方暗影里羞赧的秦见月，程榆礼伸手去接牌。

推牌九，看起来像是简易版麻将。秦见月抱着学习的姿态，一边看他出牌，一边又心猿意马享受着坐在他身侧的虚荣。

她能隐隐察觉有人往他们这边看过来。

不出意外，她已经成为他们私下里揣测的对象。

就像学校里走在风云人物身边的女生，免不了被议论。秦见月很清楚这种感觉。

只不过很可惜，她和程榆礼的关系，似乎也没有到让她陷入舆论中心的地步。

如果说程榆礼是圆心，她有幸存在于他划好的特定范畴里，但也仅是游离于边缘线左右的程度。时而近、时而远。

是失重的、不受控的。兴许下一秒就会脱落出去。

这都不是她说了算，并没有什么值得高兴的。没有找到让她的自尊心被支撑起来的安全感，秦见月敛眸看着桌面上的牌。一点点欢喜，一点点黯然。

眼见一张骨牌被碰倒，她下意识去扶。

同时，他的手也探了过去。两指交会，触到她泛凉的指端。

秦见月立刻缩回去。

程榆礼扶好了牌，两三秒，看她一眼："冷？"

"还好。"

他的眼顺势落在她单薄的裙面上。

换季温差大，他竟粗心没留意。程榆礼旋即脱下身上的夹克，盖在见月的身上。

其实也没有那么冷。秦见月推托了一下，想要掀开这件外套，摇头说："会被人误会。"

程榆礼牵着衣服领子，不让她脱，重新盖住她圆润纤白的肩头，凑近了些说："不希望被误会吗？"

"……"

"宣示主权，知道是什么意思吗？"他微微欠身贴近她，看着秦见月赤红的耳垂，似笑非笑地说，"就当帮我挡挡桃花。"

"……嗯。"她轻轻地应。

衣服罩在身上，没一会儿，又诡异地觉得有些热了。

但秦见月没再脱去。

对面的哥们给程榆礼递烟，程榆礼摇了下头示意拒绝。也并非有意拂人面子，是腾不出手去接。

他右手握着牌，左手在桌子底下与她十指紧扣。

程榆礼的手指细长，淡淡的轻弱筋脉被覆在纤白的体肤之下，没有任何一点儿多余的纹路，指节干净而细腻。如竹枝，但又不似那般苍劲。

她曾看过他的一张坐在台前作画的照片，出现在学校自印的杂志扉页。

少年蜷起的指端着一支小楷毛笔，笔头触在宣纸上，笔法在静止的图片中也能看得出多么轻盈。

纸上是两条深橘色的锦鲤。

他们说那幅画后来被挂到三中校长的家中厢房。

真假不知。她只印象深刻地记得那只手的形状，感叹于女娲的鬼斧神工。如果人的手也有特质，那程榆礼的一定是温柔。

因而秦见月一度认为，他的手握起来的感觉大概率是绵软的。

然而事实却和她的认知有一点儿偏差。

男性的手只是看起来纤细，等他真正将她那一只手笼在掌心时，她感觉到深厚的力量。他的骨节比她的要硬朗许多，特质里还有一道隐形的韧。

沙沙的风将她的发吹停在他的肩，又慢慢悠悠地滑落。

秦见月低着头，薄唇微抿，担心让人看到她的忸怩。

程榆礼问她："要不要换你来试试？"

秦见月说："我看你打就好。"

程榆礼噙着微笑，少顷，悠悠开口："既然没兴趣，那也别看牌了，你就好好看看我得了。"

秦见月垂着眸，轻嘲一句："你怎么好意思的。"

他侧过身子看着她，捏着牌在笑。

好半天，旁人催了下："出牌啊阿礼，愣着干吗呢？"

程榆礼这才把牌推出去。

中途有人来唤，是钟杨叫他们过去玩。

程榆礼回绝掉了邀请，他不喜欢很多人聚在一起闹闹哄哄，喝酒、游戏。不喜欢好好的平静的夜被打乱成稀碎。那一层遗世独立的贵气，使他身上的铜臭味和烟火气都很淡。谦谦君子，卑以自牧。

程榆礼是这样的人。

秦见月又不免要问："那你为什么要来？"

他淡淡道："我要是说，只是想找个约你的契机，你应该不会信吧？"

她鼓了鼓嘴巴，被甜蜜言语撂倒，无从接话。想藏住羞红的脸，秦见月微微凑过去一些，挨他近一点儿，姿态像是脸颊贴上了他的肩，实则并没有触到。

程榆礼也沉默地准许了她的亲近。

只一瞬间，下一秒秦见月便立刻避开，因为听见身后的声音。

"程榆礼。"钟杨在茶室门口，叩了两下门。

两人一起回头。

"你过来一下。"他勾了勾手。

程榆礼便起身过去，和钟杨交谈。

秦见月回头看他们一眼，而后托着腮在原地等候，百无聊赖地用手指戳一戳面前的宫灯。

忽然之间，耳边传来一些声音，就那么有意无意地让她听去了。是另一桌的几个年轻人——

"那个女人是什么人啊？"

"好像是唱京戏的小花旦吧。"

"程公子这出戏演得真好，亏我还想着他能有什么本事对付白家。也就是找个外面的小姑娘给他们一个下马威，看来也没什么特别的招儿。"

"这事儿传出去，白家那位大小姐又该闹个几天几夜了吧？"

"这有什么可闹的，不就联姻没联成嘛，嫁谁不是嫁。少了他程家的男人，地球还不转了？"

"你懂什么，人家打小情根深种，那叫联姻吗？那是嫁给梦中情郎。"

"哈哈哈，梦中情郎，我倒要看看这事儿该怎么收场。"

最后一道声音是被压低了的："他总不能真娶外面的女人吧？"

"你想多了，真当程家一点儿规矩都没有？程榆礼有必要为了一朵野花去跟他老爷子闹僵？"

……

明明声线已经很低沉，字句却越发清晰地撞进秦见月的耳朵。她摆弄灯具的手不自觉停下。

从心底升腾起的一股羞耻灌满了身体。身上还盖着他的衣服，薄荷的气味是热的，热得她里里外外都是汗。

被人捧到天上又摔下来的感觉如何？大概就是现在的秦见月。一瞬之间，摔得粉身碎骨，模糊而淋漓一团的血肉，是她的自尊。

她心心念念的亲密，是他从头到尾的预谋。原来"宣示主权"的意思是这个。

她是被他随意捡起的一颗棋，用于谨防被人将军。仅此而已。

因为不想和他们口中的"白家大小姐"联姻，秦见月就成了那个恰好出现又自投罗网的猎物。

那画和佛珠算什么呢？统统都是他的诱饵吗？既然如此，等到她丧失了用武之地的那一天，又会是什么下场呢？

一朵"野花"，随手丢掉，也没有什么大不了吧？

就像那一年……

这样的事，也不是没有经历过。

美梦里交杂的溃烂细节又一点点地浮了出来。浓墨重彩的颜色渐渐缠乱成浓厚的黑，像要把人吸进去。

秦见月呆坐了很久，牌桌上的男人好像在和她寒暄什么。她勉力微笑了一下，却一个字都没听进去。

那一些难听的字词，就像利刃割剐在她的身上。从四肢到五脏六腑，疼痛如若刀绞。

程榆礼走回来，没有再次坐下。他站在她的身前，微微折身。正欲开口，却敏锐察觉到秦见月眼中戚戚的躲闪。

他才出去了两三分钟，她的心情显然发生了变化。

程榆礼扫视屋里一圈，发觉大家都在各自说笑。很难做出判断，他微微蹙眉。

"秦见月？"他叫她的名字。

"嗯？"秦见月缓过神。

她总算肯抬起眼。他紧盯着她，探她眼眸尽处的情绪。许久，他才缓缓开口："钟杨的女朋友对京剧很感兴趣，想听你唱几句，愿不愿意去？"

秦见月愣了下，偏头看向在门口候着的钟杨。

秦见月知道这可能会很扫兴，但她不能穿着齐羽恬的裙子去给他的女友唱戏。

她脸上写着为难，被程榆礼看穿。他通情达理，温和地说："我和他说你身体不适。"

秦见月若有似无点一下头，不置可否。

心头烦乱，她有点儿不想再待下去了。不管是给人唱戏也好，和他待在一起也好，她迫切希望这个夜晚快一点儿结束。

3

自打见过一面后，王诚的问候来得很频繁，秦见月招架不住。

钟杨的生日过完当天，王诚又发来共进晚餐的邀请。秦见月再一次推托。她忍着脾气给介绍人二姨一个面子，没有把他拉黑。

其实想来也没有必要，王诚这样的男人比比皆是。删一个王诚，还会有下一个王诚。

无法让她心动、"规矩"又普通、没有做错什么，且适合婚姻的男人，才是和她登对的吗？

那些美梦成真的故事，注定不会被写进她的人生，对吧？

秦见月这一天晚上又一次因为程榆礼而失眠。一晃而过的温存就快要从手中滑落了。

掀开手掌看一看，她还记得那日被他裹住的瞬间，如潮水上岸一般，被幸福裹挟的瞬间。

在此刻都统统离她远去。

睡不着的夜里，她有点儿想念爸爸。秦见月的印象里，爸爸江淮是个意气风发的男人。

事故发生之后，家里有那么几年是艰难的，但是在家道中落之前，秦见月也曾经是爸爸妈妈的"公主"。

她从前不会去想和他是不是般配。

可是现在，很多实际的问题缓缓浮现出来。她已经不是当年的"公主"了，她是别人口中的……"野花"。

秦见月的卧室在二层阁楼，斜顶的屋脊上有一扇四四方方的天窗。她常常睁着眼躺在床上，从这扇窗户里看月西沉。

浴在暮春的月光里，在这个失眠头痛的清晨，秦见月决定眼下要做的首要事是把佛珠还给程榆礼。

然而秦见月并不知道他家住何方，便去了一趟他工作的单位。她本来打算叫一个同城闪送，但毕竟是价格昂贵的东西，一个闪失，谁的责任呢？

以防万一，她亲自跑了一趟，结果却碰了个壁，军工研究所门口有两个站岗的武警。

秦见月没法进去，也没见到程榆礼本人，她将东西交给门卫。佛珠只简单用小布袋兜了一下，包装得太夸张反而惹眼。

临走前，她站在明亮的日光之下，去看眼前这幢灰色的不起眼的大楼。

高三那一年，有传言说程家给他安排了国外的学校，因此他的生活过得很是悠闲。

然而传闻也不全是对的，因为大家都说他下半年不会再来学校，但他还是来了。甚至，出乎意料地，他参加了高考。大学也没有出国念，而是留在燕城的航校。

学习那些复杂的专业知识，然后顺其自然走上现在的路。

很难说哪一种人生是精彩的，他这样选择自然有他的想法在里面。

总不能是他家的老爷子逼他去造飞机吧？秦见月在回去的路上这样想着，哭笑不得。

很多事情不能够怪他，有一种人生来就是被扼住人生的方向的。而他的方向，与她背道而驰。

秦见月下了班回到家里，妈妈在楼下浇花，厨房焖的排骨香气飘散而来，闻得秦见月很饿。但她没胃口："妈，我不吃了，上去睡一会儿。"

"这么早就睡啊，"秦漪放下浇花水桶，好奇地看她，"是不是哪里不舒服？"

秦见月摆摆手："没有不舒服。"只是有一点儿失恋般的黯然。

可是分明连恋都没有恋过。

她进了房间，倒头欲睡，但明明很困，又怎么也睡不着，眼眶泛着潮气。

其实退回到从前，远远看一眼他的背影，也不是不可以。起码没有得到过就不会失去，不失去就不会那么难过。

她吸了吸鼻子，胡思乱想之际睡去。

不知道过了多久，肚子咕噜咕噜叫了半天，秦见月被饿醒。她打开手机想看一眼时间，却看到十几通未接来电。

是程榆礼打来的。

说意外也不意外。她回电过去。

程榆礼接得很快，声音还是那样沉沉懒懒的，听不出很明显的情绪，简单地问一声："怎么一声不吭就这样把东西还回来？"

秦见月说："我的燃眉之急解决了，谢谢你的慷慨解囊，没有用上。所以还给你。"

"嗯？"他好像还有好奇。

秦见月说："就这样，没别的事了，再见。"

"再什么见。"程榆礼没准她挂，"在家吗？"

秦见月说："在家。"

他忽道："我来了。"

她失笑："你来了？来哪里？我家吗？"

似乎有听到电话里的一声狗叫，而她的另一边，是窗外的小狗在汪汪叫，秦见月顿时发觉他好像不是在开玩笑："……你不会在我家楼下吧？"

程榆礼说："我在。"

秦见月惊坐起，推开窗户往下看去。

程榆礼穿一件灰白的棉质衬衣，一手抄在裤兜里，一手握着手机，安静地站在她家楼下的小巷里。随着她推窗的动静，他昂首看来。

他看上去也有一点儿疲倦，像是方才工作结束，特意赶过来。

"你……"她有点说不出话。

程榆礼道："下来说吧。"

"……"

"不愿意下来也行，你就把窗开着，我看看你。"

秦见月小声道："你稍等一下。"

她下楼时略有小心，生怕被妈妈发现。

急匆匆跑下来，发现脚上还趿着拖鞋，她很难为情地又回去换了双体面的鞋，才敢出去见他。

"你有什么事吗？"到他跟前，她开口问道，语调微涩。

程榆礼打量着她："来看看你怎么了。"

秦见月强颜欢笑了一下："我没怎么啊，你也没必要大晚上赶过来吧？"

程榆礼紧绷的神色微微松懈下来，也跟着苦涩一笑，难得地，他总是漫不经心的神情里浮现出一丝谨慎和局促，开口声音散漫，却低得微妙——

"这不是第一次跟女朋友闹别扭吗？也没什么经验。"

秦见月的手被他捉了起来。

程榆礼习惯性地躬下身子和她说话，用温和的语气道："月月，你不跟我把话说明白，我要怎么哄你？"

第四章 / 定情信物

这么多年，里面困着她一个人。

1

女、女朋友？

秦见月蒙了好一会儿，低下视线，去看他们握在一起的手。她的那根粉色的发圈还在他的腕上，和他一身正经的衬衣西裤显得那么不匹配。

本以为只是讨她一时欢心，也没有必要这样随时随地都戴着吧。

这算什么呢？

身后旧墙上的爬山虎在初夏长出嫩绿的芽，就像她心中抽条的藤蔓中迸出一朵新鲜的蕊，泛着冷沉的幽香。

秦见月抬起头看着他的眼，程榆礼在等候着她答话，眼神中不乏真诚，这双清淡的眸子偶尔也能让人看出几分温度，但也并非燃着滚烫火焰，而是一杯温白开。足以让人受到安抚，松一松被拉紧的情绪，放下戒备。但它无色无味，激情幽微。

秦见月不动声色地绞住他的手指，心中喜忧参半。她不做回答，只反问道："你的车呢？"

他淡道："没开车，走过来的。"

她讶异十足，从他单位到她家少说也有半小时的脚程："走过来？为什么啊？"

程榆礼说："我需要有充分的时间想一想你。"

秦见月的声音很轻细，微微颤着，不可思议的语调："想我什么？"

"想你哪里不高兴。"

秦见月别开眼去，没有交代的意思。

程榆礼试探问："是不喜欢钟杨？"

秦见月摇头。

他挑起她低下去的下巴，声小了些："被人说闲话了？"

"……"

有没有必要告诉他呢？那一些复杂的口舌。

说的话，又该说到哪种程度才算合理？她害怕露出一点儿心迹，而后便会一发不可收拾。

厚重的过往被掀开，密密麻麻的爱意暴露出来。

他们不再公平。

有些问题的是非只能靠她自己去判断，她不能够凭借他的只言片语就去坚定不移相信他的诚心，她很难知晓程榆礼不是在捉弄她。

他们不一样，他轻松、理智，是输得起的人。今天是秦见月，明天是王见月、李见月，或许都可以。

但秦见月一旦陷进去，那就是万劫不复。她将要押进去的赌注太过沉重。

半天，秦见月反问了一句："你有多少女朋友？"

程榆礼眼神一晃，肉眼可见愣了下，然后失笑一声："秦见月，我在你眼里到底是什么人？"

她吸了吸鼻子："我只是害怕——"

话音未落，程榆礼的手机响动。

他挂掉，想等她把话说完。但来电不依不饶，又没完没了地震了一番。

秦见月说："不要紧，你接吧。"

程榆礼走到旁边去接听电话，她静静地看着他的背影。

这通电话不算很久，但是让百感交集的秦见月陷入恍惚，有点不知今夕何夕。

一如既往的挺拔身姿，在她的脑海里被描摹了千万遍的少年肩膀，被灯影剪下，绘在颓败的墙上。

过后，他回来说："抱歉，要回去开个会。"

"那改天再说，你先去忙，"秦见月轻轻点头，"我帮你叫车。"

来自女朋友的宠幸让他勾起了唇角："行。"

程榆礼也不是刨根究底的人，他就是这样的性子，拒绝争执和烦扰。

他与人交际从不深邃，空空泛泛的，能主动退让就退让。有的真相探不到，那便拂拂衣袖作罢。他只能做到尽力，不可能做到全力。

深夜步行来找她，已经够让人始料未及了。

候车之际，程榆礼从裤兜里取出那串佛珠，说道："什么燃眉之急、慷慨解囊，现在开始不作数了。"

将东西再一次放到她的手心，他轻松一笑："信物，不接受退还。"

秦见月道："什么信物？"

"明知故问，"程榆礼食指屈起，刮一下她的鼻尖，调戏的语气，"定情。"

秦见月摸了摸被他弄痒的鼻头，这两个字让她脸红耳赤。

见她提不起劲来的样子，他问："怎么了，想反悔？"

秦见月腼腆地笑了下："可以反悔吗？"

程榆礼淡淡笑说："当然不可以。"

临走前，他伸手揉了揉她的发顶："别胡思乱想，空了找你。"

秦见月点点头应下。她目送他乘上出租，视线跟着车疾驰远去。

他可以来看她一眼，看到这个生性内敛，莫名有点逃避姿态的女孩，却看不到她的迟疑软弱、退让跟担心，也走不进她最深处的幽暗心房，那里长满芜杂的荒草。

是她作茧自缚的青春。

这么多年，里面困着她一个人。

周末，秦见月去齐羽恬那里归还裙子。

齐羽恬在家练舞，出一身汗，热得脸像红苹果，一边揉着酸胀的肩一边给秦见月开门："累得快虚脱了。"

秦见月跟进来，把门关上："你练了多久？"

"一天了，都没吃东西。"

"好辛苦。"秦见月把顺路买的荔枝带到厨房去冲洗，"演唱会什么时候？"

齐羽恬说："下个月，快了。你会去吗？"

秦见月想了想："去不了，我要上班。"

"啊，扫兴。"齐羽恬把见月带过来装裙子的袋子随便丢在墙角，累得瘫在沙发上。

她抓了一颗盘子里的荔枝，看着也跟着坐下的秦见月，有话要说的样子。

秦见月问："怎么了？"

齐羽恬剥着水果，把脸挪开，问她一句："你是不是去给钟杨过生日啊？"

秦见月身子僵直了一下。

一阵明显的错愕被对方收入眼底，过后再想掩饰就显得刻意了。

"我猜的，前几天正好他生日嘛。"齐羽恬将手臂搭在秦见月的胳膊上，大度地说，"没事啊，这有什么不能说的。"

"……嗯。"她看着齐羽恬红晕渐消的脸，对方正自若地吃着荔枝。

齐羽恬挑一下眉，转而问道："你跟程榆礼到底什么情况？不跟我解释一下？"

她不是不想说，只是不知道该怎么和齐羽恬概括他们悬而未决的关系。

齐羽恬坏笑着说："这叫什么啊，拉'高岭之花'下神坛？"

秦见月被齐羽恬逗得笑了下，蜷着膝盖坐在沙发上，手乖巧地搭在膝头："没有的事。"

齐羽恬不再戏弄她，两人坐在沙发上看了会儿网剧。

看着看着，齐羽恬就累得倒在她身上。

秦见月敛眸看着齐羽恬疲倦的样子。

有一年夏天，在体育课的时候，齐羽恬也是这样，从后面抱着她，下巴搁在她的肩膀上，视线穿过空旷的操场，落在很远处的某一个身影上，拖着调子说："见月，我真的好喜欢好喜欢他。"

秦见月淡淡"嗯"了一声，说："我知道。"

齐羽恬抱了一会儿，又离开她，托着腮闷闷道："你不知道，你不懂。"

不懂？她怎么会不懂呢。

秦见月吮着勺子上的冰激凌，默不作声。

她们躺在草坪上，彼此沉默地看仰视状态下像罩子一样的天空。

那时觉得时间很漫长，如今回首，很多记忆被过滤掉。

还剩下什么呢？天空、操场、少年，被浓烈耀眼的色彩涂成一幅鲜艳的画。画中的一切统统都在改变，都在往前。

而无法被绘下的，那些年许许多多闷沉得无法言说的心事，仍然一如往昔。

秦见月晚上和齐羽恬一起睡，好久没碰头的高中同学聚在一起，就是没完没了地聊过去，聊到夜里两点。齐羽恬是个八卦小能手，提了很多秦见月早就淡忘的名字。虽然与她无关，但她安静地听完了那些八卦。

直到齐羽恬突然问出这么一句："对了，你还记得夏霁吗？我听说她回国发展了。你去给钟杨过生日，她去没？"

听到这个名字，秦见月整个人被雷电击中一样，从心到身躯都免不了战栗，一瞬间手心涌上擦不完的汗。

她吞咽一下口水，努力镇定下来，说："没见到。"

齐羽恬手肘撑在枕头上，看着她说："哦，我忘了，你是不是不认识她啊？"

"我有点困了，睡觉吧。"

"好嘞，那我关灯了。"

"……嗯。"

又是一个睡不踏实的夜，秦见月没有再梦到程榆礼，而是梦到一道久远的声音。

只是那声音很刺耳、很尖锐。

她看不清那个女孩的样子，因为对方始终低着头。

"长这么丑也配喜欢阿礼啊？

"快拿把镜子给她照照。

"做的什么丑东西也敢送，人家给你眼色了吗？

"怎么可能啊？这不扔地上了吗？

"笑死人了，脸皮怎么这么厚。"

没完没了的笑声挤压着她。

越来越沉，让她快要无法呼吸，不住深陷，溺入水中。

……

"秦见月！"齐羽恬喊了足足一分钟，才把秦见月叫醒。

齐羽恬一脸不可思议："你做什么梦了，怎么还哭了？"

秦见月慌忙坐起来。

齐羽恬抽了几张纸丢给她："快擦一下。我给你煮了饺子，起来吃吧。"

秦见月"嗯"了一声："你吃什么？"

齐羽恬要减肥，她说："我吃黄瓜和鸡蛋。"

"谢谢。"她说话声音颤抖着，擦一擦眼角的泪渍，也擦一擦手心的汗。一个梦魇，犹有余悸。

秦见月回到家里，因为那个梦境魂不守舍，最终被执念催促着，她翻箱倒柜找出来一件东西。

那是她的高中日记。

尘封多年的册子重见天日，掀开一瞬，回忆翻滚扑面而来，酸涩跟痛楚再一次变得鲜活。它们从未走远，重重压迫在她的身上。

最后的文字，是她以写信的形式给他的留言。

只是，这一封留言，永远不会被知晓。

被她的眼泪与暗无天日的喜欢封禁在此处。

程榆礼，你是光，也是深渊。

从此以后，我不再期待拨云见月，不再望你回头看我。

我只祝你此生应有尽有，愿你永远繁盛光明。

再见了，程榆礼。

多谢你如此精彩耀眼，做我平淡岁月里的星辰。

2010 年 6 月 2 日
秦见月

她手指打战着，不忍心多看一眼就将其合上，但随之而来攀附在身上的陈年痛楚，却再也无法被轻易剥落。

2

连雨不知春去，秦见月坐在沉云会馆的轩窗前赏柳。她换好行头，将水袖堆在身前，咬了两口菠萝，觉得口涩。听闻身后陆遥笛又在讲"程公子"有关，连同心也涩。

咀嚼的动作变慢，她悄然听着这些不知道传了多少人之口的小道消息。

"所以程榆礼最近为什么不来了？"陆遥笛问的。

"听说恋爱了。"南钰说。

"啊？他女朋友是谁啊？"

"跟他联姻的白家那个吧，不确定。不过除了白雪他还能跟谁谈？"

其实是因为出差了，人没在燕城。秦见月有点儿想开口插一嘴，两人你一言我一语，没让她搭上话，作罢。

陆遥笛又说："我那天总算打听到一个消息，跟他初恋有关的，想不想知道？"

秦见月放下手中的竹签，坐回她的梳妆台前，对面是在畅所欲言的陆遥笛。

"我听说，他有个青梅，跟他一个院里长大的，叫夏什么——夏——"陆遥笛说着，在名字上面卡壳半晌。

南钰说："不会是夏霁吧？"

"欸，对对，就是这个。"

"我的天，他居然跟夏霁谈过啊？"南钰惊得戴头饰的手都停下了。

"我是听——"陆遥笛说到一半，后话被人截去。

很轻软，但很有底气的一句："没有。"

是秦见月，她说："没有谈过，是别人乱传。"

陆遥笛和南钰齐刷刷转头看向她。

陆遥笛问："你确定？"

秦见月点点头："嗯。"

是程榆礼亲口说的。不过，并不是向她解释，只是阴错阳差被她听见。

秦见月刚刚入学没多久，程榆礼和三中校花夏霁的绯闻就传得尽人皆知，而秦见月在看到那个长相美艳的女孩子总是跟他出双入对之际，她的脚步也开始渐渐往回收。

当然，她的一切行为都不重要，因为她压根儿不存在于他的世界。

所有人的视线都被那对俊男靓女吸引去。

据说他们是青梅竹马，也有很多人说，他们天生一对。

秦见月一度以为这是真的，或许他也会像她一样满心想着一个人，也会像她一样夜不能寐地思念，他的方方面面也会被另一个人占据。

可是不论她接不接受，这一天终会到来，总有一个人会成为"程榆礼的女朋友"。不管是夏霁或是别人，总有一天他会热烈疯狂地爱上一个人。

她何来办法抹去他生而为人的七情六欲呢？

程榆礼又不是真的和尚。

秦见月看着他走到哪儿夏霁跟到哪儿。夏霁是一个扎着高马尾的、高挑的女孩，她青春活泼的外形、浓烈而鲜辣的个性，是淡如死水的校园生活里的一抹色彩，无论这色彩纯粹与否，它都惹眼诱人。

某一次两人在楼梯口相遇，夏霁身上一股馥郁的香在楼道散开，笼住了贴着墙低头行走的秦见月。秦见月听着她张扬说话的声音，终于还是忍不住抬头看她一眼。

那时高一的秦见月平平无奇，夏霁天生锋利的眼神"削"上她的脸，秦见月慌忙地闪躲。

直到走出去很远一段路，秦见月才偷偷回头看夏霁。无论如何，那是程榆礼眼中美好的象征，那是他喜欢的女孩。

她急于找到她们身上的共同点，从头发到脚趾，会不会有什么地方，也是她有机会能够被他留意到的呢？

没有。

她们有着天壤之别。

有一个月左右的时间，她的日记没有更新。

秦见月用这一个月的时间企图将程榆礼忘记。

不再心机满满地去制造偶遇，不再喜欢他，一心只读圣贤书。

只是费尽心力筑建起的这一堵高墙，都在食堂偶遇的一瞬间崩溃坍塌。

那日，他在她的身后落座，和一个男孩子。那顿饭的时间秦见月心脏吊起，只没精打采地吃了两块花菜。她努力地绷紧了脊背，想让自己看起来身段好一些，不管他有没有大发慈悲分给她一丝一毫的视线。

身后人的谈话声被她听去。

和他一起的同学问："你跟夏美人好上了？"

程榆礼的声音懒洋洋："哪个夏美人？"

"夏霁啊。"

他冷笑说："别无中生有。"

朋友道："真没有？那我去追她了啊。"

"祝你成功，求之不得。"

程榆礼的声音让她听出一些不堪烦扰的不耐，那是她没有从他身上遇到过的一种消极情绪。

秦见月回头去看，在她转头之际，他也顺势看过来。他们就这样对视。

明明是他觉得困扰烦闷的时刻，她反倒不厚道地在心里乐开了花。

饭吃了还没几分钟，余光瞄到正款步往食堂门口走的少年。秦见月速速起身，坐在对面的齐羽恬喊住她："哎哎，你干吗呢？"

"我回去做午练。"

"着什么急啊？"齐羽恬一头雾水，也草草扒了几口饭，快速跟上。

在江湖传说里，除了夏霁这个乌龙，程榆礼女朋友的席位始终是空缺的。

他身边不乏莺莺燕燕，但程榆礼似乎不会给任何人眼色。

秦见月也宁愿见到他这般清心寡欲的一面。既然是她摘不到的月亮，那就永远在天上才好。

那天秦见月回到家中，重启了封存了一个月有余的日记，在上面写下八个字：我好开心。我好卑劣。

……

"咙咙"的敲门声让几人交流的声音变小。

孟贞走了进来，中气十足地讲："准备上台了啊姑娘们，别聊天了。"

陆遥笛应了一声："好了好了，来了！"

秦见月是第三个登场的，捻着飘逸的水袖，款步挪到台前光下，她瞧着底下观众，讲着台词。

眼一抬，看到最后排的男人。

他闲散地贴墙站着，方才进来不久的样子，也没找位置，随时要走却又忍不住多看一眼的姿态。程榆礼遥遥望着台上的秦见月。

她稍稍一顿，一时紧张忘了词，口中絮絮念了两三遍，才磕绊地接下去。

秦见月看见暗处的男人若有似无地轻轻笑了下。

卸妆准备下班之时，程榆礼发来消息：在等你。

秦见月旋即珍重地捧起手机，双手打字：什么时候回来的？

程榆礼：刚刚。

她不免笑：那我快一点儿。

程榆礼：不着急，我就是知会一声。

秦见月：好。

于是她便悠悠闲闲磨蹭了半小时有余。

沉寂的手机再次有消息传来——

程榆礼：还是快一点儿吧，很想见你。

秦见月莞尔，加快步子往外面走。

程榆礼刚从外地赶回来，家也没回，就赶来戏馆了。送她回家，他连开车都是悠闲缓慢的。

秦漪今天没回来，秦见月按照礼数该请他去家里坐一坐。

程榆礼也没客气。第一次来她的家里，他像男主人一样走在前面。

秦见月将院门反锁上，心脏莫名跳动得很厉害。

程榆礼走到一半，回头看她："你住哪间？"

秦见月顿了下："楼、楼上。"

见她紧张到说话都结巴，他忍不住轻轻笑着，迈步往楼梯走。

程榆礼进了屋，扯过一张凳子坐下。

毕竟是住了二十多年的老房子，秦见月的房间不大，东西堆多了就显得很拥挤紧凑。她很难为情地去收整床上几件随手摆放的衣物，连歪斜的枕头都很刻意地放平整。

她的虚荣频频在他的面前被放大，她担心任何不够光鲜的一面都变成扣分项。

具体细致到地板上两根缠绕的发。

看见的一瞬，秦见月迅速将其捡起来，丢进垃圾桶。

程榆礼却没瞧她，他一只脚踩在地面，另一只腿叠着悬空，整个人倚在她那张老旧的旋转座椅上，在三四十度左右的夹角里，悠闲地来回晃动。手指在划拉手机屏幕，处理信息。

以前能进秦见月房间的男人，除了爸爸也就只有秦沣了。

程榆礼坐在这里，属实让她觉得不适应。这样的画面，好像一只老旧的木椟里装进一块无瑕美玉。

很养眼，但很难说画风是匹配的。

他的面前是她用了十几年的长书桌，桌面上的书立中嵌着几本近期在读的书。

桌角几枝简易的插花，枝茎细长，虚影在墙上，为枯白角落平添几分曼妙。

除了和京剧有关的专业书籍，其中夹着一本《洛阳伽蓝记》。她特意买了和他不同的版本，有点避嫌的意思，尽管压根儿没有人会把她和程榆礼联想到一起。她迂回别扭的小心思只会将自己束缚住。

他的那本书是没有注解的，秦见月硬着头皮看的时候觉得十分"难啃"，频频感叹。可是一想到这些文字也从他眼底走过，竟也就磕磕绊绊这么读了下去。

秦见月掠过这本书，视线再往旁边扫。

她猛然一惊，她那本压箱底的日记，上回看完就这么被她搁在桌上，没再去动它。

距离他未免太近。

好死不死地，程榆礼忽然开口说了句："有没有纸和笔，我计算个数据。"

他一边说一边伸手去拿离得最近的日记本。

秦见月眼疾手快飞扑过去，手掌啪地按在本子上。

同时，"哐"一声，她的膝盖狠狠撞击在桌子腿上。一瞬间的撞击让她疼得差点儿飙眼泪。

"什么东西？用得着这么激动？"程榆礼见她这么惊慌，忍不住问。

秦见月腿疼不已，扶着桌子，抬起那条瘸着的腿："日记。"

他失笑："说一声得了，又不偷看你的。"

心里委屈，秦见月看着他说："程榆礼，我撞疼了。"她声音很小，很难得地数落起他，有点撒娇的意味，"你都不起来让我坐。好没风度。"

程榆礼噙着笑："坐我身上不行？"

她鼓了鼓嘴巴，怯怯地往旁边走，找可以落座的床沿，嘟囔一句："我很重的。"

两步都没迈出去，腰被某人横截一道，听见他语调里似笑非笑的坏意——"来，我看看多重。"

她一下失了重心，跌坐在他的腿上。

秦见月被程榆礼搂着腰，她无处安放的手顺势搭在他的肩上。

距离近得鼻尖将要相擦。秦见月羞涩咬唇，收了视线。

程榆礼很顺利地将她箍住，戏弄姿态。他问："哪条腿？"

"……左边。"

下一秒，温暖的手掌隔着裤子覆在她左腿膝盖，轻轻地按揉起来。

用力稍过一些，她便打战。

程榆礼松下一点儿力度："还疼吗？"

"好一点儿了。"她微微摇头。

秦见月垂下视线，仍感受到他炽热的注视。她羞怯难当，身子往前倾，想隔他一些距离："我给你找找纸。"

她取出架上的一本书，是一本少女漫，里面夹着几张没用的 A4 文件，翻到背面是干净的。她指一指："你在这儿算吧。"

程榆礼淡淡道："嗯。"

随后，他却将这几张白纸放一旁，煞有介事地翻看起她的书来。

漫画是日语原版的，前前后后一个中文字也没有。他好奇地问她："日语看得懂？"

"会一点点。"也是以前因为很喜欢看漫画而学的，并不深入。

"挺能。"程榆礼笑了下，紧了紧搂腰的力度，把秦见月的身子往他胸前压了压，声音低下来一些，"帮我翻译一句话。"

她摇头说："很专业的词汇我不会。"

程榆礼道："不专业，很简单。"

"……好吧，我试试。"

而后，他想了想，组织一番。他抬眼凝视着她，徐徐开口道："月にキスしたいです（我想亲吻月亮）。"

秦见月的日语没有那么好，她在心底重复一遍这句话，堪堪理解的一瞬，脸红到脖子，满面发烫。

"什么意思？"他催促她回答。明明眼神总这么清淡，却让人揪出几分不怀好意。

"……"

程榆礼感受到手掌心下腰腹的紧缩，纤细的腰脊一点一点绷直。

他乐了，轻轻拍她一下："没听懂就没听懂，紧张什么。"

秦见月微微启唇，声音小得像小雀嘤咛，不敢抬眼看他："听懂了。"

程榆礼笑意淡了一些，问道：

"では、いいですか（所以，可以吗）？"

3

这样的场面让秦见月觉得好不真实。他们的距离近到她无法看清他全部的表情，眼中只有两道漂亮锋利的眉骨与一对清隽的眼。

而这双眼正久久注视着她，没有如蜜般化开的脉脉情意，只有始终如一、温白开似的一片暖，这样的淡泊平静，却似要将她牵进他的灵魂深处。

秦见月咬了咬嘴唇内壁，微弱的疼痛提示她，这是真的。

他的拥抱是真切的，时隔好多年，她坐在他的怀里，等待一个美妙的亲吻。

搭在他肩膀上的手慢慢地收紧，攥住他衬衣的一角，秦见月闭上眼。心跳提到嗓子眼，淡薄的光源在她眼皮上投下昏黄的暗影。

她感知到抱住她的那一条臂再一次收紧。秦见月坐在他的腿上，也倾入他的怀里。

程榆礼另一只手抚上她的脸，贴近的呼吸暖烘烘地落在她的鼻尖。

和喜欢的人接吻是什么感觉呢？

是痒的。

唇瓣相贴，小心的触碰轻到让她觉得痒。像触了一下电，肩膀不由得瑟缩。又被安抚的掌按住。

老旧而泛着初夏潮气的卧室里，他们紧拥着。程榆礼纤长的五指窜入她的发间，扣住她的后脑，将这个吻印到深处。

一点一点把真实归还给她。

"秦见月！你怎么把门反锁了！"

急促的敲门声一下点醒深陷的秦见月。

她猛然睁眼，手掌抵着他的肩，将他往外推一些："糟了，我妈回来了！"

程榆礼顿了下，不置可否地挑一下眉，松开束缚住她的手臂。

秦见月起身准备去开门，红着脸小声说："你……躲在房间里，不要出来。"

他无奈地轻笑一下，点头说："行。"没有名分的男人，天生就是躲躲藏藏的命。

秦见月下楼去，程榆礼重新散漫地倚在她的椅子上。

他扯过刚才那两张白纸，在上面开始演算。楼下传来母女俩的对话声。

秦见月："你怎么突然回来呀？"

秦漪："有点儿感冒，回来拿点儿药。"

秦见月有点儿不满地嘀咕："去药店买不就好了，还回来拿。"

秦漪："这不是家里有嘛，花那钱干什么。"

再后面，窸窸窣窣的声音盖过攀谈声，程榆礼的笔端走到一半缓缓停下。

有来电，是阿宾打来的。程榆礼放下笔，接通问道："什么事？"

"程先生您大概几点回？老先生在家候着您呢。"

程榆礼问："候着我做什么？"

阿宾战战兢兢的，压低声音："就是退婚的事。"

沉吟片刻，程榆礼说："知道了。"

程榆礼没跟秦见月说，他家里最近有些热闹。

程老爷子给程榆礼安排的亲事快黄了。错在程榆礼没给白家面子，他跟白家那位千金白雪也就堪堪在酒宴上见过一回，过后便总是神龙见首不见尾地玩失踪。

白小姐是个娇的，一眼相中程榆礼，死活非他不嫁。白家又是燕城名门，哪能容得了这种损面子的事。

压力给到了程家老爷子。

程榆礼转了一下手里的中性笔，走神一刻，轻轻抿了一下嘴唇，残存的薄薄水汽被他抿干。

给妈妈找完药的秦见月重新回到卧室，她第一时间紧张地看了一眼她桌上的日记，而后手伸过去，重新将其插回书架上。

看着旁边神色淡淡的程榆礼，为了彻底放心，她还是忍不住问一句："没偷看吧？"

他哑然失笑："你说呢？"

程榆礼此刻手里握着她的少女漫画，正看得津津有味。

"你怎么看这个？"

他淡淡接茬，视线停在书页上："我看看讲了什么。"

秦见月想了想，说："就是讲了一个女孩子被一个男孩子渣了。她很喜欢男孩，但是男孩却始乱终弃。"

程榆礼闻言，轻轻放下书本，抬眼瞧着她，好笑道："指桑骂槐呢？"

"……"

"你给我好好说，讲的是这个吗？"

秦见月支支吾吾："差不多吧。"

打量半晌，程榆礼开口问她："知道联姻的事？"

秦见月闷着头，不吭声了。

他似是看穿什么，淡淡一笑："果然是介意这个。"

秦见月很别扭："因为你都不和我说。"

程榆礼语气笃定："不和你说是因为我能摆平。"

他讲话中听，很轻易地就让她找回了丢失的安全感，秦见月没出息地对此表现出一点儿释怀。她用手捏着书页，有一下没一下地卷着，说不清心情是高兴还是什么，总之确实被他哄得轻松了很多。

她低头看到他写得满满的演算稿纸，轻咬唇瓣，想到他们方才没有进行下去的那个吻。

她没有任何表现，程榆礼也没再提。

两个人的关系似乎也没有亲密到一碰头就能二话不说抱在一起亲的那种程度。可是，那点儿戛然而止的痒还有一下没一下地诱着她的心。

"妈妈还在？"他开口又问。

"已经离开了。"

程榆礼玩笑说："行，看来不用我跳窗逃跑了。"

秦见月被内涵了，也腼腆地笑了下："我哪有那么过分。"

程榆礼没再说别的，他慢条斯理地站起来，说："那我回去了。"

她顿了下，藏起视线里那一点儿落寞，点头说："好，你路上开车小心。"

他轻声淡然地应："嗯。"

程榆礼好像从不会急着做什么。

对他来说，没有事情是非做不可的。只有他乐意不乐意，所以他从不争抢时间。

非必要的事里，就包括他们未完成的吻。

秦见月沉默地目送他往外面走。

忽然想到什么，她又追上去："对了，大门的门锁有点儿旧，你可能不会开，我帮你开。"

程榆礼止了步子："好。"

他让路给她。

秦见月走到前面去。

院落里飘逸着复杂的花香，程榆礼款步跟在她的身后。

秦见月的头发很长，墨黑一片满满地覆在后背。她从小学戏，身段极好。步子踩在地上轻盈而飘逸。风掀起长发一边，皎皎的脖颈如月色，在他晦暗眸中若隐若现。

她抬手去拉大门厚重的木制插销。

下一秒，男人宽厚的手掌覆在她的手背。插销怎么拉出来的，就被他给怎么送了回去。

将要敞开的门，因为这一锁又被紧紧合上。

秦见月错愕地回身，被扯进他的怀里。

一瞬间，一个偷袭的吻毫无征兆地落下来。她被箍紧腰身，不由得踮脚，无措的手臂松松地圈住他的后背。

和他往日的作风不太一致，这个吻热烈而持久，凶猛且桀黠。秦见月感觉自己快要被这股热潮猛烈吞噬。

吻毕，她被放开，鼻尖轻擦，二人的呼吸缠乱在一起。她眼皮颤着，怯于看他。

程榆礼却直直盯着秦见月，终于，漫不经心地笑了下。有点小脾气的语调在她耳边响起，低得只剩一道气音："就一句挽留的话也不会说是吧？"

抓心挠肝的痒变成了持久的酥麻，秦见月抿了抿唇上的水渍，热度还久久残留，她弱弱地开口："我还以为你……"话只说到一半，另一半被吞回腹中。

见她支支吾吾，程榆礼问下去："以为我什么？"

秦见月这才接着说："以为你……不想亲我。"

他笑了笑，语气温和道："不想亲你，我来干什么？我缺一个地方坐着看书？"

程榆礼的语气懒懒散散的，他说戏弄人的话时眼神都那么清白。秦见月鼓了鼓嘴巴，说不出话来，羞耻于原来这家伙是有所预谋。

程榆礼松开搂住她的手臂。

秦见月后退一些，呼吸新鲜清凉的空气。少顷，她又糯糯开口，语气羞赧绵软："那你要留宿吗？"

"留宿？"程榆礼闻言，不怀好意地打趣说，"什么上等待遇，我还能在这儿过夜呢？"

"……"

原来这样的男人也有浑不正经的时刻。

是她误解了他挽留二字的意义。秦见月用手指无措地蹭了蹭自己的脸，热热的，下一秒，柔软的脸颊又被他用手捧起。

程榆礼再次倾身过来，意犹未尽地碰了碰她的唇角，轻道："走了，回家处理点儿事。"

"……嗯。"

说完，他开门出去。

秦见月站在原地好久没动，等到轿车发动的声音响起，过一阵她才把烧热得红彤彤的脑袋探出去，看着他的车驶过来。

程榆礼在门口停了下，降下车窗，身子往外面探了探，微笑说："改天留宿。"

"不是，我开玩笑的。"秦见月摆着手，急切地为自己的想法辩解。

也不知道他听没听见，车很快就匆匆开远了。

第五章 / 领证成婚

是你，也不是你。

1

程榆礼回了一趟程家老宅。

已经夜半三更，他才踏进这栋上上下下四世同堂的独栋洋房，老程家的根据地。因为程榆礼工作后不常回来，这住处于他已然有些陌生。

程榆礼进门的时候，恰好楼上下来一个十五六岁的小女孩，她端着一杯空了的牛奶杯往厨房走。

是他哥哥程开宇的女儿程序宁。

"宁宁。"程榆礼喊了她一声。

"小叔，你怎么才回来啊？"程序宁打了个哈欠，眼圈下面带着高中生特有的顽固青黑，"太爷爷都等你好久了。"

"他人呢？"

"里面客厅。"程序宁给他指了一下，用眼神给他示意有危险。

程榆礼应了一声，往里面走。

老爷子程乾正坐在沙发中央读报，闻声，摘下老花镜，把报纸合起来搁置到案上。他的神情里显然已经有几分久等的不悦，睨了一眼程榆礼。

程榆礼倒也不虚，步子闲散地迈过去："有什么事您召唤我一声就是了，用得着特意等到这个点？"

他在程乾另一侧坐下，不惊不慌。

程榆礼对待他爸、他哥，以及他们程家其他长辈的姿态都和旁人略有不同。他不怵家里长辈，原因很简单，他不用受到家里的牵制——企业、集团乃至权力地位都没他的份，他也不贪这些。

程榆礼自小被摆布习惯了。他没什么脾气，不倔强、不顽固，也不叛逆。家里给他安排什么路他就走什么路，一向都是顺风顺水的，心里有什么主意，有时被老爷子说两句，他便也顺从地压下去了。

唯独一件事，他不肯继承家业，这件事他做得最精。因为有些大山往你头上一压，想再抽身就难于登天。当人傀儡不好过。

于是程榆礼很清楚，说到底，联姻这码事终究还是家里想方设法叫他绕回这条道上。

程榆礼自然不能应。

为这事，程乾还是跟他怄过气的。

程乾不大喜欢程榆礼的哥哥程开宇，原因也很简单——程开宇不是婚生子。越是有名望的家庭越是拘泥十一些过时的规矩，因此他们把门当户对、明媒正娶的婚姻看得十分重要。

老爷子忍着脾气，举起颤颤巍巍的手，戳了戳台面上的一盏宫灯："这是什么东西？"

程榆礼看过去。

半月前，程榆礼带秦见月去给钟杨过生日，当时在牌桌上她一眼相中那盏宫灯，觉得有趣，就和程榆礼说了那么一句。回去之后程榆礼跟钟杨提及此事，就这么轻而易举把那盏宫灯薅过来了。

钟杨实在是个会办事的，直接托人把灯送到老宅、老爷子眼皮底下。

风声都不用走漏。程乾一眼看出这灯里头的猫腻，无非是程榆礼在外面找小姑娘，要向人献殷勤罢了。

为一句解释，老人家才等到这个点。

纸包不住火，瞒也瞒不住，程榆礼如实说："给女朋友的礼物。"

"女朋友？"程乾气得声音都拔高，"你哪儿来的女朋友？"

程榆礼冷笑："怎么，我现在连女朋友都不能有了？"

"在外面找个女朋友，你倒是快意潇洒了，叫白家的面子往哪儿搁？"

程榆礼在老头的怒吼声中平静地说道："我是人，不是木偶，没感情基础就凑合结婚这种事儿，实话实说，我不能接受。"

程乾说："没感情就培养。你不是爱去戏馆吗？你带着小雪去看。"

程榆礼指了一下那盏宫灯，说话语调轻懒而自如："您既然都知道了，又何必勉强。一张嘴不哄两个姑娘。"

在爷爷越发变冷的面色中，他继续道："再跟您说句心里话，我不喜欢

.071.

闹腾的。过日子谁不想清净点儿，招个祖宗进来伺候吗？怕折寿。"

"折什么寿？！你这是说的什么混账话！"程乾握起拳头，咚咚捶了两下面前的青色案儿。

程榆礼冷笑一声："说错了？白雪那脾气我可受不了。"

虽然跟那位大小姐不熟，但也不是没见过她时不时闹上新闻头条的阵仗。

"您要是找个乖点儿的、文静的，我也就认了。您要是找不到，还是让我自个儿找吧。"

程榆礼择偶也没什么特别标准。什么样的人跟他处得来呢？秦见月那一类乖巧温顺的，没什么脾气，没成天大呼小叫的，看着就省事儿。

净给人惹事添麻烦的还是免了吧。

程榆礼讲话始终温淡柔和，看似是爷孙俩争执，他倒也压根儿没急眼，就是这副悠然模样才惹得程乾气个半死。

见程乾满面赤红，程榆礼喊了声在门口偷听的小丫头："程序宁，去给太爷爷倒杯茶。"

程乾气急之下喘了两下，最终长吁一口气："这么说，外头那个是你喜欢的？"

程榆礼想到秦见月温柔的那张脸，他淡笑了下："还成吧，处着挺合适的。"

茶来了，程榆礼起身给程乾递过去，程乾挥挥手不接他的。

"程榆礼，你好自为之。"这话其实是在说——程榆礼，我被你气得没话说了！

听着程乾噔噔噔愤愤踩着地板走了，程榆礼也没送他，微微扯松领口，觉得有点儿热。

程榆礼和爷爷的攀谈到此为止，两人就这么不欢而散。

他懒散地倚在沙发上，程序宁好奇地伏在沙发后背上："欸，小叔，你交女朋友了啊？"

程榆礼轻笑一下，屈着指关节敲敲她的脑门，教训道："小孩别管大人的事。"

他指了一下那杯还冒着热气的茶，吩咐小孩说："去把茶喝了。"

程序宁："……"

最终，程乾把他那盏灯没收了。程榆礼心有不快，也没多说什么。家有家规，再闹下去就不识抬举了。

程榆礼又在路上折腾了一番，回到自己的公寓才歇下。

这是单位给他分的房子，独居很舒适。他一边往屋里走一边解开衬衣的扣子。没有开灯，如水月色映在他板直的身上，腰线暴露在暗弱的光线之中。将窗帘牵上，没急着去洗澡，他坐了会儿，划着火柴点上一支香薰。

烟气慢慢腾腾蒸了起来。

程榆礼坐在淡雅的香气之中，打开手机看了看今天在戏馆拍的照片。

秦见月在台上往下看，芙蓉如面柳如眉。眼中愣神的那一个失误瞬间，恰好被他记录下来了。

放大看一看她的神色，他不禁莞尔。

照片被发送给秦见月。

等候消息之时，他看到一个沉寂了很多年的群聊复活过来。

是高中的班级群，程榆礼没打算点进去，但是看到有@他的消息，便戳了一下标识，消息记录迅速地往上倒回去，大致划拉了一圈，看明白了。

是高中同学夏霁从国外求学回来，班长起着哄要大家一起聚一聚。

那一则@他的消息来自于夏霁，她问：程榆礼，你来吗？

程榆礼发送两个字：没空。

班长：女神都点名想见你了啊，别扫人家的兴行不行？

程榆礼本来没打算搭腔，见众人起着哄等他答复，他回了一句：带家属可以？

班长：别介，你这是伤了广大妇女的心啊。

夏霁发了一个"委屈"的表情。

再往后他就没看也没回了。夏霁跟他挺熟，认识二十多年了，程榆礼没必要跟她礼遇有加、事事交代。

他从聊天框里退了出来。

因为秦见月回了消息：你到家了？

程榆礼：嗯。

程榆礼：日记里写了什么，分享分享。

秦见月：……不能告诉你。

程榆礼：总不会是暗恋哪个学长吧？

秦见月：还真的是，被你说中了。

程榆礼：说说看，叫什么名字？没准我认识。

秦见月：不要套我的话。

程榆礼看着手机屏幕，忍不住笑了下。

一时间没想到回复些什么，他放下手机去洗漱，出来后第一时间又打开消息。

大概是见他不回，秦见月时隔五分钟又给他发了一条：你生气了吗？

隔着屏幕都能感受到她的忐忑小心。

程榆礼用毛巾擦着湿津津的头发，拎起睡衣套上，重新将阳台的窗帘掀开，让外面星辉落入家中，给秦见月打了个电话。程榆礼靠在露天阳台的栏杆上，往下看着湖蓝色的河水倒映着一轮弯钩月。波光粼粼，带着那轮月一颤一颤。

秦见月很快接听了电话。他尚未开口，她便小声问了句："程榆礼，你生气了吗？"

"生气？"他又好气又好笑，"秦见月，你知道'吃醋'这两个字怎么写吗？"

远在电话那头的秦见月绷紧了身子坐在床上，抱着膝盖，轻轻用手按压着青紫的膝头，听到他伴着一道微弱笑声的声音传来，顿时无措。

她慢吞吞地说："不要吃醋。"

"为什么？我不能吃醋？"

"因为，那是好久好久以前喜欢的人了。"

程榆礼安静了一下，没再追问下去。片刻后，他才悠悠开口道："给你做个选择题，如果你现在可以选一个男人私订终身，选我还是你的学长？"

私订终身，听起来好夸张的一个词。

秦见月还当真认真思考了一番。她的"学长"是被封存在日记本里的动人情怀，是无数眼的背影叠在一起虚焦的美好。那些年自导自演的甜蜜跟苦涩，已经伴随十六岁的夕阳落幕。

是你，也不是你。

是我得不到的你，是胶凝在我的记忆深处永久密封的一页。

最后，秦见月给他回答："选你。"

程榆礼的语调扬起来一点儿，听得出他的满意："嗯，姑且信你一次。"

"什么叫姑且信我，"秦见月语气有点儿急了，"我是认真的呀。"

"认不认真只有你自己知道。"

有点儿要跟他辩驳一下的打算，秦见月还没开口，话声被他截断。程榆礼温暾地吐出四个字——"晚安，老婆。"

"……"

啊？什么老婆！怎么就老婆了？好轻浮的男人！！

她捂着发烫的脸钻进被窝，像只热锅里的鱼翻来跳去，难以入眠。

秦见月嘟囔着："谁是你老婆啊？"

程榆礼一点儿不害臊："私订终身都选我了，还不让喊声老婆？"

"你不是说假设吗？"她的声音越发小。

而后，程榆礼没再计较下去，他轻轻浅浅地笑一声："好了，早点休息吧，别熬得太晚。"

2

秦漪这场感冒有点儿严重，去医院一查是急性肺炎，需要住院治疗。因为照顾妈妈，秦见月请了几天的假没去戏馆。

她告诉程榆礼这件事，是因为他特意去戏馆找她，没见着她人。他总喜欢守株待兔，她也不能叫人家白等。

程榆礼上医院去探病是在那天下午，他跟一个男人同乘上行的电梯，男人提着一些礼品，探病无疑。

程榆礼本没多在意，快下电梯那会子，男人接了通电话，开口是说："我到了，见月，你哪个病房给我发一下——哦哦，行，我马上就来。"

程榆礼偏头看他一眼。男人戴副眼镜，有些古板的学究样子。

他和这位陌生人有关的一点儿记忆被唤醒，是某次在候月斋陪兰叔放鸽子，那天下午他闲着无事去那条巷子溜达，抬头便望见秦见月和一个男人坐在一起。二人关系一眼便知很生分，那场面隐隐让他意识到是怎么一回事。

电梯到了指定楼层，门被打开。

王诚下了电梯便加快脚步匆匆往前面走，在路中间遇到过来领路的秦见月。

"王诚，我在这儿。"秦见月喊了他一声。

"来了来了。"王诚小跑过去。

两人一道往病房走。

秦见月说："怎么还买东西了，说了叫你不用买的。"

王诚笑说："就一点儿水果，阿姨吃不完就给你吃。"

他一边说一边往秦见月手里塞了一个椰子："刚切的，你喝了吧。吸管，我给你打开。"

他一时太过殷勤，秦见月显得局促，拿走王诚手里的吸管，嵌进去却没喝，尴尬笑了笑："谢谢啊。"

病房是三人间，秦漪的床铺在最里面，王诚一进去，秦漪便高兴地招呼他。见妈妈把他当作自家女婿似的高兴劲儿，秦见月没好意思说什么。王诚没能俘获美人芳心，倒是把她妈拿捏得死死的。

床前挂着一张隔断的帘子。秦见月背对着门坐下，因此没见到后面跟进来的程榆礼。

程榆礼眼见来得不是时候，也不大好现身，便在帘后陪护的沙发上闲散地坐下，抱起手臂，敛了眸，静听那三人的对话声。

秦漪说："哎呀，小王，你真不用带这么多东西，今后咱们常走动就是了，当一家人，你甭这么客气。"

秦见月默不吭声，把手里的椰子放在床头柜上。

王诚愣是没让那个椰子被搁下，又推回她手中："喝呀，很甜的。"

秦见月抿了抿唇，又说："谢谢。"

秦漪又说："你看月月性格这么闷，小王是个外放的，正好你们俩能互补一下。两个人主意都多啊就容易吵架。过日子想和谐一点儿，还是得一松一弛比较好，一个主内一个主外。这样才能维持婚姻长久。"

秦见月不吭声地喝着椰汁。

程榆礼换了个姿势坐，手支着脑袋，指骨按压着太阳穴，想缓解突突跳动的刺痛感。

王诚说："不是不是的，阿姨，我跟见月八字还没一撇呢。您别乱点鸳鸯谱。"

秦见月弱弱地"嗯"了一声。

"感情可以慢慢培养，你也别天天闷在家里，"秦漪对秦见月说，"平时跟小王多出去走动走动。小王，我看你上次朋友圈发的那个什么音乐会，到点了没？你俩可以一块儿去看看。"

"啊，对，您说到这个我想起来。我正好在朋友那边拿了两张票，咱们周末一块儿去吧月月。"

王诚这人也有点儿鬼精，仰仗着秦漪对他有点儿期许，就收不住心里头那点儿小九九了。

秦见月闷头喝着椰汁，腾出嘴来说："那个音乐会，我看过了。"

秦漪"啧"了一声，给她挤眉弄眼："你陪小王再去看一遍呗。"

王诚即刻说："啊？你看过音乐会了啊？那不要紧，这票能换不能退，你挑个什么没看过的话剧、电影之类的，咱们看个别的也行。"

秦见月："周末我要练曲子的。"

秦漪说："练曲什么时候不好练，要你天天练呢。"

秦见月："不是的，最近正好有个大戏要排。"

王诚："这样啊，你那什么戏啊，我陪你一起练呗。"

秦漪说："那多辛苦啊，算了，你随她去练吧。"

王诚道："没事，我在那儿陪着月月就是了。反正周末没课，闲着也是闲着。"

这顺口的"月月"，令程榆礼缓而长地叶出一口气，难掩眉心的一点儿躁。

接下来，寂静了一阵。

秦见月还是放下椰子，起身说："那个，我去一下洗手间。"

王诚道："好，你去吧，我陪阿姨聊会儿天。"

秦见月没应声，站起来往外面走。她也没注意到门口沙发上坐了个什么人，只是脚步匆匆想逃离。

却在门口叫人绊了脚踝，跌进一个将她掌控住的怀抱。

程榆礼掐着她的腰，看着她失措的眸，一只手扣住她的后脑勺，不轻不重一口责罚般的啃噬落在她的唇上，吮了一口嘴角甜滋滋的椰汁。

轻淡的甜被他裹紧口中，顺着喉结的滚动吞咽入腹。

程榆礼敛眸看她，声音淡淡幽幽的："秦见月，我让你给休了？"

秦见月错愕地看着程榆礼，推他的肩，极小声问道："你怎么会来这里啊？"

程榆礼轻声说："看看你妈妈。"

"为什么不提前和我说一声？"秦见月赶忙起身，回头去看波光流动的帘子。幸好没人注意到他们偷摸亲昵的角落。

程榆礼看着她的眼镜，用指腹蹭了蹭她的唇角："因为不想再和你暗度陈仓。"

秦见月小声嘀咕："那你也不要搞偷袭呀。"她轻轻扯一下他的衣角，建议道，"出去说好吗？"

"嗯。"他从容点头。

两人一前一后走在医院溢满消毒水气味的走道。夕阳从方窗里流进来，把身后人的身影拉长，覆在秦见月身上。

她不习惯程榆礼走在身后，于是她缓下脚步，和他并行。

他的长相是惹眼招摇的，引来视线，这回连同秦见月也成为光源中心的人物。她找了个隐蔽的安全出口，这里隐蔽到一盏灯都没有，程榆礼觉得她谨慎得有几分好笑，他礼貌地关上门，满足她那点儿古怪的小心思，合上的门截断最后一束光亮，带来偷情一般的刺激感。

"解释解释？"程榆礼倚在一旁的楼梯扶手，手插在裤兜里，懒散开口。

他的语气也不重，但让秦见月有些心虚。

她垂着头，像个犯了错误挨批评的小孩，闷闷说："是相亲对象。"

他说："猜到了。"

一阵死寂过后，秦见月往程榆礼身前走近一点儿，轻轻捉住他的手腕："你生气了。"这次她没再询问，而是确信的口吻。

程榆礼苦笑一下："你说我生没生气？"

可以理解女孩子那份羞涩的心意，没想着那么快公开关系也正常。但是事情到了这份上，她的相亲对象都舞到家长跟前来了，简直就是一把威胁的剑悬在他头顶。程榆礼想不通秦见月对恋爱关系守口如瓶是什么目的。

他不想被藏起来。

哪一个天之骄子会愿意成为别人的"地下情人"呢？

纵使他的性子天生不争不抢，但这也不影响他是个骄傲的人。

秦见月能理解他。她攘着他手腕的力度紧了紧，半晌轻声说："我哄哄你好不好？"

听着她温暾软糯的声音，程榆礼突然就没那么不高兴了，他挑一下眉，说："试试。"

在黑暗里，她的勇气被放大一点儿。她双臂圈住他精瘦的腰部，抬头吻过去，嘴唇软软地触到他的下巴。她挫败地说："亲不到，你低一下头。"

程榆礼终于被逗笑。他用掌心抚着她的腰，将她推至墙角，低头吻下去。一个椰香四溢的吻蔓延开。秦见月变得比上一回主动了一些，她大胆地吮吸着他的嘴唇，继而换来长驱直入的进攻。蝴蝶骨被抵在墙上，一浪盖过一浪、激烈热情的吻感压过她骨骼处的酸胀。

他的唇舌让她觉得异常火热，到中途，秦见月忍不住睁开眼。

她想看着程榆礼亲她，被满足的幸福将她填满。

无人打扰的漫长的吻持续了很久。最终，秦见月的唇被松开，他轻滚了下喉结，睁眼便看见她楚楚可怜泛着潮气的眼。

程榆礼微微笑着，语调有一点点坏："这才是哄人的正确方式，学会了？"

秦见月不好意思地将额头搁在他的肩上，半天才开口说："对不起，我不是故意的。"

程榆礼拨过她的脸，看她的眼睛："对不起什么？"

"因为，"她颤着眼，坦诚答道，"和你在一起，我没有安全感。"

自始至终都是她一个人。

她偷偷摸摸的喜欢、暗中的观察、起伏不定的心情，都是一出独角戏。一切的一切，被塞进一只密闭的罐头，满到在外面敲一敲，得不到丝毫回声。

那么珍重、隐晦。

她从来没有把这个罐头拿出来示人，也不想将好不容易抓住的小小幸福告诉全世界。

她怕会丢失。

程榆礼不明就里："安全感？"

秦见月心里有点儿乱，也憋不住，胡乱地说着："我也不知道，你哪一天说不定就玩够了，不想要我了。"

"你说什么？"他有点儿吃惊，捏她的脸，正色道，"我在玩你？"

秦见月不吭声了。

此时，程榆礼拿出手机看了下，像是有什么要紧事，一边处理消息，一边问她："你在这儿待到几点？"

秦见月回答："妈妈明早出院，我今天就在医院。"

他"嗯"了一声："那你等我，晚上接你去吃饭。"

"你现在要走吗？"

"旁边三中，去给我侄女开个家长会。"

秦见月说："好，那你去忙吧。"

但程榆礼说完，却没急着离开。秦见月去开门，又被他轻轻握住手腕。

她的身子往前一倾，被他揽入怀里。程榆礼将手掌覆在她的脑后，轻轻摩挲她的发，像是安抚。

"不着急，还有一会儿。"程榆礼声音沉沉的，动作却轻柔，揉揉她的脑袋。

他个子高、身材也好，抱起来舒服，秦见月便顺势将脸颊贴在他结实的胸口处，久久感受他蓬勃的心跳。

良久，程榆礼开口。

"想要安全感是吗？"他轻声说道，"我想想办法。"

3

秦见月回到病房后，王诚还在跟秦漪有一搭没一搭地聊着，秦见月脸上的绯红未褪，一副忧心忡忡的样子。她已经全然无心参与他们的对话，只坐在方才程榆礼坐过的沙发上，半晌没动作。

有人进门，是阿宾，他替人送来一些礼品，交给门口的秦见月。秦见月打开看了看，里面是贵重的燕盏和花胶。

她道过谢，没有执意要退还。

秦见月下楼去给妈妈买些小食，思绪重重之际，走着走着竟不觉到了人民医院对面的三中。

很久没有回来过了。

放学时间，校门口还是这么拥堵。这种时候，骑车的学生就是赢家，轻轻松松在车流间穿行。校服已经换了款式，大片大片白色，干净得像是他们纤尘不染的青春。

一个男孩子骑着山地车，经过女孩时扯松她的马尾，女孩尖叫着骂他"怎么那么讨嫌呢"，然后又是恼又是笑地追上去，跳上他的车。

秦见月看着这些场景，也不由自主地笑了起来。

她穿过马路，往学校里面走。教学楼林立在夕阳之中，统统变成一片明亮的鹅黄色。校园的广播站在放着毕业季的歌曲，秦见月逆着人流往楼上去。已经没有在等候谁、寻找谁，也不急着去上课考试，她的步行显得漫无目的。

看一看墙上的报，看一看公告栏上陌生孩子的脸和名字。

曾经让她敏锐得一眼注意到的字眼早就被撤下，她也不知道呆呆傻傻地在看什么。她的青春恍如隔世。

只不过瞥到那个倚在阳台护栏上的身影，还是会心脏抽一下。微微的刺痛扫去她一身的疲倦，她目光都变得清醒，步伐更为小心。

在三楼的一间教室门口遇到程榆礼，他面前是已经两鬓斑白的副校长。

都是熟悉的人。

纵然已经换上白衫西裤，一副体面俊朗的大人模样，但那样令她熟悉的姿态和散漫的笑意，又恍惚将秦见月牵回到过去时光。

走廊上已经没什么人了，很多家长领着学生往楼道里走，程榆礼在嘈杂声音里注意到秦见月的身姿，偏头看过来一眼。

程榆礼身边站着一个扎马尾平刘海的小女孩，应该就是他的侄女了。

见他目光流转，搭话的两个人也随之看过来。

秦见月无处可躲，只好过去打了个招呼。

等等……这校长姓什么来着？

程榆礼开口给她介绍："吴校。"

谢天谢地。秦见月："吴校，好久不见。"

读书的时候，秦见月隔三岔五被请去给领导唱戏助兴，参加过的文艺演出不算少，是这样的经历让校长对她有浅薄的印象。

"秦见月是吧？我记得你，京戏唱得出类拔萃。"

秦见月尴尬地笑着，应道："您过奖了，没有那么厉害。"

"怎么不厉害？"校长推一推眼镜，"我记得你后来走的艺考吧？"

"嗯，上了戏曲学校。"

程榆礼没有插话，平静地看着她。

"咦，你就是我小叔的女朋友吗？"程序宁迫不及待地探过来她的脑袋。

程榆礼卷起手里她考了52分的数学卷，"哐"一下敲在程序宁的额头上，把她敲回去。女孩捂着额头"嗷"了一声。

校长搓了搓手："那成。"又对小孩说，"你回去之后加强巩固一下基础，跟着老师给你安排的计划走，少跟那些狐朋狗友混在一起，不要抄作业。听见没？"

他又道："这丫头成绩进步空间还是很大的，她现在主要问题是心思不在学习上。需要的话我可以多请几个老师帮她补补课。"

这句是对程榆礼说的。

程榆礼淡淡地应了一声，想了想又说："看她父母怎么安排吧。"

"好好好。"校长说，"我这儿还有点儿事，就不留了。你俩慢走。"

程榆礼应道："再会。"

校长离开以后，程序宁又蹿过来。程榆礼指了下教室说："回去做作业吧，这儿没你的事了。"

程序宁："啊？你不打算请我吃饭的吗？"

"食堂不够你吃的？"程榆礼一秒不想多拿她丑陋的卷子，胡乱叠起来塞进她校服口袋，骂道，"还有没有点儿羞耻心了？"

秦见月看着小女孩委屈的脸色，解围说："其实可以一起吃吧？"

程榆礼道："别惯着她。"他转身往楼下走。

秦见月跟过去，又回头看了眼，程序宁已经乖乖回教室订正题目去了。

今天是夏至，天黑得格外晚，快到八点才暮色四合，他的车停在外面，二人抄近路走了操场。田径队的训练堪堪结束。

这一片田径场，高高的主席台，如果它们有眼睛、有记忆，会见证多少的悲情和圆满呢？

从不是抛头露面个性的秦见月，会在老师问关于运动会谁想举牌子的时候主动站起来，说她想试试。

为的是能够每天放学后有两个小时的训练时间，她可以借着一起彩排的契机，多看几眼国旗护卫队的程榆礼。

她到现在都记得那段时间，学校广播台每天放的是什么歌。熟悉的旋律响起时，那些烦琐的细枝末节卷土重来。

　　程榆礼走得有些急，似乎是在想什么事情。其实也不是走得急，他只是腿长，所以步子迈得大。

　　秦见月走在他身后，往日的跟随中，如果不小跑一段根本跟不上他的步行速度，没多久两人的距离就会被拉大。

　　他注意到了，便顿住脚等候她："想吃什么？"

　　秦见月想起一个好地方，说："学校门口有一家私房菜馆很好吃，你还记得吗？"

　　"有点儿印象。"不过，他想了想，"你确定要吃这个？"

　　秦见月好奇："嗯？怎么了吗？有什么问题？"

　　程榆礼笑一下："没什么，这不是少了次讪我的机会。"

　　秦见月微笑："谁稀罕一顿饭呢。"

　　她的手被他握住，两人一同往胡同里走。

　　妈妈菜馆，是八年前见他最后一面的地点，同样的夏至，他返校来参加毕业典礼，同样暮色四合的八点钟。

　　秦见月在高一下学期留长了头发，长到可以扎起来了，但也只是在脑后绑了一个小小的麻雀尾巴。是为了方便，不是为了漂亮。尾巴翘着，她一边闷头吃饭一边奋力地背诵着单词，为高一结束的期末考做准备。

　　便携的单词本上满是画画圈圈、笔痕老旧，泛黄的纸张翻来覆去被掀动。

　　秦见月啃着一块难以下咽的鸡胸肉，在心里默默记着"discrete，分离的""discrete，分离的"。

　　一股浓郁的栀子香气钻入她的鼻腔，像警示灯一样刺激到她的大脑皮层。她抬起眼睛，看到有人推开门，风铃被卷响。

　　很多高个子的学长学姐进来，让这个原本只有她一个人的餐馆变得闹哄哄的。

　　是夏霁的声音："阿礼你吃什么啊？"

　　秦见月咽下那块鸡胸肉，把手中的单词书放在腿上，怕被人看见。

　　程榆礼只语气慵懒地说了四个字："随便点吧。"

　　秦见月不再进食，用纸巾擦拭了一下嘴角，反反复复，换了三张纸，才算擦满意。她注意到那个高大的人影在她前面的前面一桌坐下。

　　秦见月意识到了些什么——他要毕业了。从此以后，山高水远，她的思念将随他的离去而被埋葬。

　　于是她偷偷掀起眼皮，想壮着胆看他最后一面。

而她抬头那瞬间，却被挡在程榆礼身前的少女捕捉到。

又是那双像刀子一样落在她身上的眼睛，让秦见月一下子慌了神。

程榆礼已经落座，在最角落里的座位，她隐隐听见有人在问他高考填志愿的事——

"你一志愿哪个学校啊？"

程榆礼淡道："定下来跟你说。"他叠着腿，托着下巴，一只手悠闲地刷着手机。

随行的几个女孩穿着款式精致的热裤，秦见月低着头，只能看到她们白皙纤长的双腿。

她放下筷子，牵着书包就要往外面走，余光却还贪恋地留在他身上。

而程榆礼一直看手机，始终没有抬头。

女孩子们攀谈嬉笑的声音很清脆，秦见月却觉得有儿分剌耳。

他身边的这些朋友，或许会成为他生命里的过客。此时交好，来年陌生。

但秦见月，她甚至连过客都不是。

餐馆里狭窄的走廊并不长，让她走得极为温暾。

她的余光装着人，他的视线从不为她停留。一场平平无奇的，就像每天都会发生上百次的擦肩，成为她最后的告别。

快到门口，突然有人伸出一只脚，不知道是恶意还是无心。秦见月狠狠摔了个狗啃泥。

下巴磕在门口的台阶上。那一瞬间，身体是麻木的。炽热的心脏跌进沼泽，往下深陷。

整个餐馆顿时安静了一秒。

第一个反应过来的是正在前台点餐的少年。他回眸发现倒地的女孩，立刻折身扶了一下秦见月，温声问："还好吧，摔哪儿了？"

她被扶住肩膀。

这人叫祁正寒，她对他身边的每一个朋友都熟悉——自以为的熟悉。

秦见月挣开他关切的紧握，喉咙口紧紧阻塞，一个字也说不出口。她摇了摇头，狼狈地从地上爬起来。骨骼的剧痛让她觉得脚在飘，摇摇晃晃，好像下一秒又会摔倒。

她开始耳鸣。嘈杂的声音离她远去，变成一条细线，但唯独一道清澈的声线浮了出来："要不要送医院看一下？"

程榆礼有点儿不明状况地问了这么一句。

秦见月已经推门出去，门外涌起的热浪扑在她的身上。隔着餐馆的玻璃，她回身贪婪地看他最后一眼。

同时看到满脸是血的自己。

她和她的狼狈做伴，捧起她泣血的自尊。

……

秦见月站在玻璃门前，微微抬头，目光混沌，不知道在看什么。

今天店里有点儿热闹。来用餐的大都是学生，他们两个成年人倒显得不大融入。

秦见月简单地绑了一下头发，露出纤白的颈。程榆礼悠闲地坐在对面，凝神望着她干净诱人的脖子和下垂的睫。

旁边一桌学生在讨论高考志愿的事情。

"家里催着结婚？"他忽然开口问了句。

秦见月抬头看他一眼，点头："嗯，对。"

"怎么那么着急？"他的意思是，她年纪还小。

"妈妈说既然工作稳定了，就想要我早一点儿定下来婚事，她说以后就难找了。而且她很喜欢王诚——就是和我相亲的那个男人。"

程榆礼回忆了一下，意味不明地笑一声："喜欢他什么？"

"我不知道，他很会哄长辈。"

勾了几个菜，他将菜单递给老板娘。程榆礼不置可否挑眉，片刻说："那我可能不太会。"

秦见月心里想问的是：那你会什么？

但她没再接茬了，她的个性就是这样，想得多说得少。

半晌，程榆礼又开口悠悠说了句："我说实话，你嫁他还不如嫁我呢。"

秦见月愣了一下，没有当即明白他的意思。

而后，他又补充道："秦见月，要不你跟我结婚吧。"

被高中生的吵闹填满，他的声音不轻不重、不咸不淡，永远是叫人听不出起伏的波澜不惊的语速。

也平平静静讲出这样一句本该十分郑重的话。

秦见月都怀疑自己是不是听错。

程榆礼看她这么震惊，说道："不是要安全感吗？我给你。"

她稀里糊涂地问了一句很傻的问题："你说的结婚？是指哪种结婚？"

总不能是在一起过一辈子的那种吧？成为他的过客，已经是她的殊荣。她都没有妄想过天长地久的事，怎么会被他提前考虑。

是不是一纸婚约，用来抗衡他的家庭呢？有个期限的那种。

他想了想，一字一顿说道："不搞偷偷摸摸，明媒正娶的那种。"

秦见月看着他真挚的眼。

"本来订了间酒店，你说要吃这家。"程榆礼从裤兜里摸出一个什么东西，平静地打开，推到她的眼前，温和一笑，"那就在这儿吧。"

秦见月看着眼前不知道从哪里变出来的戒指，久久没有应声。很多流淌过去的年岁变得模糊，缠乱在一起，铺成一条为她通往过去的路。

她又清晰想起那个盛夏的胡同，以及胡同深处的餐馆。

那天她推门出去，看到漫山遍野的火烧云，那是摇曳着青葱树影的夏至。她捂着血淋淋的下巴，在没有掉下来的眼泪里收回她旷日持久的欢喜，也告别她永恒不落的月亮。

她彻底地失去了他。

在同一片浓墨重彩的云里，摇晃着蝴蝶铃铛的玻璃门外。

十六岁的秦见月失措回身，为见他最后一面，却撞到八年后他平静又滚烫的邀请。

她突然就红了眼睛。

4

秦见月不知道怎么就被推到了这个节点。事情发生得突然，她没有太多的时间去回溯她和程榆礼正式认识的这些天来、发生的每一件事。

一个严肃的选择题被猝不及防摆到了她的眼前。

有点儿想问句为什么，但是她的喉咙哽咽，无法出声。

程榆礼猜不透她迂回曲折的心思，只看她泪眼汪汪的模样，也是有点儿摸不着头脑，将纸巾揿在她眼角的泪痣，洇下一团湿润。确定她是在哭，他惊讶道："不至于吧，这么感动？"

他以为自己的求婚已经够简朴了。

菜馆的老板抠门得舍不得开空调，老旧风扇悬在头顶转出灰黑色的幻影，还有两只蚊子在飞，这糟糕透顶的氛围。

秦见月不置可否地摇了摇头，自己取过几张纸巾，擦了擦眼角，又擦了擦鼻头。

"有点儿突然。"她说。

老板端上来一盘热锅。

程榆礼认为干净的戒指摆在满是油水的桌面上很不合适。但拿都拿出来了，没有往回收的道理，他轻轻拨转了一下方向，将开口那一面对着墙壁，以免汤汁溅入。

秦见月也觉得这么晾着不是办法，她别扭地把戒指取出来，自己套上了。她闷着头，声音曩曩地说道："不是答应你的意思，就先戴着，一会儿吃完再拿下来。"

程榆礼被逗笑，说："好。"他收起盒子。

秦见月下一秒又有点儿懊悔，哪有自己给自己戴戒指的，还没有从伤感的回忆里出来，她情绪没来得及收住，往口中塞进两根豆芽之际，又惯性抽噎了两下。

程榆礼劝她说："哭完了再吃，别呛着。"

秦见月破涕为笑："还有你这样的人？"

他也微微笑着，低头看她的指："合不合适？"

秦见月说："随便戴的，管它合不合适。"

程榆礼顺她的意点头："嗯，随便戴的。"

又过一会儿，秦见月忍不住用指头摸了摸戒指上的钻："你今天是有备而来的吗？"

程榆礼答："下午去挑的。"

她讶异地问："这么着急？"

他笑了笑："这不是怕被人捷足先登了吗？"

程榆礼是怎么想这个事呢？

其一是家里的逼婚让他这阵子有点儿心乱，他急需解决这个麻烦，于是想了这么个先斩后奏的法子。

其二他很中意秦见月温暾含蓄的性子。他希望他的家庭和谐稳固，希望他的耳边落个清净。俗话说过了这村没这店，试想这姑娘要是落别人手里，他还当真是会有几分惋惜不舍，一时间也再难找到合衬的。

程榆礼不算是个行动派，但从医院出来考虑这事，越想越觉得紧迫，便拐了个弯去挑戒指了。

她要是答应，两人一拍即合，这事就成了。

她要是不答应，他也没什么吃亏的，不担心在她这儿落面子。

程榆礼不打算瞒着她，便将这些心里的主意一五一十告诉她了。听得秦见月百感交集。

她明白了。家里安排了个不喜欢的，他叛逆一回，自己挑了个。

也只是合适而已。

最终，她问："那如果我不答应，你又急着结婚，是不是就要去找别人了？"

沉吟片刻，程榆礼说："没有那么着急。"

想了想，他又说："也没有更喜欢的了。"

"喜欢"二字让她警觉，秦见月已经默不吭声往嘴巴里一口一口塞进好多豆芽。程榆礼捏着锅沿，转了个边，把堆积在一起的羊肉送到她的眼前。

秦见月筷子伸进去，却还是夹了一筷子豆芽，有一点儿烫，她放在碗里晾了晾，很小声问了句："那你喜欢我吗？"

程榆礼闻言，轻哂一声："我也不至于讨个不喜欢的老婆吧。"

秦见月点头道："我可以考虑考虑吗？"

"可以。"程榆礼略一思忖，指了指她的手，悠悠道，"戒指就别摘了，戴着考虑吧。"

她忍不住嘟囔着，轻嘲一句："心眼好多。"

程榆礼笑得温和大度："只是建议。"

他又问："半个月时间够不够？"

"嗯？"

"下下周五是个好日子，我在民政局门口等你。"

"……"

"知道怎么走？"

秦见月道："我要是不去，你会不会很失望？"

许久，程榆礼平淡地说："我不强求。"

他的人生准则，因缘自适，随遇而安，不强求任何事。

吱吱嘎嘎的风扇声中，他冷静平和的声音被她捕捉——

"但我还是希望你去。"

"为什么？"很想要知道他心里最深处那一层想法。

他夹了满满一筷子的羊肉放在她的碗中，说："因为还挺想娶你的。"

至此，秦见月仍是觉得突然。她弯了弯指，感受那只戒指的圈禁："不用和家里商量吗？"

程榆礼说："如果你觉得有必要就说一声。"言外之意，他这边就不商量了。

秦见月说："妈妈还没见过你。"

他警惕地看过去："妈妈不满意，你就不嫁了？"

秦见月没接话。

程榆礼捂了一下胸口："好伤心。"

演得还挺像回事，她笑着握住他的手："不要伤心。"

程榆礼反握住她，也轻笑了下，半晌开口道："回去好好想想，婚姻不是儿戏。"

秦见月问："你想好了吗？"

他"嗯"了一声："等你点头。"

用餐结束出来已经入夜，天上爬起几颗星星。步行的路上，秦见月又想起什么："我还有一个问题。"

程榆礼折下身子，凑近她："问。"

她说："你不和家里商量，我要是嫁过去，你家里不同意，我……被欺负怎么办？"

"怎么净有这些乱七八糟的担心。"他很无语地扯一把她脸颊，"除了我，谁都没资格欺负你。"

这话稍稍叫人心安，但是，秦见月拨开他的手腕："你为什么要欺负我？"

程榆礼笑说："因为你看起来很好调戏。"

她面露羞色，怯怯说："你有的时候还蛮讨厌的。"

他松开手，没再捉弄她，转而去路边取车。

秦见月慢慢腾腾跟在后边，看着男人的宽肩一下被路灯照亮，一下又隐于暗处。

陷入一阵柔软的心境，秦见月步子慢到快停下。

程榆礼忽然回头看了她一眼。

他停下脚步站在那里，等候着她过去："怎么总喜欢走在后面？"

秦见月回神："习惯了。"

"习惯什么？"程榆礼不明就里。

她摇一摇头："没什么。"

他没再问，拉住她："以后还是牵着你走吧，小乌龟。"

领证的前一夜，秦见月将需要的证件一应备好，放在桌面上，什么也不做，慢慢清点。

婚姻不是儿戏。他能说出这样的话，心里又是有几分考量了呢？

程榆礼的想法算是澄明的，可是秦见月还贪心地想要再多知道一点儿。

为什么呢？为什么一定是她呢？

拜托，那可是她高中的男神欸。他向她求婚欸！

这真的是她可以承受的吗？

秦见月趴在桌上，脑袋往左一转，是焦虑；往右一转，是喜悦。就这么思来想去半天，一整夜的时间都快荒废。

她坐起来，摸摸手上的戒指。不懂行，去搜了一下价格，认真地点了点位数，顿觉手指都变沉了。

货真价实的一笔支出，看来他不是在开玩笑。

当然，程榆礼也没有到非娶她不可的那种地步。

秦见月知道，但凡她说一个"不"字，他就会收回成命。程榆礼是骄傲的。人家都说了不强求，画外音是，倘若在她这儿碰了钉子，他也不至于为她折腰。

是夜，秦漪在院中取水浇花，呼唤声从楼下传来。

"对了月月，那天忘了问你，东西是谁送过来的？"她站在秦见月的窗下，这么喊了一声。

秦见月想到了程榆礼给妈妈买的燕窝，她没急着回答，下楼走到妈妈跟前。

秦漪正从院里抽井水冲洗西瓜，绿油油的瓜被搁置在小小木盆中。秦见月蹲下给秦漪帮忙，纤白的两条腿屈起，她下巴点在膝盖上，乌黑的长发顺着肩颈垂落下来，差一点点就碰到地面。纤细的玉指触到井水，凉得瑟缩。

一瞬间，夏天的感觉就来了。

"我问你东西谁送的？"秦漪一边擦洗一边问道。

"男朋友。"秦见月平静地吐出这三个字，却偷瞄着妈妈，心跳如鼓。

"啊？"秦漪不敢置信地皱了一下眉，又很快舒开，转而为笑，"终于想明白了啊，我就说小王人不错。你早不听，耽误人多少时间。"

秦见月急得站起来，跺一下脚："什么小王呀？不是小王。"

秦漪一听，手里动作顿住："不是小王那是谁？"

该怎么跟妈妈说呢？秦见月苦恼地抓了抓头发，斟酌措辞。

秦漪抱着瓜站起来，拿到旁边的台子上去切。

秦见月跟过去，手撑在大理石桌板上，回答说："是一个高中的校友。"

"校友？"

"嗯……"秦见月心虚得声音变低，"别人介绍认识的。"

"什么时候谈的？"秦漪塞给秦见月半个瓜，将剩下那半个切成片状。

"前一阵子。"

"怎么没听你说呢。"

秦见月声音低低弱弱的："因为没稳定下来。"

"叫什么名字？有没有照片我看看。"

秦见月翻了翻相册，没有程榆礼的近照。空间相册里锁了几张高中运动会时期她偷拍的独家照片。她思索一番，没有给妈妈展示："妈，照片先不看了，我今天得跟你说个事。"

"什么？"秦漪还被蒙在鼓里，预料到什么，她严肃地看向女儿。

秦见月说："我跟他要结婚了。"

咬西瓜的嘴巴停下，秦漪一愣："结婚？这么突然？"

"嗯，因为他想结。"

秦漪把西瓜放下，认认真真拨过见月的肩膀："你好歹说一下这是个什么人？妈真担心你被人骗了。"

"就是三中的一个学长，他叫程榆礼。"

"程榆礼，"秦漪喃喃念了一遍这三个字，"这名字怎么听着这么耳熟呢？不会是那个程榆礼吧？"她又看向秦见月，惊诧问道，"他爷爷是叫程乾？"

这个程家赫赫有名，秦漪知道也不奇怪，秦见月闷不吭声点了点头。

秦漪不敢置信："什么意思？你要跟程乾的孙子结婚？"

见妈妈这个态度，秦见月连头也不敢点了。

"是不是他？"秦漪催着问了下。

她坦诚说："是。"

"真是要疯了！秦见月，你配吗？"

因为这三个字，秦见月剔透的双目一下变得湿津津。

妈妈的话勾出她心底最深处的不自信和委屈。

——秦见月，你配吗？

她歪过脸去不再说话，鼻酸难抑。

"你好好跟妈妈说说是怎么回事？"

秦见月摇着头，她内心在抗拒些什么，抗拒表达、沟通，而它那个密封的罐头正在被人强行地拧着盖子，被企图打开。

最终拗不过，她只说了一句："我很喜欢他。"

"光是喜欢不能成为结婚的基础，你考虑过现实的问题吗？"

她说："都考虑过了。"

秦漪撮合她和王诚，也是看中王诚的秉性不差。其实一个男人做到中规中矩，没有不良嗜好，家庭和睦，工作稳定，就已经很难得。

王诚是秦漪眼里的佳婿。

程家的人，在秦漪看来就是妥妥的高枝，规避风险的性子让秦漪觉得绝无必要去沾上这样的家庭。

而秦见月开口就是要跟人家结婚。她能不着急吗？

秦漪扯着秦见月讲了半天的大道理，从最开始言语很重的斥责渐渐过渡到语重心长的劝说。

"你跟人家结婚，人家总得图你点什么。图你什么？你有什么给人家图？

"那种家庭里奇奇怪怪的心思那么多，你万一在程家让人给摆了一道，你到时候上哪儿哭？

"你结婚是喜欢他，他结婚是喜欢你吗？这种人在外面不三不四的多了去了，养小情人的。"

秦见月有时觉得妈妈讲话很刻薄，她泪盈于睫，半天才开口说一句："没钱的男人就可信了吗？"

秦漪愣了下。

"你在出嫁的时候就能看得清自己的未来吗？"秦见月看着妈妈，眼神里一股隐隐的倔，"嫁给自己不喜欢的人就能幸福圆满吗？没钱的男人就不会找小情人了吗？婚姻本来就是一场豪赌，如果一定要结，起码要让这段感情最开始的时候是基于爱吧。如果我不和程榆礼结婚，也不会是王诚！"

秦见月坐在竹藤椅上，勺子戳进西瓜，低头有一下没一下地挖着，半天也没挖出块果肉。她很瘦很白，整个人蜷在椅子上坐，身后一片绿意，眉间一抹忧愁，画面像一幅画一般安宁。

黑长的发几乎挡住她一半的身体，秦漪却眼尖地从发丝之间发现她泛红的眼眶。

秦漪走过去，用手捧住她湿湿的脸颊。许久，秦漪冷静下来，问了一句："就这么喜欢？"

就像天被捅了个窟窿，雨就开始倾盆。

秦见月抬起泪眼："特别特别、特别……"她一口气说了好多个特别，"特别喜欢。"

秦漪无奈地摇了摇头，叹息说："你实在喜欢，妈有什么办法。"

秦见月泪如雨下，被秦漪搂到怀里。

秦漪说："要是受委屈了就回来。咱们不缺男人。哪个当妈的不担心闺女过得不好，你说说看。"

秦见月用力地点着头。

哭了一会儿，有点儿头晕，秦见月抱着西瓜回房间，坐在床沿把这个瓜啃得很枯燥干巴。

接到程榆礼的电话，自从在一起后，他几乎一有时间就会联络她。秦见月也没有什么和男性的交往经验，她暗自想，他应该算是个称职的男友吧。

他大概工作了一整天，因而声音疲乏沙哑，听见秦见月咀嚼的声音，便开口问她："吃什么呢？"

"西瓜。"

程榆礼一贯慵懒的语调："给我说馋了，有时间我也要去蹭两口。"

"西瓜哪里没有，还要来我家蹭呢。"

他笑了笑："我猜你嘴里的比较甜。"

她脸红着，把瓜推到旁边桌上，嗔他："哪儿来的流氓。"

程榆礼细细一听，发觉她声音囔囔的，声线柔下来一截："怎么又哭了？想我想的？"

她说不是。

半晌，两人都没讲话。

程榆礼正经问了句："见月，我是不是给你压力了？"

他问到点子上，秦见月淡淡地"嗯"了一声。

而后，程榆礼慢悠悠开口："说两句，我不算是个很有阅历的人，暂且可以凭我有限的人生经验给你一点儿建议，不管是在哪一类事情上，人经常会面临很多难题，这种时候最好的处理方式是当机立断，你反复地犹豫，优柔寡断，不仅容易导致精神疲劳，影响办事效率，而且也可能会错失正确合适的机会。"

她听得混乱，也不知道他是不是在乱讲套路她，只下意识跟着点点头。

他看不到，声音沉沉问她："在听吗？"

秦见月说："听着呢。"

他略一沉吟："问你个问题，不要考虑超过三秒，你回答我。"

"……好。"

"想不想嫁给我？"

不超过三秒，她说："想。"

"嗯。"

少顷，程榆礼淡淡说："明天见。"

翌日是个艳阳高照的好天气，适宜出门。程榆礼向单位请了下午的假去了一趟民政局。没排太久队，两人就从里面出来了，秦见月握着新鲜的结婚证，四四方方的小本子被她攥在手里，努力地从这样凌厉的触感中找寻一点儿真实。

程榆礼那一本已经被他收了起来，他手伸进裤兜里，摸了一下口袋里的烟盒，虚虚地指着旁边说："去那边抽根烟，你去车上等我。"

"好。"秦见月点点头。

今天的车是他自己开过来的奔驰，秦见月坐在副驾系好安全带。

她将册子展开，看着上面二人的合影。

秦见月没想到他们的第一张合照，竟是结婚证照片。婚姻就这样仓促而草率地到来了，她更没想到，闪婚这种事也会发生在她身上。

秦见月用指头轻轻触碰着照片上程榆礼的脸。

他今天清晨去理了发，短短的发茬让整个人看起来显得更加精神。眼神中清辉闪耀，目色灼灼。如果说他常年温淡的一双眸如清水一般，那今天的这双眼便是在烈日下闪着波光的一条温暖的小溪。

人长得帅又有钱就是好，就这么轻轻松松娶走一个媳妇儿。

秦见月则是将两鬓的发拨到耳后，露出一张素净的脸。摄影师是一个女孩子，她在秦见月捋碎发的时候跟秦见月笑着说："你长得很清纯，和你先生很登对。"

这句话直接导致照片上秦见月的双颊微微泛着一点儿粉。

程榆礼的一根烟抽了多久，秦见月就呆呆地看了多久这张照片。

随后他拉开门坐进来，携来一股夏日的热浪与清淡的烟尘气味。

秦见月忙把证收好。

"送你回去？"他问。

"嗯。"秦见月点头。

开车上路，程榆礼忽然开口说了一句："咱俩好像还有一件很重要的事没办。"

"什么啊？"她不明白。"很重要"的字眼让她不觉慌了神。

他瞥她一眼："仔细想想看。"

"嗯……婚房？"

"这个不急，你慢慢选。"

秦见月想了想："地段和价格呢？"

程榆礼说："不考虑这些，全看你喜不喜欢，没有我买不起的。"

闻言，秦见月顿时觉得他的身姿都变伟岸了许多。她乖乖说："好吧，我不会让你破费的。"

"不用那么懂事，破费就破费。"程榆礼歪过头看她，空出一只手来，亲昵地替她整理肩上散乱的发，"房子很重要，也不是只住个一年两年。"

这话让秦见月心头一暖，她弯了弯唇角，又问道："难道你想说婚礼？"

"我会安排，你不用操心。"

她想了想还有什么被遗漏的事，是不是——"还没见家长"？

程榆礼说："今后有的是机会见。"

秦见月这下属实想不明白他的心思了："那还有什么事啊……"

他一时没接话，过了会儿才狡黠地轻勾唇角，看她一眼："真想不到？"

秦见月无辜地摇头。

前面是一个红绿灯路口，程榆礼踩了刹车停在线内。他忽然欠身过来，揽住她的肩膀，像是拥了她一下的动作，唇却停留在她的耳畔，对秦见月虚虚地说了句："什么时候圆房？"

耳朵被他诱得通红，她慌张地绞起手指头，不能败下阵来，于是硬着头皮回答："这个，还是你做主吧。"

程榆礼笑了："这我还能一个人做主？"

"……"

"既然你都这么说了，"绿灯亮起，车重新上路，他潇洒地说，"择日不如撞日，去体验一下。"

本来往左拐是她家的方向，他却踩着油门一路直行，前面是秦见月陌生的路，她感觉车速都变快了些。她抓着安全带，出了一手的汗。

第六章 / 见过月亮

永结同心，百年好合。

1

两侧树木匆匆倒退，变成余光里一片游动的绿影。夏季涌动的热流，还有蓝得晃眼的天空，一切都叫人恍惚。秦见月视死如归般盯着前面挡风玻璃，在久久沉默过后，最终还是忍不住问了一句："我们要去哪里？"

程榆礼淡定地回问："你想去哪儿？"

"我想回家呢。"她的语气甚乖。

他"嗯"了一声："那先说好，万一我办事中途你妈回来了，我可不能说撤就撤。"

手心汗津津的，心脏抽动，微微发痒。秦见月躁动不安地拧着衣角："那还是你决定吧。"

她暂时不想吭声了。

程榆礼忍不住笑："嗯。"

目的地是他的住处。

秦见月头一回来这里。程榆礼的公寓在高层，视野很开阔，但他在家四处都拉着帘子，像是怕暑热落进家里。

秦见月小心地往里头走，不小心踢到一个机器人，赶忙缩了脚，怯懦拘谨得像来亲戚家拜年，她险些忘了他们已经是夫妻。她俯下身换鞋的时候，结婚证从裤兜里掉了出来，程榆礼先她一步躬身拾起，将证件在她的掌心碰了两下："收好。"

她听话地点头："好的。"

.095.

秦见月在路上心猿意马脑补出来的亲热戏码，像电视剧里演的那种，应该是他一进门就急着把她按在墙上一顿猛亲，接着两人纠缠到卧室，衣物凌乱散了一地。

然而，没有。一切进展得十分平静。程榆礼还去礼貌地给她倒橙汁，他从厨房探出身子来，问道："喝不喝凉的？"

"可以。"秦见月点点头。她在沙发坐下，做客姿态，连身上的包包都没放下。

秦见月扫视了一圈他的小小独身公寓，中央空调的风扫在她的发梢，她揣测在这里居住应该很是舒适。面前茶几上摆着一沓 A4 纸，她粗粗扫描过去一眼，文字的内容很专业，大概率是他的工作文件。

他的住处极为干净，主体是灰白色调，墙上有壁龛，其中摆置着一些紫砂茶具，一丝一缕的清光落在上面，映出精美细腻的花纹。看起来很昂贵，是她碰不起的那种。

墙壁上贴着一张世界地图，另一边是瑞鹤图，两边内容摆在一起并不协调。

但一眼便看出这就是程榆礼独树一帜的风格。

她是多么了解他。

不是没有为了他特地绕路去高三教学楼的厕所过，这样的蠢事并不是一次两次发生，但她很喜欢这样的奔波，她甘之如饴，乐此不疲。

脚步匆匆而过，只有经过他教室的窗口时才会刹住车，她贪恋地看着站在讲台上的少年背影。他一只手闲散地插在裤兜里，另一只手握着粉笔，在黑板徒手画下一张世界地图，清清楚楚地标记每一种季风和洋流。

落下最后一个句点，程榆礼搁置下粉笔，搓了搓沾满白灰的手。

还是不干净，他无法忍受灰尘，继而走出教室去厕所冲洗手指。

身后跟着一个不辞辛苦赶来见他的少女。

但他不会知道。

收回视线，秦见月无意一眼，又瞄到敞开的卧室门里面的大床。室内闭着灯，呈现暧昧的晦暗。

等会儿是……要在这里圆房吗？

她立刻羞耻地挪开眼，听见从后面传来的脚步声迈过来。她回过头去，接过程榆礼手中的玻璃杯："谢谢。"

程榆礼长腿往前跨两步，在沙发上和她并排坐，微微侧身看着秦见月，温声问道："妈妈说不喜欢我是真的？"

这个话题是刚刚在民政局，他问起有没有和家长交代，秦见月就那么简单应了一句，而后急于办程序，没再谈下去。

不料他倒是很介怀地放在心上。

秦见月说："她没有说不喜欢，也是觉得这个婚结得有些突然。因为之前我没有提过，她下意识地觉得你是骗子。"

"骗子？"他有点儿不敢置信，接着若有所思，"你也这么想？"

"……"

"说说看。"程榆礼换了姿势，往后倾靠在沙发上，挨她很近。他一身慵懒贵气，是清澈的孤岭月和寒江雪，让人不敢靠近，又让人意乱情迷。

"我不知道。"秦见月摇着头，看似对他了如指掌，又好像对他一无所知。譬如说他究竟是不是一个花心的人，她很难说。女人对男人的隐蔽情事往往都探不到底。

她平静地喝了一口水。

程榆礼似笑非笑说："那上了贼船了，后不后悔？"

她想了想，竟然说："有一点点吧。"

"想跑还来得及，"他指了一下门，悠悠道，"一会儿生米煮成熟饭了，可就是我的人了。"

秦见月不知何时又把结婚证拿出来把玩，手指掰着两边的角角，嘀咕着："现在不能算？"

他点头道："算，等会儿正式盖章。"

秦见月咬着唇，坐直身子，臊得耳根子赤红。

被他探过来的微凉的指轻轻碰了一下。程榆礼轻笑一声："怎么说着说着还脸红上了。"

"……"一杯冰冰凉凉的橙汁被她咕咚咕咚灌下去一大半，秦见月还是觉得身上在不停地冒汗。

程榆礼倒是清净悠闲得很，开口问她一句："妈妈希望你找什么样的男人？"他想了想，补充一句，"小王？"

秦见月说："也没有说一定要是谁，她只希望我能嫁给忠于婚姻的好男人，不要上当受骗就行。"

程榆礼挑眉："忠于婚姻就好男人了？这不是应该的？"

秦见月觉得有道理，点头说："对，应该的。"反被他点醒，对男人的要求不能这么低。

没再提妈妈，程榆礼拿过沙发上的平板电脑，打开屏幕，滑动了几下，将其轻搁在见月的腿上："我提前选了一些，你挑一套看看。"

平板上显示的是一部分房型。

她好奇地问："你什么时候开始选的？"

"有空就看一看。"程榆礼用手支着脑袋，说，"后面还得你拿主意。"

秦见月凝神仔细看了看，他挑的风格跟她想象的实在差异太大，一栋栋像是城堡的豪宅赫然呈现眼前，家里花园都有她现在小胡同里的那套四合院占地面积的五倍大，只看一套户型都要在屏幕上滑上滑下好半天。

她不敢置信地咽了咽口水，半晌没挑到中意的，也不是不喜欢，就是看得心里打鼓。

秦见月开口说："其实你这套房也挺好的。"

他失笑，自嘲说："哪儿好了，寒碜。"

"你不也住下了吗？"

程榆礼道："我住是我住。我还能委屈你？"

她心里乐开花，嘴上却说："也没什么委屈的，小小的挺可爱。"

挑了半天房，看她苦恼的神色，他又劝说："你随意看看，没让今天就定下来，不用那么认真。"

秦见月点点头："好。"

滑滑滑，卡在最后一套，后面没了。

嗯……难道要重新再看一遍吗？这已经是第二遍了。

外面已经天黑，看完房了，还能干什么呢？秦见月忽然瑟瑟打了个战。

程榆礼见状，拿开平板电脑，语气平缓地开口问她："晚上有没有什么想吃的？我下厨。"

闻声，秦见月莫名松下一口气，看来起码还要耗上一顿饭的时间。

看她一副如释重负的表情，程榆礼不禁笑："怎么了？"

他轻轻拨起她的下巴，盯着她肉桂色的唇，声音沉哑下来一些，口中温暾蹦出两个字："着急？"

秦见月身子一滞，忙摇头说："不急。"

"嗯，不急。"他放开她，重复一遍她的话，继续意味深长道，"吃饱了才有力气干活。"

"……"

程榆礼又问一遍她想吃什么，秦见月说了几道素菜，她希望晚餐吃得清淡。他应下后，便去厨房忙活。

秦见月无所事事，跟过去问一声："我能不能看看你家？"

程榆礼抓了一把上海青搁在菜篮里，平平笑着揶揄她："我哪跟你似的，那么多秘密呢？随便看，你翻箱倒柜都成。"

冲这话，秦见月觉得自己早晚被他惯出小姐脾气。

她想看的东西在他的电视柜。电视柜上没有电视，只有一本相册簿和一盆青葱的滴水观音。

秦见月将相册捧在手中，开始一页一页地翻。

第一页是他儿时的照片，和他年长的哥哥合影。她记得，他的哥哥叫程开宇。

再往后，是大了一些，他在外地旅行，骑在马背上，年纪小小就气质卓然，英姿潇洒。程榆礼这人似乎就没有颜值低谷期，自小俊朗清秀。

高中开始抽条长高，变成她熟悉无比的样子。跳高比赛拿了第一。他在脖子上挂了个金牌，冲着镜头比"耶"。明明夺了个冠，他脸上的笑意却是淡淡的，还不如隔壁的第三名欢乐。

好像比赛对他是任务。

国旗护卫队彩排，他拎着国旗的一角，盯着镜头看，但视线显然是乏了。训练太久，没精打采的。就这样一个困倦冷淡的眼神，隔着照片和她对视，也看得人面红心跳。

秦见月再定睛一看，在这张照片的最右侧的角落里，是一个短发的女孩正高举着自己班级的牌子。少女的神情看起来努力且亢奋，尽管只被拍到一半的身子——

刹那间，秦见月愣住了。

她居然……和程榆礼有一张合照。

而照片里的她，除了皮肤白皙一点，再没有丁点的长处。眼睛因为晚风吹拂而眯成小缝；嘴巴因为戴了牙套，虽然没有张开也微微显得凸起；难以打理的短发边角还不安分地翘着。

除此之外，个子还不高。

两人站在一个水平线上，她的头顶看着也就到他胸部的位置。

这张照片里，她老土的造型和被抓拍的仓促神色，让秦见月看得非常尴尬。

她做了个小动作，偷偷将它从相册里拿了出来。又生怕被发现，她回头看一眼正在厨房的程榆礼。

他打完鸡蛋，一点点腥沫子沾手上，一定要去冲洗干净。他有深度洁癖。

秦见月没有将照片销毁，而是把它塞进自己的小背包里，并且祈祷他不要发现。

在相册翻完之前，他的晚餐还没有做好。

最后一页是他的高中毕业照。秦见月仔细看过照片上每一个人的脸，很荒唐，这个于她完全陌生的班级，在各式各样的坊间八卦和主动刻意的了解之后，秦见月竟能认出至少三分之一的人来。

他喜欢和谁打球、喜欢和谁吃饭，说不定程榆礼都不记得了，但秦见月能说得头头是道。

贪心不足地又翻了一遍，她快速地掠过他每一个人生阶段。照片随着她有限的记忆，在高中部分变得明晰，因为那多多少少有她参与的部分。

譬如他跳高比赛时穿的 T 恤，她万分眼熟。

譬如他靠在栏杆吹晚风的走廊，她窃窃走过无数遍。

所有抽象的细枝末节串起来，变成了眼前这样一个具象的人。

厨房里的忙碌停止，他为她端上饭菜，摆好碗筷。秦见月坐在桌沿，努力地感受着他们这个小家的温度。

程榆礼为她推过去一个小碗："蛋羹是给你蒸的。"

"谢谢。"她还是习惯性地跟他客气。

这顿晚饭吃得很安静，过程中，齐羽恬给秦见月发来了一则消息。是源于刚才在候餐过程中，秦见月给她拍下他们的结婚证。

因为程榆礼没有将这件事公之于众，秦见月没好意思提，也有种无处可说的落寞，便第一时间跟她的好朋友分享。

齐羽恬：？

齐羽恬：睡男神的感觉怎么样？

秦见月：……

为什么齐羽恬的第一反应是这个？

秦见月生怕失礼，通知一声说："我回个消息。"

听见程榆礼淡淡"嗯"了一声，她悄咪咪地把手机拿到桌子底下，打字：还没睡。

齐羽恬：？？？

在她酝酿如何回复之时，齐羽恬撤回了这条消息。

她又发来一则：祝你幸福！

秦见月：……

秦见月：你们爱豆可以这样说话的吗？

齐羽恬又撤回一条消息。

秦见月看着屏幕，不禁偷笑一下，弯了弯唇。

抬起眼，对上程榆礼的淡眸。秦见月忙压下嘴角，收起手机，继续吃饭，心里小九九不为人知。

"我先去超市买点儿东西。"在等她吃完时，程榆礼开口说了这么一句。

秦见月顿时想到了什么，羞涩点头："好。"

程榆礼问："要给你带吗？"

"带什么？"

他说得很含蓄："里面的换洗衣物。"

她头快要埋进碗里："……买一次性的就行。"

"款式？"

"你随便拿吧。"声音小得像蚊子。

他轻轻一笑："行，那就拿我喜欢的了。"

"……"秦见月愣了下，鼓着嘴巴，捧起碗，又端了一个空碗，飞快地溜进厨房。

程榆礼懒散地倚在椅子上，余光里是她羞意满满的背影，不禁扬起唇角。

她机械地冲洗着手里的碗筷，两分钟不到，听见外面的关门声响起。秦见月悄悄探出头看了一下，确认程榆礼已经走了，才敢出来。

她收拾掉桌上的碗筷，主动劳作清洗。

五分钟后，做完家务，看到手机来了消息。

五分钟前，程榆礼：对了，洗碗机会用吗？

三分钟前，程榆礼：自己洗了？

一分钟前，程榆礼：傻子。

秦见月：……

程榆礼：你要是等不及就先洗澡吧，我一会儿就到了。

等不及？什么等不及？谁等不及了？

秦见月羞得牙痒，一屁股坐下，试图告诉一会儿回来的他，她现在有多么气定神闲。

而后，程榆礼：或者等我回来一起。

一起？

秦见月噎了下，瞬间领悟过来什么，旋即抛开手机，捧着发烫的脸滚进了浴室。

秦见月用他备好的一次性牙刷漱了口，没想到他的牙膏竟然是水蜜桃味的，清甜的香气瞬息填满口腔。洗澡过程中，程榆礼回来，将给她买的一次性衣裤妥帖地送到浴室门外面的干区。

她出来便看到门上挂着便利店的一只袋子，上面印着商标，因而看不到里面的东西。

秦见月洗好澡出去时，程榆礼正坐在沙发上，膝盖上搁着一个本子，他握着一支圆珠笔在上面唰唰写东西。听闻动静，他瞄过来一眼："好了？"

秦见月点头。

她身上穿着程榆礼干燥的白色T恤和运动中裤。一股很浅淡的香气将她裹住，像是柠檬与青草的混合，独属于夏季少年一般的气味。裤腿宽松，衬得她骨骼小巧，双腿更显雪白纤细。

程榆礼揿一下笔端，站起来说："等我，很快就好。"

秦见月没吭声，也不知道说什么好。她缩着腿，在他方才坐的地方坐下，有一下没一下地擦着头发，心神不宁。

他人进去没多久，水声传出来，听得她不安，又过几分钟，浴室门霍然被扯开，在稀稀落落的水流声中，她听见程榆礼唤她的声音——

"见月。"

"啊？"她回眸。

"我的毛巾让你拿出去了？"

秦见月看了一下她手上的毛巾，刚才身上太湿，情急没有仔细找，随手在架子上拿的。

"哦，在我这里。"她忙起身去给他送毛巾。

门斜敞着，里面灯光随着水影在瓷砖墙面上轻晃，秦见月别开眼佯装正经人，将毛巾从门缝里塞进去。

然而，半晌都没有人接。

"我过来了，你——"

下一秒，她的腕被扼住。她重心一歪，被扯进了潮热难耐的浴室。

氤氲的热气中，秦见月被抵在墙上，看到程榆礼额前微湿的发，发间是他起了涟漪的双眸。在挺拔耸起的眉骨之下，这双眼更显深邃幽沉，里里外外都有雾气在弥漫。

"你、你等不及了？"她紧张到声音打战，眼睛不知道往哪里瞟，只敢一动不动看着他的脸，余光里是他洁净的锁骨和绷紧的胸腹。

程榆礼的喉结重重滚了一圈，哑着声音说："反正一会儿还要洗，就在这儿吧，省事。"

2

静下来的夜里，不清楚几点钟。秦见月趴在他的胸口，许久才回神。他手臂松松地搂住她。秦见月从他胸口滚落，侧卧在旁，将他臂弯做枕头，微眯着眼看他近在咫尺的侧脸。

房里灯光幽暗，以一个额头的浅吻作结。程榆礼捞过床头柜上的手机，打算看时间，发现很多新消息传进来。

灯光之下，秦见月看到他微微汗湿的锁骨，她心情略显沉重将脸埋进他的颈窝。

程榆礼放弃看消息，柔声问她："你哪儿不舒服？"

"有点儿腰酸。"

男人的手掌覆上她的腰部，轻轻揉捏两下，气音轻拂："下次换别的姿势。"

秦见月像一只脑袋缩回壳里的乌龟，怎么也不抬头了。许久，她闷闷地开口："好热，可以调低一点儿空调温度吗？"

"不能再低了，容易着凉。"越过她的身子，程榆礼取来几张纸巾贴在她的后颈，替她轻拭，"擦下汗，一会儿就好了。"

"……嗯。"

手机灯光在亮。秦见月戳他一下："你有电话。"

是一通陌生来电。

程榆礼接听后并未开口，对方快速地喊出他的名字："哈喽，程榆礼，猜猜我是谁！"

很高扬的尖细嗓音，在一旁的秦见月都清晰地听见。

五秒钟后，程榆礼说："夏霁？"

闻声，秦见月不由得战栗，她急忙往旁边退，后脑误磕上床头。程榆礼垂眸看一眼疼痛拧眉的秦见月，手掌揉住她的脑袋轻哄着。温眸之中胶凝的一片怯意再一次浮现出来，与初见时那道涩不一样，她的眼底有一片怅然。

电话那端有男男女女杂乱的起哄声。

夏霁笑说："叫你不来，我们在这儿玩游戏呢。"

秦见月敛眸，歪着头避开他的揉捏。她掀开被子下床，将衣裳一件一件穿好。

程榆礼微微眯眼，看她洁白如雪的后背。

秦见月自幼时学戏，养出一身闺秀的举止，整个人看上去脆薄羸弱，和她柔软的性子相得益彰。身段曼妙，举手投足都是温文如玉的古典气质。躺身捡起地上凌乱衣衫，一道侧影宛如一轮皎洁的上弦月。

"什么游戏？"半晌，程榆礼应了这么一句。

"真心话大冒险，谁输了就给高中暗恋对象表白。"

程榆礼微微扬眉："然后？"

"然后我就给你打电话了啊。"夏霁的心意一向都是明晃晃的。

他哂道："无福消受，你不如换个人暗恋。"

"……喂，我开着免提呢，你就不能给我留点面子？"夏霁嘟囔了一句。

身边起哄和嘲弄的声音渐渐加剧，她赶忙岔开话题："在家不无聊吗？出来喝酒啊。"

程榆礼跟着见月起身，声音懒倦幽沉："不无聊，很快乐。"

秦见月往纤细的上身套上 T 恤，程榆礼从后面拥她入怀。他的臂力挺大，箍得秦见月难以呼吸，见她过于谨慎，他松开束缚她腰身的手，轻轻撩开她厚重的发，视线落在她颈间淡粉的痕迹，指甲盖大小的一片，像是被蚊子叮了一下。

不够他满意，程榆礼使坏，俯身重重吮在那一片痕迹之上，旖旎颜色顷刻变深。

他微微勾唇，用指尖轻刮两下："熟了。"

他的指腹滑得她痒兮兮的，秦见月仓皇去洗手间照镜子，出来时耷拉着神色："明天还要排戏。"

他不以为然："带着它排。"

这一丁点儿莫名其妙的占有欲让她不解，秦见月别开眼去："你能不能把衣服穿上？"

程榆礼将手机丢到桌面，答道："热。"

"……你也是不害臊。"激情褪去后，羞意开始往身上蔓延。

秦见月去倒了一杯水，偷瞄房间，程榆礼咬着一根烟，正在穿上一条宽松的运动裤，精瘦的腰身被裤带束住。裸露的半身精壮，肌肉和骨骼线条分明，手顺势插进兜里摸出来一只打火机，将烟点上，烟圈轻吐，笼住他俊美的容颜。

天生贵气是藏不住的，即便蜗居在这小小公寓，那副世家公子哥的慵懒姿态也不减半分，他淡薄温和的处事态度让他的怡然性情昭然若揭。

这就是生来便应有尽有的人该有的样子。

比如此刻，掀起桌沿的图纸看一看，漫不经心地思考一下，又放回去。

他的时间看起来紧凑，却也被他使用得十分宽裕，抽空做一下工作，抽空谈一下恋爱，抽空去她家里哄她一下，抽空求个婚。

他的生活在恒定的数值之间波动，不需要追风赶月，平平稳稳、不疾不徐。尽管他说过，事情要分轻重缓急，但是轻与重、缓与急，大约也只是毫厘之分。

某一些时刻，秦见月的分量会重一些；某一些时刻，天平又倾斜到别处。没有哪一边会被压塌，他会游刃有余地掌控。

陡生此番感慨，因为她高估了情事的力量，它无法让两颗心贴近一起。

她现在觉得有一点点的，空虚。

男人骨节分明的手指夹住烟蒂，将其从唇边取下，一瞬烟气散开。他轻淡的眼神抬起，看了一眼在门口愣神的秦见月。

程榆礼走到她的跟前，问道："同学聚会去不去？"

秦见月愣了愣："不合适吧。"

"哪儿不合适了？"

"你的同学我又不认识。"

"也是。"程榆礼想了想，点头说，"算了，我一人去也没意思。"

"你的同学……"秦见月哽了哽，"她……"

她的声音虚弱下去，程榆礼稍一欠身凑近她："什么？"

她眼神避躲了一下："他们，邀请你了？"

"请了几次。几年没联络了也不太熟。"

"嗯，懂了。"她点头。

程榆礼趁其不备，掀了秦见月的衣摆，不怀好意地笑了下："是不是买大了？"

"……"秦见月用力推开他的腕。

他也没再贴过去，只说："高估你了。"

秦见月正了正衣襟，小声问："你喜欢这样的？"

他答："随便拿的，没时间挑，一直让人盯着看。"

越过他，秦见月回到床上，想象他局促的场面，倒是有点儿好笑。

过了会儿，程榆礼回来卧下。

秦见月忽地开口问了句："程榆礼，有没有什么东西对你来说是特别重要的？"

他闭着眼，悠闲反问："哪种程度的重要？"

"你为了得到可以不惜一切代价的那种，不撞南墙不回头。"

"不惜一切代价？"程榆礼笑了笑，挺不可思议的语气，答道，"没有。"

意料之中的回答，秦见月点头："嗯。"

过了会儿，又想到什么，程榆礼微笑说："周末也要去单位，不惜一切代价地加班。"

秦见月被逗笑："那你赶紧睡吧。"

他伸手摸了摸她的发："晚安。"

"晚安。"

第一次睡在一张床上，秦见月难以入眠，甚至没有敢屡次调整姿势，她就这样静静躺着。确认他睡着，她偏过头定睛看他的五官，贪婪过瘾地打量，直到夜深。

程榆礼半夜也醒过来一次，因为枕边的手机亮了下，眼睛对光源敏感，他拿起来看一眼。屏幕上显示三条消息，但在锁屏只显示了最后一条。

齐羽恬：给我发八百字睡后感。

程榆礼稍清醒了一些，凝神看备注，才发觉这不是他的手机，又放回去。

秦见月醒过来的时候已经日上三竿，床上只剩她一人。她打开手机，看到齐羽恬在半夜发了几条消息过来。

齐羽恬：我刚在彩排，才结束。

齐羽恬：什么时候有空讲讲你和程的事？

齐羽恬：给我发八百字睡后感。

敏感的词汇让秦见月躲进被窝，小心打字：说实话，还可以吧。

对方没有及时回复，应该还在休息。秦见月输入完，自己也回味了一番昨夜的体验。她把脸埋进枕头，一切都好不真实。

可是他的床、他的被窝、他的气息，还有身体微妙的痛楚，都真真将她唤醒。

秦见月起床掀开窗帘，排练时间快到，她收拾了一下，打算梳头发时注意到那个明显的吻痕。种种亲昵浮上心头，她把头发放下，没有再绑上去，但是这个印子的位置略显狡猾，头发只能遮住一小半。

秦见月苦恼地皱了下眉。

往客厅走，忽然发现沙发上坐了个人，背对着她。

秦见月怔怔地顿住脚步。

程榆礼长腿交叠，把电脑放在膝盖上，正在处理公务。听见动静，他也没有回眸，只淡淡说："早。"

秦见月好奇问："你今天不是加班吗？"

程榆礼平静地应："因为有人早上一直抱着我喊我名字，没去成。"

"……真的假的？"

他声音含了一点儿笑意："有录像，要不要看？"

秦见月把头摇得像拨浪鼓。

程榆礼回眸看她一眼，唇角弯起。很晴朗清新的早晨，他的眼眸在晨光中清澈如少年。

秦见月有点儿想说什么，欲言又止半分钟，最终还是走过去，小声开口询问："你有没有什么东西，遮瑕之类的，我想遮一下。"

程榆礼敛了笑意："你认为我会有吗？"

电脑被他搁置桌角，他抬眼看她："遮什么？难看？"

"……"秦见月忙摇头。

程榆礼："觉得难看就说，我又不会把你怎么样。"

他伸手把她拽到腿上，直直看着她的眼，像在审视。

既然他都这么问了，秦见月也没藏着心里话："……是有点儿。"

衬衣的扣子被挑开，几乎是一瞬间，她的领口被扯松，一片干燥洁净的骨骼和肩膀映入眼中，程榆礼不留风度地吻了下去——动作重重的，有报复她嫌弃眼神的意味。

秦见月抓着他肩的手指一下收紧。

薄暖的唇瓣挪开后，锁骨上残存一片绯红。

他扬起眼，看她，又问一遍："难看？"

她抿了抿唇，低声说："不难看。"

程榆礼看她一副被强取豪夺的敢怒不敢言模样，不禁笑了起来，轻轻捏了一把她的腰："八百字睡后感写好了也发我一份。"

"……"

"挺好奇的。"

秦见月一边诧异他怎么会知道，一边又羞愤至极："我们开玩笑的，这怎么写啊。"

他意味深长地说："嗯？看来是没什么感觉。"

秦见月挣开他的搂抱，慌张躲到一边："怎么可能会没感觉啊。"

他的戏弄点到为止。

程榆礼倚回沙发上，含笑看她一会儿，又伸手将秦见月的衣衫敛好，温温柔柔地扣上扣子，堪堪遮住锁骨上那一片被捉弄的印记。他问道："要不要喝早茶？"

早茶……她的生活里没有这种东西。

秦见月摇着头，瞥一眼他古色古香的茶几，上面搁置着一套花梨木的茶海，器韵风雅。旁边有一个沁绿的瓷瓶，里面插着几枝花。她没有见过身边人一大清早焚香品茶的，他这些小习惯，真是怪修身养性的。

秦见月接过去看，程榆礼一一给她介绍，西府海棠、南天竹、红豆。在花瓶的最角落里，有两朵堪堪冒头的粉白色小花朵。轻柔温顺，贴着竹枝。

秦见月愣了下，指着问道："这是什么？"

程榆礼看向她戳的那片花，答道："它叫月见草。"

纤细的手指轻柔地碰上去，他说："和你的名字一样浪漫。"

秦见月脸上淡淡的笑意顿时有一点点的僵硬："为什么叫这个名字？"

他说："因为只在晚上开花，它见过月亮。月亮也见过它。"

沉吟几秒，秦见月道："你懂得还挺多的。"

程榆礼说："以前有人送过一个礼物，是自己做的月见草标本，看着挺可爱的，就去了解了一下。"

她的眼神微微飘忽，小心地看他："那……那个礼物呢？"

程榆礼问："你想看？"

"我可以看吗？"

他如实说："让人给弄丢了。"

"丢哪儿了？"

"不知道，没找着。"

半晌，她的声音低下来，轻问："你去找了吗？"

程榆礼将小花取出，摆在掌心，拨弄平整柔软的花瓣："找了，怎么？"

他偏头看着秦见月，浅浅笑说："问这么清楚，难不成跟我一样学会吃醋了？"

秦见月佯装不快："是啊，别人送你的东西你到现在都记得。"

"上学时候了，很久远。"程榆礼将花瓣搁在见月的手上，玩笑说，"我年轻的时候也有很多小迷妹，指定不比你的白月光差。"

秦见月生硬地笑了下："看不出来。"

程榆礼惊讶看她，片刻失笑："秦见月，你能不能有点儿危机意识？"

她不吭声，只轻轻捻着小花瓣，低头微笑。

程榆礼又问她："你那个戏哪天上？"

"快了，你要去看吗？"

他想了想："带老太太去，让她见见你。"

秦见月讶异说："这么突然，搞得我都有点儿紧张了。"

"紧张什么？怕她不同意这门亲事？"

她绞着手指："有一点儿吧。"

他安抚道："就算全世界都不同意，你也是我的人了。横竖都拴在一根绳上，明白吗？"

秦见月似懂非懂地点头："那你的其他家长呢？"

"不重要。只要家里老祖宗同意了，接下来的问题都不是问题。"

她说："擒贼先擒王。"

"嗯。"程榆礼好笑于她不恰当的比喻，点头说，"是这个理。"

吃了一碗他煮的薏仁粥，秦见月被程榆礼送去排练地点。他们要上的这出戏是一个戏曲艺术节的活动，地点在城中剧院。

到了那儿，程榆礼又伸手撩起她的发，看着痕迹，建议说："觉得太招摇还是遮一下吧。"

秦见月很无辜地说："不要要我好不好。"

他微微笑道："想到一句话，秀恩爱死得快，我还想跟你白头偕老呢。"

她不由得羞赧，嘴上说："……反正什么话都让你说了。"

把车停好，程榆礼说："晚上来接你。"

秦见月想了想："你不用来了，我今晚要回家一趟。"

他从容应了声："我不会哄长辈，你记得多替我美言几句。"

秦见月顺从地点头，说"好"。

3

陆遥笛今天是乘地铁过来的，她站在门口啃着一个奶黄包，盯着前面那辆锃亮的黑车看了半天，不知道是不是看晃了眼，等到秦见月从车上下来，她才确信没看错。

看着秦见月走进剧院，她被人拍了下肩——

"师姐，你怎么不进去？"来人是他们三春班新来的师弟，名叫花榕。陆遥笛被他吓得一激灵，狠狠拍回去。

"欸，你看，"趁着程榆礼的车还没走远，陆遥笛扯着花榕看，小声问，"那车上人是不是程榆礼？"

"程榆礼？"花榕推了一下鼻梁上的眼镜，诧异地看去，"好像还真是。"

陆遥笛窃窃说："我刚才看到见月从他车上下来。"

"真的假的？！"

"嘘！嘘！你小点儿声。"

"他俩是一对还是……搭个顺风车？"

陆遥笛说："我看不像，刚刚程榆礼还碰她脸了。"

"不是，为什么程榆礼会喜欢见月师姐啊？"花榕是个很坦率直接的人，声音在空旷大堂显得咋呼刺耳，"那是程榆礼啊，他怎么可能会喜欢秦见月啊。"

正从洗手间出来的秦见月捋了一下衣袖，顿住了身子。

"我去！"陆遥笛压低了声音，却还是被秦见月听了去，"都叫你小点儿声了！"

还能说什么呢？秦见月苦涩地扯了一下唇角，置若罔闻地往里面走。

然而这一整天的排练，她显得心神不宁。有许多大同小异的声音落在她的身上。

——秦见月，你配吗？

——长这么丑也敢喜欢程榆礼？

——他怎么可能会喜欢秦见月啊。

……

夜里回到家中，妈妈还没有回来，秦见月没精打采地整理了一些衣物，打算带到他那边的住处，以备常去过夜。

收拾到中途，却提前困乏起来，秦见月放下了手里的东西。

宁静的晚上，秦见月坐在桌前，取出中学时期的日记本，拆开笔记本的外壳，从里面摘出一个小小的卡片。

被封在薄膜里的，是两枚小小的月见草的标本。

这么多年，竟没有一点儿褪色。大概归功于那一夜她制作得认真，实在称得上是一丝不苟。

呆滞地看着这一件精致的礼物，秦见月的思绪变乱了一些。生怕继续胡思乱想下去，她又赶忙将东西放回本子里。

下一秒，手机消息提示。程榆礼发过来一段视频，没提别的。

秦见月有种不祥的预感，她颤颤巍巍地点开。

果不其然，是他录的。

早晨在床上，她箍住他的腰，撒娇姿态："程榆礼，我喜欢你……"

此时，握着手机的秦见月登时就红了脸。她赶忙从视频里退出来，打算透透气。

没脸再看了，可是又……忍不住好奇，再一次点开。

他含笑的气音："喜欢我什么？"

她睡得很死，但胳膊倔强地缠住他，甚至还上了腿，牢牢箍住他："真的好喜欢你。"

程榆礼笑声渐渐明显了一些，在画外，因为异常贴近手机，他的声音更显低沉醇厚。

紧接着，一只漂亮的手捏上她的脸蛋。

他的声音酥酥麻麻，从耳机里传出来——

"叫声老公我听听。"

秦见月喉咙里发出一道并不清楚的声音，嘟囔了一句什么，而后手更加过分攀上他的胸口："老公，喜欢你。"

他心满意足，莞尔一笑："嗯，乖。"

看到这里，秦见月实在烧得慌，火速关掉视频，手机变得像个烫手山芋。

她跳到床中央，把脸埋进被窝，好半天没动弹，像只鸵鸟。

好半天，慢吞吞地再次拿起手机，秦见月请求语气：删掉好不好？

程榆礼：不好。

啊！人性的扭曲，道德的沦丧！

简直没法交流了，秦见月羞耻地在床上扭了一会儿，没过多久，程榆礼：你拿走我一张照片？

他不提，她险些把那张顺手牵羊牵回来的照片给忘了。

他发现得也真是够快的。

秦见月速速去包包里翻弄，把照片拿出来看了看，还好没有压皱。

事实上，这才是他们真正意义上的第一张合照，不过因为她嫌弃那样粗糙的过去而急需将其隐藏。

秦见月回复他：对，看着挺帅的，就拿了。

程榆礼：帅吗？都快睡着了。

天啊……他居然知道是哪一张？这是什么离奇的记忆力？

程榆礼：在身上？下次带给我。

秦见月有点儿无语了：只是一张照片而已啊。

程榆礼：用别的跟你换。

秦见月一时没有回复，她再仔细看了看照片。昏沉的暮色之中，天际似乎在酝酿一场大雨，就像少年疲惫不堪的双眼。

再看到角落里的人，这里面的秦见月实在有点儿一言难尽，要是真的还给他，即便之前没有发现，他肯定也会重新注意到。

会被嘲笑吧，那样稚嫩傻气的样子。

她自己都不忍多看一眼。

秦见月心里顿时一股说不出的难受，纠结成线团，绕作一堆堵在心口。

秦见月：小气鬼。

她发过去一张猫猫流泪的表情包。

下一秒，程榆礼偷走了她猫猫流泪的表情包，转发过去。

程榆礼：把我的学妹还给我。

把我的学妹还给我？

秦见月连着读了两遍这句话，所以，难道他是……发现了吗？

她迅速将视线投回到照片上，难以想象程榆礼看着它会作何感想。大概只是觉得，是和现任妻子一次没头没尾的无端巧合罢了。

他一定不会想到，缘分也是人为的。

秦见月：你看到了吗？

程榆礼：无意中看到的，还没来得及好好欣赏。

秦见月：……有什么好欣赏的呀，很难看的。

程榆礼：明明很可爱。

秦见月不由得勾起唇角，眼里一股羞意，隔着屏幕自然也看不出他是不是真心的。

秦见月回道：别耍了，不会还的。

程榆礼教训人的口吻：拿人手短，等着。

秦见月：[流泪猫猫.jpg]

程榆礼：[生气猫猫.jpg]

秦见月放下手机，是因为大门口有了动静，她从窗台望下去，和秦漪一起进来的是一个人高马大的男人，是她的哥哥秦沣。

在半敞的门外，一辆黄澄澄的小型轿车停在门口。

秦沣注意到楼上的人，抬眼望去："月月在家啊。"他招招手，"快下来，给你带了礼物。"

秦沣所说的礼物就是这辆迷你的二手代步车，因为上一回秦见月给他一笔钱帮他解决危难，他上门来谢恩，将车转给了秦见月。

秦见月不是不会开车，但她车技堪忧，原先也买过一辆，后来因为实在怯于上路又卖出去了。

秦沣指着他的廉价小车，一手拉着秦见月的胳膊："来来，试试看这车怎么样。"

秦见月不屑于理会他，扭头要走："才不要你的，开回去。"

秦沣说："开回去是不可能的，从兄弟手里拿的，哥看你天天挤公交车地铁也是累得慌，有个车方便多了。早上还能多睡二十分钟呢。这不生日快到了，哥哥一点儿小心意，嗯？"

秦漪也煽风点火说：“不行这也没法儿退，你就试一下呗。”

秦见月略一沉吟，撇了撇嘴巴：“那你放这儿好了，我改天开开看。”

秦沣笑着拍她肩膀：“成交。”

秦见月扭了扭肩，把秦沣的手甩了下去，嘟囔道：“成什么交，你别总给我惹事就好。”

秦沣个头很高，跟在她后边，影子将秦见月整个罩住。他长得很是跋扈粗糙，若不是因为他是哥哥，不然以他的长相是秦见月在街上遇到会避着走的那种类型。

秦见月做了晚餐，和哥哥、妈妈一起吃。三人小桌被搭在小院里面，两侧池中的睡莲含苞，一片片荷叶绿意盎然。幽深的暮色里，只剩碗筷碰撞的声音。

“昨天去领的证？”秦漪突然开口问道，“我不问你也不提。婚都结了，这证还不拿出来让妈看看。”

秦见月说：“在楼上呢。”语气里有不大乐意上下跑的意思。

秦漪不依不饶道：“去拿我看看，还没见过程乾的孙子长什么样呢。”

秦见月没辙，放下筷子往楼上去。

这一两分钟的工夫里，秦沣和秦漪窃窃私语：“领什么证？”

秦漪说：“你妹结婚了，没告诉你？”

秦沣：“什么？结婚？我还没结她倒是急上了。”

秦漪差点儿翻白眼：“可不是，一开始还打算瞒着我偷偷结呢。前两天才跟我坦白，这生米都煮成熟饭了。”

这话全叫秦见月听见了，她脚步迈重了一些，隐隐不悦。她走到妈妈跟前，把结婚证摊开给妈妈看。

秦漪往后仰了仰，眯眼看那照片，评价说：“嚯，小伙儿长得倒是挺漂亮的。”她伸手接住，“就是不知道人靠不靠得住。”

“来来，我看看。”秦沣人没站起来，只把脑袋凑过去。

秦见月往他和妈妈中间一站，没让他看成。

秦沣看着她别扭的背影，他也不是个顺从的，偏要看，等秦漪将要将证件合上，他一手伸过去，就快速夺了。

秦沣站起来把结婚证高举，对着灯仔细瞅，耍小孩似的让秦见月使劲在那儿蹦起来够，她怎么够也够不着。秦沣欠欠地笑着：“哟，哟，这妹夫长得也忒帅了。这照片不能是哪个明星让你给P上去的吧？”

“你才P的！”秦见月有点儿急眼了，没大没小地喊他名字，“秦沣！

你别碰他。"

秦沣一头雾水，转过头来把证件搁桌上："不是，我碰他什么了，看看照片也不行？"

秦见月赶忙拿过去，看看有没有变脏，确认是干净的。她小心地收拾起来揣进衣兜，瞪了哥哥一眼："不行，你手脏死了。"

秦沣冷笑一声："这小孩，莫名其妙的，真是。"又问秦漪，"她结婚不跟你商量？"

秦漪也没好气道："谁管得着她，我行我素的——得了，别管她了，说说你的事。"

话题转移，秦见月从小桌三口人的舆论中心逃离。妈妈问起秦沣的事业。

秦沣原先欠贷是因为要合伙跟他的兄弟开公司，结果融资失败，兄弟卷了钱躲去国外，他作为中间人被债主追上门宣告破产。事业刚起步时的一点儿蝇头小利让他觉得还有东山再起的机会，就这样一步错步步错，落得这样一个现状。

秦沣不是读书人，糙汉性子，自小缺乏家庭的管教，中专毕业就去混社会了，如今而立之年，没混出个名堂来。

"打算外地跑车去了。"

秦漪说："我早劝你说要脚踏实地一点儿，要是早个几年干点正经活，现在少说也能攒下个老婆本吧。这东躲西藏的，过的什么日子。"

秦沣也不是不听劝的人，顺从地嘿嘿一笑："男人嘛，不都得有点儿抱负。"

他点了根烟抽上。

秦见月本闷头吃着饭，瞄着五大三粗的秦沣，她心中情绪异样，渐渐便挪过眼盯着他瞧。

最近在修车行干了一阵子，赚了些本钱，秦沣的手指变得粗糙许多，指腹泛黄，掌心的茧子都明显得被她看到。他夹着烟，眯眼抽。

秦见月不禁想起程榆礼抽烟的样子，那是和秦沣截然不同的两副面貌。

程榆礼的手指干净细长，纤尘不染。他的烟灰甚至都是洁净的，簌簌抖落下来，都暗含一道颓然之美。缭绕烟尘里的那双眼，让人无法判断他究竟是否入世。

程榆礼把烟抽得懒倦清贵，闲适自如。

而秦沣将短到快烫手的烟蒂磕在桌角，揿灭的却是他最后一道"抱负"，碎掉的灰烬是他惨淡的、半推半就的人生。

她无法想象这两个迥然不同的男人某一天碰撞在一起。

秦见月开始思考，不知道该如何将他融入她的家庭。

好像每一天都在两个世界往返。

她的另一半真实的生活里，从没有风花雪月，没有国画、早茶，没有养鸽子的闲情，没有散漫悠游的京戏。

只有柴米油盐里的窘迫。为了生计锱铢必较，破烂重复的日子被缝缝补补、拼拼凑凑，最后却仍然落得一地鸡毛的下场。

这两个世界折叠交错，翻来覆去。

她和他交往，可以很好地藏匿一些东西。然而他们结婚了，她该如何继续遮遮掩掩她那捉襟见肘的一面呢？

如果一定有个最不可思议、觉得闪婚这个举动最魔幻的时刻，不是领证、不是在床上，而是现在。

秦沣想起什么，跟见月说了句："回头试试车。今年你生日我估计在外地，就不陪你过了，车别忘了啊。"

秦漪都被他念叨得有点儿烦了："知道了，车车车。别没完没了的。"

秦见月默然点头。

秦沣起身说："那我走了啊，今儿早点睡，明天要去办个手续。"

秦见月把饭碗放下说："我送送你。"

他打了个车，两人站在一块儿等候，秦沣忽地声音放低了些："哎，跟你结婚那小子抗揍吗？"

秦见月愕然："你在说什么啊？"

秦沣捏了捏拳："虽然哥没钱，但哥有武力。要是让人欺负了跟我说，一句话我赶回来。"

快车停在跟前，秦见月无语地推他过去："赶紧走吧你。"

秦沣没再说什么，笑眯眯地冲她挥了挥手。

入睡前，结婚证伴随她落在枕下，成为近日贴身物件。秦见月刷了会儿手机，她刚办完一桩喜事，但又没有多少人可以分享。

她心神不定地点进程榆礼的朋友圈，一如既往，界面只有一条直线。

她从没见过他分享生活，灰底的朋友圈就和当年被他屏蔽掉的空间一样，干净得如出一辙。

秦见月拿出结婚证翻来翻去，也没什么可看的，但她重复这样的动作。

他不会发吧？都快过去两天了。

毕竟她也不是什么大人物大明星，和秦见月结婚听起来不是什么值得分享的大事。

可以理解。

把结婚证放在床头，秦见月扫清烦恼，酝酿起睡意。

4

秦见月过生日这天正好是他们大戏登台，两个好日子凑到一起。她在剧院的后台换上戏服，听到大家窃窃私语说院里来了好些领导。这是谁谁谁、那是谁谁谁，秦见月一个没记住。孟贞招手叫她过去，亲自替秦见月化妆。

"月月最近是不是有好事儿啊？"孟贞替她盘发。

"孟老师您知道了？"秦见月讶异地抬头问，又放低声音，带点期许的语调，"是他说的吗？"

"当然。"孟贞端起秦见月的下巴，眉笔在她细细的柳叶眉上轻轻蹭了两遍。

她自然好奇："他……他是怎么说的？"

孟贞说："说多谢我做媒，让他娶着媳妇儿了。"

秦见月雪白的颊上升起两团粉色："然后呢？"

"我第一反应是他跟白家的结亲，又一寻思，不对啊，谢我做什么。我说你总不能把咱们戏馆里哪个姑娘拐走了吧。他说拐了个最漂亮的。"

说到这儿，门口闹哄哄几个人，那个叫花榕的师弟在谈论着哪个男领导的秃头。孟贞扯着嗓子吼了他一声："行了啊少说两句，没见过你这么嘴碎的小伙子。"

花榕是个直率的，直得嘴巴漏风，什么话都敢讲。

孟贞责备他也没用，花榕坐下不服气地嗑了会儿瓜子。

秦见月上完妆，跟着众人去候场。下个剧目轮到她，程榆礼没发来消息，搅得秦见月心神不宁。她又忍不住折回去看手机，给他发了一条：你来了吗？

程榆礼：嗯。

这才放心，孟贞催促着："怎么还不上，快去快去。"

"好。"秦见月应着，小跑着登了台。

随着乐声登场。台上画着一双吊眼的小花旦颠颠袖子，开口唱曲儿，声音婉转悠扬。女孩子神色娇俏、轻快而活泼，眼波流转，清纯娇憨，楚楚动人。

这样一个水灵小姑娘撞进眼里，程榆礼方才松开等得不耐的眉心，找了方空席闲适坐下。

演出结束后，秦见月待在更衣室换下戏服。剧院的更衣室简陋，只用一条布帘子拉着，因此外边闹闹哄哄的声音她都能听见。

下一场戏结束，又拥进来几个人。

陆遥笛一边卸下头饰，一边道："我听孟老师说，程榆礼好像跟见月结婚了。"

跟进来的南钰不敢置信的声音："你说谁？见月？和程榆礼？"

花榕说："你看你看，我当时就是这个反应，简直太不可思议了。"

南钰僵硬地笑了下："不会，你是不是听错了？"

陆遥笛说："就是见月，我俩那天看到她从程榆礼车上下来了。"

南钰说："不可能吧？他不是和白家有婚约？"

花榕："来，诡异的地方就在这儿了。"他连妆都没来得及卸，着急八卦，和众人围坐一堆。

"咱们分析一下这个剧情，首先我们排除他俩是真爱的可能性，程榆礼为什么要娶秦见月，因为他有婚约在身，那么这样一来，退婚的理由就成立了。其次……"

花榕侃侃而谈，没有注意到身后一道闷沉的脚步声，伴随而来是一道冷冷的问话——

"很喜欢管别人的家事？"

男人清冽沉冷的声线如一块薄冰被掷在他们热聊的氛围中间。

一瞬间，温度冷却下来。花榕忙惊得捂了下嘴巴。

程榆礼的衬衣领口微掀着，散漫地将手插在西裤口袋里。他双腿修长，显得个子更高，压迫感更强。长了副没脾气的相貌，气场却也够叫人胆寒。不轻不重这么一句，吓得花榕半晌都没敢抬头。

程榆礼没再往里面走，自上而下打量了一下眼前这个刚大学毕业模样的男孩，淡声问道："你演什么？"

半晌，花榕才答道："《霸王别姬》的项羽。"

"嗯。"程榆礼往他桌沿轻靠，"唱得很一般，以后别演了。"

程榆礼这么一说，花榕顿时被激怒了："欸，我说你这人——"

按住他肩膀的人是南钰。她给花榕使了个眼色，又抬眼看向程榆礼："程先生，你今天来是……"

程榆礼没看她，视线往里面漫不经心地扫着："我太太呢？"

"你太太？"

他看了一眼南钰："见月。"

南钰愣了下，没接上话。

陆遥笛忙说："她在里面换衣服呢。"

程榆礼也没应声，便直直迈步往更衣间走。

彼时，秦见月的内衣被戏袍的一根线头给缠住了。她扯了半天，又生怕那根线是缝合衣裳的，会让她这么硬扯给扯坏，便平心静气跟它做了一番斗争。这糟心的过程中，又听着外面人讲起自己的声音，手便顿住。

足足三分钟，她没将那根线头扯下来，直到听闻有男人的脚步声接近。

垂着的门帘被见月往门缝处扯紧了一些，勾上在旁边的钩子。

程榆礼的声音隔着帘幕传来，很清淡的一点儿笑意竟也让她红了脸。

他见她这样防备，便没进来，站在门口。

男人调笑的语气传来，很轻的一声："哪儿我没见过，还记忆犹新呢。"

秦见月觉得浑身都在发烫，嗔他一句："不要不分场合的……"她的声音弱下去。

程榆礼问："要等多久？"

"等一下，我的衣服那个了……"

那个是哪个？她也不说清。男人两根纤长的指探进门缝，在看不到的地方摸到那根钩子，轻松一挑，门帘便松开了。

程榆礼就这么大大方方地走了进来。

秦见月往角落里缩，手还在顽固地扯着她内衣的扣子。他用一根指松了松她纠缠的手劲："别动，越绞越死了。"

她只好顺从地将手放开。

有了程榆礼的帮助，难题被解决得很容易。

狭小的更衣室里，秦见月没有背过身去，只微微偏头，撞见身后一片雪色的衬衣，还有男人长而直的双腿。

"好了，我要穿衣服呢。"

程榆礼问："要我给你穿？"

秦见月咬着唇，微微摇头："你出去好不好？"

没再逗弄她，程榆礼笑着说了一声"好"，而后迈步离开了更衣室。

没几分钟，八卦小分队的几个脑袋齐刷刷侧过去，看着秦见月被程榆礼牵着从里面出来。

她换一件素净的连衣裙，长发垂下，温暾跟在男人的身侧。二人看起来确实是有几分般配。

这几道视线看得秦见月心绪复杂，她觉得脚下路都变长。

终于到了走廊上，程榆礼对见月说了声："你去车上等我，我给孟老师送些礼品。"说是要感谢感谢他的媒人，他一向这样妥帖周到。

秦见月点点头，又好奇地问："奶奶今天没有来吗？"

他说："没请得动，这地儿太远，她熬不住夜。"

"哦。好。"

程榆礼说："正好，抽空过过我们俩的夫妻生活。"

"……"秦见月转身就逃跑。

程榆礼出来时，秦见月站在剧院门口灯下，静静站立着，看着光下的蚊虫在愣神。

一袭少女款式的白裙罩着她骨骼纤细的身躯，长发垂腰，晚风掀起她耳侧的一丝发梢。从他这个角度看过去，她像个女学生。

止了步子，隔了些距离，程榆礼沉默地打量她侧影的线条，他学过画，知道这样的骨骼是多么上乘漂亮。

她沉静不语的时候，那温文尔雅的姿态像极了一首诗。

宁静、平和、歌颂爱情的诗。

只是这丫头的眉眼里总是表现得顾虑重重，她的眼底有一种很难形容出来的不自信，仿佛层层秘密堆叠在身上，在隐忍着什么，在害怕着什么。

余光注意到他出来，秦见月看过来。

程榆礼偏了头示意："杵那儿做什么？怎么不进去？"

回到车上，程榆礼没进驾驶座，反倒是把后车门拉开，躬身坐进去，秦见月不知道他什么用意，她头一低，也跟着钻进去。

程榆礼开口便道："你那帮同门看起来台上台下戏都挺多的。学艺先学德，要不要我找个老师帮他们进修一下？"

他的身上一层淡薄的雪松气息，将她裹住。二人独处的时候秦见月还是会不由得紧张，她轻轻攥着拳放在膝盖上："你是认真的？"

他淡淡说："你说了算。"

不想闹大这些鸡毛蒜皮的事，秦见月摇了摇头。

程榆礼看了她一会儿，伸手将见月拉进怀里："让人欺负了也不说？"

秦见月摇着头："没有欺负，只是八卦。他们爱说就随便说去好了，我又不在乎。"

"不在乎？"程榆礼拨着她的下巴，看着她浓密的睫若有所思。

好半天，他开口问道："秦见月，我能不能给你勇气？"

秦见月抬起眼，轻瞄着他，不懂他问话的用意。

"如果不能的话，那我这个丈夫当得也太失败了。"

他的声音听起来轻描淡写的，却有着摧枯拉朽的力量："要是有我在，你还总有那么多的担心顾虑，那我存在的意义是什么？你的挂名老公？"

她静静和他对视。

窗外夜雨落下，夏天的雨都是这么急切猛烈，几乎是瞬间，雨水飞涨。车厢之外不再寂静，拍打玻璃的水声烘托着气氛，而车里的对视绵长而恒远，仿佛有着隔世经年之感。

她轻声开口："我没有底气和他们争执。"

他好像是知道的，又好像不知道。

他知道她的胆怯自卑、忍气吞声。

但他不知道秦见月有多喜欢他，不知道她的爱有多么忍辱负重，不知道她不愿再次因为"秦见月不配"而给自己招致伤害。

他不明白，什么叫作"一朝被蛇咬，十年怕井绳"。

沉吟少顷，程榆礼说："从现在开始，我就是你的底气。"

秦见月轻柔的眼神蒙上一层薄薄雾气。

他看着她，正色问道："明白了吗？"

她不知道再说什么好，只觉得嗓子眼干涩，很想亲他。

秦见月也这么做了，她闭眼便急切地吻上去，生怕犹豫一秒就会有更加多虑的迟疑绊住她。下个瞬间，反被他一个欺身往前的动作压在身下。

唇舌被撬开，这个吻滚烫而焦灼。秦见月被压在后座，迎接他这个莫名凶狠的吻。

秦见月被他攫夺呼吸，轻轻"唔"了声，推他的胸口。

程榆礼便停下来，问道："不喜欢这么亲？"

秦见月喘息着说："太用力了。"

"那我温柔点。"他轻抚一下她的发，将要吻下来，忽而又想起什么。

程榆礼的手指顿住，取手机看了下时间。

他暂时放开她。伸长手臂去打开车里的灯光，调了一个电台频道。很快，温柔的女主播的声音传了出来——

"欢迎进入 FM88.8 音乐之声，接下来是我们的自由点歌时间。今天的第一首歌是一首非常浪漫的经典曲目，由程榆礼先生送给他的新婚妻子秦见月小姐的，一首《月亮代表我的心》，想要祝他的太太生日快乐。"

秦见月惊讶地看着他，不知道如何评价他这别出心裁的点子，嘟囔着："怎么会想起来点歌啊。"

程榆礼继续倾身下来，在黑夜里凝视她的眼睛，他温和地一笑，说道："因为，"薄唇慢慢贴近她的耳朵，"我要告诉全世界，我结婚了。"

"……"秦见月低下头，避开他炙热的视线。

歌曲的前奏响起，更加持久漫长的吻压在她绯红的唇上。

电台的声音还在继续："虽然今天晚上有下雨的迹象，但是我们抬头还是能隐隐看见一点儿月亮的影子。希望这个雨里的月亮也可以给你们带来一番美好回忆。

"感谢世间所有的相遇。祝二位新婚快乐，永结同心，百年好合。"

两人抱在一起缠绵地亲吻了许久。车变成了漂泊的舟，秦见月是舟上的流浪者，跟随他的摆布摇摇荡荡。

在眼皮上闪烁的暗沉光源，缱绻靡靡的旋律，湿热黏稠的嘴唇和掌心，变成记忆里的细枝末节，填满这个风雨大作的夏日夜晚。

在最后的搁浅时分，她听见他说：

"程太太，生日快乐。

"今后每年都陪你过。"

第七章／面见家长

一坛女儿红。

1

秦见月不是从小便沉默寡言，她真正开始变得自卑封闭是从高中开始的，那三年，经历过太多的意外和猝不及防。

意外地喜欢上一个人，意外地因为他而遭到了不好的事，猝不及防地在高考快要来临时遭遇了家庭变故。该发生的不该发生的齐齐涌向她，几道刻骨的伤痕一寸一寸湮灭了她的天光。

秦见月自认是一朵娇花，她不够顽强，经不起风吹雨打。自此畏首畏尾、风声鹤唳。

想必是因为程榆礼说的话好听了些，秦见月今天难得地显得有些黏人。

他洗完澡，穿件宽松的灰T踱步过来，秦见月将程榆礼的步子截下，过去搂住他。他胸膛热气未消，灼灼地蒸着她的耳。

程榆礼看她今天反常，摸一下她的发："怎么了？"

她想问，是不是真的？每一年都一起过生日，每一年是到哪一年呢？是不是有一个期限的？

他可以随口讲出白头偕老这样的话，而秦见月却觉得连想象都是奢侈的。

她不敢想，害怕期望落空那一天，她会摔得很疼很惨烈。柔弱的性子被铐上敏感的枷锁，发生的每一件好事都值得怀疑。

一番内心挣扎结束，秦见月抬起头，下巴点在他的胸口，垂直望着他高处的眼，可怜巴巴说："没有蛋糕。"

"是啊，没有蛋糕，"程榆礼笑着，"怎么办？现在订还来不来得及。"

秦见月转身就走，佯装生气："不要了，说了你才买，没有诚意。"

又不是真的要吃蛋糕！

程榆礼坐下，擦了会儿头发，看她的落寞背影，不由得失笑。

"别气了，去给我拿一罐啤酒。"

秦见月不由得被噎了下，这回是真有点儿不高兴了。这才第几天，就开始使唤人了？

大少爷气性地在后面悠悠催道："开车太累了，想省点儿力气。能不能让您帮个忙？"

秦见月犹豫一两秒："在哪里？"

"冰箱。"

她迈步往厨房去，打开冰箱门瞬间——

哪有什么啤酒，里面赫然摆着一个冰激凌蛋糕。

蛋糕装在盒子里，隐隐能从透明薄膜里看出浮在上面淡粉色的奶油。中间嵌着两颗水蜜桃，蜜桃中央写着她的名字。

是粉色的"秦见月"。

惊喜总是让人心动。愣了几秒钟，秦见月瞄一眼外面的程榆礼，他扶着额头在轻轻地笑。

真是诡计多端的男人，这样让她好没有面子。

秦见月将冰箱门敞着，没去碰它，慢吞吞走到他跟前，柔声说："端不动，你去拿。"

唉，她果然被惯出小姐脾气了。

程榆礼好脾气地笑着，起身去了厨房。

很快，蛋糕被搁在餐桌上，两人围着桌角坐。小小的蛋糕堪堪够两个人的食量，程榆礼却没跟她抢。秦见月拿着小叉子在刮下一层奶油送入口中，甜味扩散，心情都变好。

他问："以前生日和谁过？"

她说："很久以前和爸爸妈妈，后来和妈妈。"

秦见月和他说过一些家里的事，他知道。程榆礼点着头，帮她蹭蹭下巴上的奶油："明天去见奶奶好不好？"

秦见月踌躇着："那我要买点什么东西带过去啊？"

"不必，"程榆礼摇头，"她不看重这些礼数。"

"真的吗？那样会不会不太好。"

"我的家人我了解。奶奶随性些，你人去了就行，东西她都不缺。"

秦见月乖巧点头："嗯。"

程榆礼看她细嚼慢咽，喉口又干涩，忍不住俯身凑过去，衔着她含奶味的唇珠，吃干净那一点儿奶油气味。末了，他轻揉她的脸颊，意犹未尽的眼神，贴着她的唇角说道："要是知道你这么好亲，我应该早点认识你的。"

一句话，让她心窝被厚重的蜜压着，柔软塌陷。秦见月说："早点儿认识，然后早点儿结婚吗？"

程榆礼微微一笑："更早一点儿。"

那一团聚在心口的蜜又沾上一点儿微妙的涩意，慢慢变酸。

她垂下眼，不再吭声。

他回房取了些东西，又坐回来，没有察觉到她不愿抬头示人的复杂神情。程榆礼将他的机密文件摆在桌上，反正她也看不明白，就无所谓机密不机密了。

这是属于他抽空工作的时间，程榆礼看得认真。她打量他湿发下的明眸，秦见月是一个慕强的人，不由得被这样的他所吸引。

仍然很好奇，他为什么会选择这样的工作。但她没有急着问，程榆礼的身上也有许多的谜底等着她慢慢揭开。

有人说，人喜欢的都是抽象的人，事实如此，她喜欢的是想象里的他。

年少的时候没有和他接近的契机，便用各种的想法将他美化，将他塑造成自己的男主角。

当这个男主角褪去她用幻想为他兀自营造的光环，从幻境里走到她的身边，他自身的底色与光泽一点一点地被剖出来。

他原来并不是她想象中那样游戏人间、自由散漫的人。

和她迷恋的那个人的特性背道而驰，程榆礼也有着他独有的，耀眼而崭新的光。他有着她并不了解的成长经历，那是一片她尚未开垦的广袤领土。想到他们还有很长的路可以走，秦见月心头一暖，关切地问他："在这里看不会弄脏吗？"

"这不是陪你呢？"他懒声应了一句。

秦见月放下小叉子，小声说："有点儿饱了，你还要吃吗？"

"要啊，不过……"他放下手头的东西，一把将她抱起来，浅浅地笑着，"我打算吃点儿别的。"

……

今夜有雷，显得卧室没那么静。大汗淋漓，秦见月呼呼喘着气，半晌才平复心情，问他："你爷爷知道了，会不会很生气？"

她早就听说过程乾脾气很不好。

程榆礼的声音还有些沙哑，沉声道："打过预防针了。"

"什么时候，你怎么说的？"

"有女朋友了，联姻的事不能作数。"

秦见月好奇地眼巴巴看他："你主动和爷爷提的吗？"

程榆礼一五一十地告诉她。钟杨送灯的事、和爷爷争执的事、退婚的事，还有灯没了的事。秦见月心说还挺坎坷，他为了她跟爷爷吵架，蛮不可思议。

"钟杨还挺仗义的，专程给你送过来。"

程榆礼想起这码事，评价说："嗯，我起初还以为要不到，上回叫你给他那个法国妞唱戏你也没去，亏他也是没记仇。"

秦见月觉得有必要跟他解释一下这个事，严肃正经地说："你不知道，是因为我有一个朋友喜欢他。别说什么伊莎贝尔，就是玲娜贝儿来了我也不能唱啊。"

程榆礼被逗笑："喜欢他？花蝴蝶。"

秦见月用侧脸轻轻蹭着他的胸口，听他的心跳。好半天，她开口闷闷地说："暗恋一个人很辛苦的，你想象不到。"

他不能够感同身受。

程榆礼轻描淡写地说："花蝴蝶最近空窗了，叫你朋友快去试试。"

他想了想，补充一句："暗恋多遗憾，不要暗恋。"

闻此消息，秦见月又是惊讶又是无语："算了吧，我真怕她被渣。"

程榆礼不置可否笑了下，没再说什么。

秦见月翻了个身，被他扯进怀里。程榆礼贴过来，问道："想起你那个学长了？"

"什么……"很快，她问话的尾音被截断，秦见月用汗津津的手揪着枕头。

"日记里的。"程榆礼低头亲吻她的肩膀。

"……"

他力道重了些，警告语气，但声音还是轻淡的："不准想。"

秦见月闭上眼，没再吭声，感受他如潮水一样凶猛涌来的热吻。

次日一起去见了程家的老太太。

程榆礼的奶奶姓沈，名净繁。秦见月之前听他说奶奶没精神到剧院去看戏，本以为她是体弱多病的老人，没想到见了本尊倒有些出乎意料。

沈净繁住在大院后边的一间小型的四合院，门前有一樽影壁，古朴且尊贵，有些低调奢华的意味。院落没有秦见月想象的那么富丽堂皇，反而是低狭紧凑的，东西厢房间隔不过多多米，院中植着一棵参天古树。

家有梧桐树，引得凤凰来。所谓大隐隐于市。

秦见月仰头看呆。

"这树得有几百岁了。"程榆礼顺口给她介绍了一句。

他叫见月在门口候了会儿，四下房间里瞧一瞧，找人在哪间。

推开西厢房，程榆礼回眸看一眼见月，招手叫她过去。

秦见月走过去，被他拉住手。门口一只玄凤鹦鹉惹她好奇，她又顿住，盯着它看。耳边听见程榆礼道："奶奶，人我给您带来了，起来看看姑娘。"

秦见月迈进门槛，抬眼细看，沈净繁此刻正卧于烟榻，闻声悠悠起身，小炕桌上摆着一管细长条的水烟，见月只在旧时见人家抽过。

沈净繁闻言起身，执了烟便吸上一口，颇有几分潇洒。奶奶是京城脚下长大的正经的阁中闺秀，秦见月悄然打量，从她举止中品出一些不流俗的雅致。她的眉目和程榆礼几分相像，骨相优越，一看便知年轻时是个美人。

老太太招招手叫秦见月过去，讲一口圆润地道的京腔："小丫头叫什么名字？"

秦见月自报姓名。

"这是会馆里唱旦角的姑娘？"被执着手，秦见月在烟榻坐下，不知道哪一处角落有熏香，她被淡淡沉香和烟管的气味裹住，一时心情畅通。

她乖乖点头："嗯。"

"曲儿唱得不错，练多久了？"沈净繁这么问。

"快二十年了。"

"十年磨一剑，你这坚持下来真不容易。"老人家看她的眼神都变敬佩。

秦见月说："因为喜欢唱。"

"我记着我们那时候也有个小弟兄打小学戏，腊月天里起一大早在外头练。可如今现在世道不一样了，会唱戏的都是人才。"沈净繁很是自来熟地拉着秦见月热络地聊起了家中往事。

秦见月的余光里，程榆礼闲适地坐在门口，一方阳光堪堪罩住他，他抬手去逗鸟笼里那只玄凤鹦鹉。

听着沈净繁一聊唱曲就停不下来，好像是拉了个免费戏子在身边，爱不释手的样子。半晌，程榆礼幽幽地开口打断一声："您不用一口气说那么多话，人听不懂。"

秦见月老实巴交地摇摇头："能听懂一点儿。"

"哎呀，我说你非得打什么岔，我这上了岁数记性不行，一下又想不起来讲哪儿了。"沈净繁揉着太阳穴，苦闷神情，问见月，"我讲哪儿来着？"

秦见月正要开口提醒一句，老太太用指头碰一碰额角，开口又问："哦，想问你们俩怎么认识的来着。"

"……"刚刚说的是这个吗？

需要小心发言的问题，秦见月偷偷瞄一眼程榆礼，不知他听没听见。

"是在戏馆——"

"中学同学。"

二人异口同声。

秦见月的话就这么被截了，微微诧异，又平静地点头："对，我们是一个学校的。"

"同学啊，同学好。容易培养感情。"沈净繁点着头，表示赞同。

程榆礼轻笑，起身走到秦见月的身侧，跟他奶奶说："不是这么回事儿。"

他微微折身，在秦见月耳边轻声说："门口那鸟会说话，你去跟它聊会儿天。"

秦见月知道这是要将她支开的意思，她应了一声便起身出去了。

程榆礼在她方才坐过的地方落座，手臂搭在桌台，支着下颌，眯眼望着外面的人影："您觉得怎么样？"

沈净繁说："挺乖，挺文静。看着就是你喜欢的那一挂。"

他笑一笑："您又知道我喜欢哪一挂了？"

"猜也猜着了。你在我眼皮子底下长大，那点儿心思我都门清。"沈净繁很笃定的语气。

少顷，程榆礼再度开口："奶奶，我得跟您通个气。"

他声低了些，严肃说："今后这姑娘是我的宝贝，也得是您的宝贝。我既然娶她过门，我得对人家负责。

"我想的是，就别让老程家那些弯弯绕绕的规矩给人家限制了。我希望她自由一些。不要因为一点儿叽叽喳喳的小事诚惶诚恐，比如白家那堆烂摊子，比如我爷爷那脾性，她本来就胆子小，容易让人给唬住。"

他一边说一边取了桌子中间的杏仁，给他奶奶剥着，搁在小瓷碗里："您看成吗？"

沈净繁一眼看穿他的念头，点破道："叫我给你护犊子的意思呗。"

程榆礼淡淡一笑，将两颗剥好的杏仁丢在碗中："是，我就是怕我自己一人应付不过来。精力有限，也不是什么事都能面面俱到。"

沈净繁翻他白眼："你不能？我看你挺能的，还擅自做主结婚，这事儿搁你哥身上，程乾能把他腿打断。"

程榆礼道："我就是腿断了，我也不能找个没感情的老婆。这是原则问题。"

搓搓指腹剥壳的灰屑，他若有所思说："小事听天命，大事还是自己拿主意。活这么大不过也就任性个这么两回。"

沈净繁眼底含笑看着他："提个事儿啊，我说你这婚也结上了，打算什么时候给咱们家添个丁增个口。"

老一辈总就这些论调，程榆礼失笑："首先，孩子不是我生，这事轮不到我提。其次，我也不喜欢小孩。一个宁宁还不够折腾人吗？您也是不嫌累。"

他不愿多谈，看了眼时间，起身说："改天再来看您，我们还有事儿。"

"去吧，多去陪陪媳妇儿。"沈净繁很是通情达理。

程榆礼应声出了厢房门，在里面攀谈甚久，外面的傻姑娘还在跟鹦鹉"聊着"。

见他出来，秦见月皱眉说："程榆礼，你是不是骗我的，它根本就不会讲话呀。"

程榆礼迈过去，应道："会说，就是认主子。"

他伸手掀了鸟笼的小门："来，给小美人表演一个。"

他煞有介事给这鸟起了个头，开口道："说，月——"

不承想，被秦见月撩拨了半天没反应的这小黄毛，果真在程榆礼的指挥下开了口，叽叽喳喳的尖锐声音发出来："月、月月，月月，我老婆。月月，我老婆。"

秦见月："……"

程榆礼"啧"了一声，不满地用手指捶它鸟头："好好想想，我教你说的是这句吗？"

好似一下通了人性，鹦鹉扭头冲着秦见月，张开嘴巴："月月，我爱你。月月，我爱你。"

程榆礼放松一笑，而后将笼子门罩上，悠哉道："行，算你这张嘴还能值两个喂食的钱。"

他丝毫没注意到午后日光下红了脸的秦见月，淡声说了句："没骗你吧，会说得很。"

竟然可以有人这样光天化日、明目张胆调戏良家闺女，还面不改色心不跳的？秦见月躲到他斜后方，嘀嘀咕咕开口说："说了什么啊，根本没听清。"

程榆礼偏头看她一眼："没听清什么？"

秦见月垂下眼睑，不吱声。

他笑得意味深长——"没听清我爱你？"

秦见月侧着脸，靠在他身上，不想被他看到她绯红的颊和乐得开花的眼。岔开话题是最好的掩饰方式。她问："婚礼是哪天啊？"

程榆礼答："还在挑日子，斟酌好了我通知你。"

她说："就没有什么我能做的事吗？都没有参与感了。"

"你能做的？"他想了想，"一起去看看婚纱吧，正好下午约了一家。"

"好。"

程榆礼往外面走，秦见月跟上，脚步轻盈明快，每一步都好像踩在梦境中的云端。她步子迈得有多慢，他便刻意比她更慢，闲庭悠步。

程榆礼是个言而有信的人，说从此牵着她走，便再没有让她落在后面。

2

想到程榆礼抓着一只鸟不停地说"我爱你"的样子，秦见月不免觉得好笑。车前的玻璃上有橘色的光晕浮影，一下一下落在她的眼皮上。小憩失败，秦见月睁开眼。

她想起那张"拿人手短"的照片，今天带在身上，有所犹豫，还是决定归还给他。

秦见月将照片取出来，倒扣着塞进车前的储物格里。嵌入一只硬盘底下，就这么松松压着。

程榆礼垂眸望去，只能看见照片背部的水印。耳侧是她的恳求声："你到时候就这样反着放回去，不要看。"

他伸手要去取，被秦见月紧紧抓住手腕。

程榆礼收回手，宠溺道："好，我不看。"

"一定不能看。"她强调。

这样讳莫如深，他实在很好奇："怎么了，嫌丑？"

秦见月真挚点头："太丑了。"

程榆礼扶着额头笑："谁不是从那时候过来的？还嫌弃上自己了。"

才不是。他就没有这种颜值尴尬期，自然站着说话不腰疼。秦见月撇了撇嘴，目光虚虚地看着前方，嘀咕说："是真的丑，以前也被人家这样说过。"

"说谁？说你？"程榆礼瞄过来一眼。

秦见月闷闷的："嗯。"

他问："谁这么没品？"

秦见月没吭声。

程榆礼继续说道："肯定是跟你有仇才这么说。他人即地狱，当真你就中计了。"

程榆礼说话倒是一针见血，算是猜中了一半，也有几分疗愈作用。秦见月不满足，看着他："那你摸着良心说，你是真的觉得我好看吗？"

程榆礼松开一只手，握过她的手贴在自己的胸膛："摸到了吗？我的良心。"

她被逗笑："嗯。"掌心暖烘烘的。

程榆礼说："我不管别人怎么想，总之秦见月就是我程榆礼命定的美人。"

莫名地，这句话听得秦见月眼热。好半天，她才将手从他的心口放下，劝道："你好好开车。"

余光里是他未泯的淡淡笑意。

程榆礼比起高中时没有太大不同，但也有一点儿细节上的改变。譬如他高中时的头发长一些，遮额抵眉，柔软又温和。而今削短了发，气质看上去要精干沉稳许多。

而见月还是常常想起那时他不安分翘起的一两撮头毛，曾经让她的强迫症发作想替他按下去，当年没有机会，现在也没有机会。

暗恋多遗憾，如果早一点儿开口呢？会不会不那么艰难？

她有那么一点点的，为他那句"更早一点儿"而耿耿于怀。

不过秦见月认得清一个现实，程榆礼的身边不缺美女。只要他愿意，无论何时他都可以"活色生香"。他打球的课后可以收到很多水，他迈进食堂就会有不同的女孩欢迎他去插队。

如果更早一点儿，想必也是轮不到她的。他也只是嘴上这样说。

她的小心思迂回一大圈，又回到眼下。秦见月鼓足勇气开口询问："我们……要不要官宣一下？"

程榆礼琢磨了一下这二字，半晌反问一句："官宣？"

不太明白他是不懂还是假装的，她解释说："就是发在朋友圈，就像明星公开恋爱关系。"

他也没说好不好，摸出手机递过去给她："你帮我发。"

秦见月接过他的手机，手指紧攥，温暾地点亮了屏幕。

"8520。" 依次输入数字，手机解了锁。

秦见月没有翻弄别人手机的习惯，她认为这样做很冒昧，也会主动避开去看他人的聊天信息，因此简单的几下操作被她弄得几分谨慎。

点进通讯页面，聊天框弹出在她眼前。是一片被屏蔽得只剩下红点的消息。

点进他的朋友圈，是一个完全陌生的社交圈子。

秦见月没有往下划拉，首先映入眼帘的是一个女人的自拍照。

是夏霁。

金棕色的长鬈发覆在胸前，照片里的她化的是欧美妆，比起高中时期的妆容水平进步太多。走在时尚前沿的女孩，技术总是超出常人的炉火纯青。

秦见月没有多看，将手机反扣在腿上，她问程榆礼："怎么发？"

他没什么头绪地说："你看着办吧，我也没这方面的经验。"

秦见月回到他的朋友圈页面，更新很快的内容已经将方才那张自拍顶了下去。

她点开右上角的小相机，发现有一条历史编辑的朋友圈，是他没有发出去的。编辑于他们结婚的那一天，他拍的结婚证照片。

红底白衫证件照，干干净净两个人。

秦见月怔了怔，不由得望向他："当时为什么没有发呀？"

程榆礼自然明白她说什么："我看你也没提，寻思你是不是不乐意。"

秦见月摇着头："没有，怎么会不乐意。"

她只是从来不敢明目张胆。

程榆礼自嘲一般轻笑："老实说，我连你到底喜不喜欢我都不清楚。你这人还挺难猜的。"

她嘟囔着："我都跟你那个了，还不喜欢你啊？"

"哪个了？" 他闻言挪眼看她，笑意渐深。

秦见月避而不谈："那我发了。"

"嗯。"

也没有想好编辑什么内容，文字栏就这么空着，秦见月替他发出了第一条朋友圈。

很快，密集的祝福涌来，秦见月一一看过去。

其中，夹杂着一些奇怪的评论。

夏霁：？

夏霁：你结婚了？

夏霁：我怎么觉得你老婆有点儿眼熟。

盯着这几行字眼，秦见月的视线变得麻木虚晃，外面聒噪的蝉鸣响起，引得她头痛欲裂。

原来有一些人可以把别人踢进深渊，转身便轻飘飘抹掉自己的罪名。让她刻骨铭心的人，在看到她时却只是简单评价一句：有点儿眼熟。

怎么可以这样呢？

秦见月鼻子酸楚。她仿佛被一团雾气笼住，在那伸手不见五指的浓雾里，她失了方向，陷入无人营救的沼。

"好了？"程榆礼看她半响不动，问了一句。

秦见月没有答话，抬起眼望着他："你那天说，你跟高中同学很多都不联络了，对吗？"

程榆礼视线停留在他的手机屏幕，疑心是不是发生了什么。侧头，瞥到那几行字："夏霁？怎么，你认识？"

而后他安抚道："只是一个普通朋友，后来也没什么联系。"

秦见月摇着头，低垂着脑袋："看着还挺漂亮的。"

沉吟少顷，男人的手探了过来，抄起她侧脸的发。程榆礼拨过秦见月的脸，仔细打量她泛苦的神情。

"介意就删了吧。"手机重新被放在她的腿上，他淡淡说着，"你亲自删。"

秦见月眼里闪过不敢置信的惊讶，很快又平静下来。她柔声道："你说没联系就好，成年人了还来这一套啊。"

她把他的手机塞进储物格，表现出很让他喜欢的温顺且通情达理的一面。

程榆礼淡然地看着她的动作，没有接话。

车子驶进一条窄路，两侧是参天的樟树。刺耳的蝉鸣将她包裹，奶茶店的队伍快排到路中央。他没急着开过去，也没按喇叭催促，慢慢等着队伍的尾巴一点一点往里面缩。

耐心如是。

程榆礼讨厌性子闹腾的女孩，有迹可循。

三中门口的奶茶店，秦见月是老主顾。一个冬天的下午，她在排队候餐时见到从对面过来的程榆礼。少年手插在口袋里，难得的脚步匆匆，身后跟着那个艳香四溢的少女。

那时的他对未来还没有什么规划，在漫无目的地蹉跎光阴，身边围着一群莺莺燕燕。

那时的秦见月，还不知道那个学姐叫什么名字，只觉得学姐的声音很尖锐，像细密的冰凌戳在人的身上。

"他们说你跟那个什么薇薇勾搭上了，是真的假的啊？你有没有搭理她啊？

"你别看她长得挺纯的样子，其实交过特别多男朋友，我们年级好多男的都跟她谈过，你别被她耍了。

"程榆礼你怎么不说话，不会是真的吧？"

程榆礼只一声不吭迈步往前，眉心蹙着，想摆脱这场闹剧的烦乱。

"你把手机给我看看。"女孩突然这么喊了一声。

四下的人都望过去。

走到马路这头，女孩的质问还没有停下。终于，程榆礼止了步子，看她一眼："没完了是吧？"

"为什么不把手机给我看？你是不是心里有鬼？"女孩扯着他的校服，甚至去他的口袋里探，导致他的衣袖都被她拉下来一截。

秦见月在看热闹的一群脑袋中间，成为最惊慌的一员，轮到她点单都忘记。

极致的一厢情愿，让程榆礼这样淡定自若的人都无计可施。

程榆礼侧身看着少女，从裤兜里拿出手机，却没递给她，抬手便往外抛出去，好像在丢一个垃圾似的淡定。完好的手机摔到马路中央，一瞬间被滚滚车轮碾碎。

他头也没歪一下，看着那个女孩淡淡说了句："去看吧。"

愣在身后的少女出神地望着粉碎的手机。

而程榆礼满不在乎地回身站到了奶茶店门口，排队等候。

看热闹的小同学们忙别开眼装作各自忙碌。

"一杯热牛奶。"秦见月忐忑地点单。风雨并没有惊扰到她，但她莫名紧张得身体僵直，因为知道他在身后。

"跟她一样。"他今天的声音格外低沉，胸口滞塞着一通脾气。丢出去的纸币在桌台上蜷了起来，又被骨节分明的指推到收银员的面前。

秦见月不敢回头，只是贪婪地看着他的手。

她瘦小的身影站在他的前面，好像被整个拥住。少年身上，有一股冬雪的气味。那是一种无法用言语形容出来、独特的清爽与凛冽。

程榆礼进门找了个座位坐下，秦见月也隔着一个位置坐下，被他身上的低气压笼罩，她捏着手里搓成条又搓平的排号小纸片，久未动弹。

在那一阵沉默里，揣测过千万次他和学姐的关系，他们的故事，他们的决裂，一切与她无关。

她是一个看热闹的局外人。

"十五块钱的牛奶不亏吗？"

忽然一道声音在她的耳边响起。

是她熟悉的，磁性暗沉，却有温度的少年声音。

"什么？"秦见月愣了下，抬头对上他近距离的眼。

一双没有太多情意掩藏的瑞凤眼正直视着她，微微上扬的狭长眼眶，是让人产生疏离感的形状，眼波里有一汪无波无澜的湖水。

他别开眼去，半明半昧地笑："没什么。"

秦见月被叫了号。第二遍，她才怔怔起身。

薇薇是真的吗？不知道。

和学姐是那种关系吗？不知道。

她只知道那天的牛奶是甜味的，而他的搭讪比那一年的春天更温柔，更早到来。

程榆礼和夏霁的绯闻就是那一次开始传出来的，会有这样的后果不意外，毕竟夏霁有着一副那样的气势。

尽管没恋，但说起早恋，程榆礼也该多少有点儿话语权。不论真假，总之他是提前经历过被管教的滋味。

程榆礼身边的美女很多，但也见识过太多娇惯的脾气。对比之下，秦见月身上有种难能可贵的安静。秦见月也自知，这是她被选择的重要原因。

在车子驶向婚纱店的路上，两人竟一时间不约而同地想起这一回事。

彼此心意不通，但都沉默了一阵。

程榆礼扶着方向盘，没什么情绪地用指腹在上面轻轻摩挲。

"嗡嗡……"

"嗡嗡……"

秦见月的手机响了一阵，是秦沣打来的电话。

来电提示让她受惊，秦见月下意识地挂掉。秦沣的名字不会给她带来好消息，多半是又惹事了，她打算在微信问一声。

然而手机再一次锲而不舍地响起。

她无奈地摁下接听键。秦沣那端很是嘈杂，开口便问："月月，哥出了点事，你方便来一趟吗？"

"现在？"她不可思议。

"对，带点儿钱。"

秦见月有种不祥的预感："你在哪里啊？"

"城中派出所，来的话尽快。"

秦沣的话很急，一下便挂断，让秦见月有点儿摸不着头脑。

程榆礼见她慌张，问道："什么事？"

"哥哥。"

"他人在哪儿？"

"他说在派出所。"

程榆礼没有犹豫，打灯走到左转车道，在前面掉了个头。

秦见月问："婚纱怎么办？"

"不急，先处理家事。"

"……嗯。"

3

秦沣又惹麻烦了。

这回无关金钱纠纷，他是被人给揍了。男人多莽撞，一点儿小事，就从嘴仗发展到肢体冲突。秦沣挂了一脸彩，在跟对面的店老板争执。

事故的缘由是秦沣从隔壁店家买了一件修车器具，质量堪忧，用了几回就磨损严重，秦沣上门找人理论，那店老板耍赖不承认这回事。

两人便因此起了争执。

店老板是个戴金链子的胖男人，光秃秃的脑袋被秦沣揍得青红一片，血糊了眼。

"警察同志，你好好看看他把我车刮成什么样！"秦沣在审讯室里不安分地梗着脖子，冲着穿工作服的民警嚷嚷，非叫人去评评理，"我说实话，我坐这儿也忒冤了，人都骑到我脸上来撒野了，这事儿搁你你能不还手？我就纯纯一窦娥冤！"

店老板也不甘示弱："陈警官您别听他瞎说，这货就是个惯犯，专就盯着老实人讹人家钱。您把那册子翻出来去看看他犯了多少事儿，地头蛇一个，咱们就该加大打黑力度把这种人打掉，让他蹲个十年八年的。"

"死胖子你少在这儿血口喷人！"秦沣讲得激动起身，指着店老板怒吼。

店老板侧了下身，捂着血淋淋的伤口，啐了他一口："您瞧瞧他素质，可真够低下的。长这么大就没见过这样的人。"

"行了！好好说！嚷嚷个什么劲儿！"警察拍拍桌子，提醒他们肃静。

秦见月进来时，堪堪撞上那句"您瞧瞧他素质，可真够低下的"。

她抬手咚咚敲了敲门，尽管门敞着，她实在没见过这样场面，没敢贸然进去，只远远望见鼻青脸肿的秦沨坐在那里、冲着对面的胖子瞪眼。

遍体鳞伤的男人让她鼻子一酸，恍然记起儿时的雨——

四五年级，秦见月在学校遇到了恶劣的男同桌，她是在午睡的时候遭到无端的攻击。男同桌隔着T恤在她的身上用崭新的圆规戳刺，头一回被扎到一瞬，尖利的灼刺感让秦见月尖叫出声。

她扰乱午休的平静，被老师勒令出门罚站。秦见月向老师交代情况，而男同桌却无辜地摇着头说没有。同桌的父亲就是他们的班主任，于是很不幸，秦见月成了跳进黄河洗不清的人。

有了第一次就有第二次，第三次。最恶劣的一回，她的肩膀被扎出血。

放课的傍晚，小小的秦见月抱着书包走在滂沱大雨里，哭得抽抽噎噎。

刚刚从隔壁职高放学的秦沨按时来接她，他看着秦见月的肩膀，问她出了什么事。

当天晚上，秦沨没让那小子回家，把他扯到巷子里教训。

秦沨对着那个男孩吼："以后还敢不敢欺负秦见月？"

"不敢了，不敢了。呜呜……"

"再有一次，老子跟你没完，记住没？"

"记住、记住了。"

对秦沨来说，对付一个手无缚鸡之力的小学生实在是小菜一碟，也并不能获得什么成就感。

他只希望他的妹妹不要受欺负。

这就是他始终一贯的处事方式。秦沨不是一个能平心静气跟人讲道理的人，很难说他有正向的三观和立场，他只有对亲人莽撞和充沛的极致偏袒。

派出所里，秦见月出现的一刻，里面的人也恰好停下了没完没了的争论。

警察注意到门口有人站着，便说了句："站着干吗？进来进来。"

秦见月有点儿害怕，讲话声音小小的："我来找我哥哥。"

程榆礼跟在秦见月身后进门，高挑峻拔的男人款步迈进审讯室，步伐不疾不徐，有种和这冰凉审讯场面格格不入的矜贵气质。他没做什么表情，也没开口说话，吸睛的气场却一下让所有人别眼看过来。他身边还跟着个西装革履的男人，是他带来的律师。

程榆礼淡淡巡视一圈室内，一股浓稠的血腥味让他微不可察地蹙眉。

他指骨蜷起，抵了抵鼻尖。

坐着问话的警察凝神观望了一下，不出三秒，火速起身迎过来："程先生，您来办事儿？"他表现得隐隐热情，直接越过了身前的秦见月。

程榆礼沉声开口道："接一下内兄。"

陈警官眼里几分不敢置信，回眸望着那两个脏兮兮的男人，问他道："是哪位？"

哪位？都是脸生的人，程榆礼也辨别不出，他看了眼秦见月。

秦见月忙走到秦沣跟前，拿出在手心搓揉了半天的纸巾，替他擦一擦嘴角的血渍，小声地说："受伤很严重吗？"

秦沣哼笑一声："皮外伤，严重我就不在这儿了。"

程榆礼和身边的律师交流了几句，律师便走上前和陈警官交涉起来。

不久，律师代为处理完所有的事情后，陈警官说："还得去银行交一下保证金。"

程榆礼点一下头："麻烦您开个单子吧，多谢。"

秦沣就这么被领出来了，受了一点儿皮肉苦。他倔强地不肯去医院，把"哪个男人身上没点疤"挂在嘴边，从局子里出来的路上还在骂骂咧咧跟秦见月诉说不忿。

程榆礼沉默地跟在后面，脚步闷沉。

走完流程已经入夜。如水夜色里，灯下蚊虫乱舞，显得这道光很脏。

秦沣忽地回头，看一眼程榆礼："不好意思啊，忘了感谢你了妹夫，今儿多亏你们及时赶到，要不然我还不知道得在里头蹲到几点。我都快饿死了。"

他说着便自来熟地要去揽程榆礼的肩。

秦见月脚步轻盈地一挪，站到他们二人中间，秦沣便没搭到程榆礼。

他霍然就想起秦见月那句"你别碰他"，隐隐有了些意识，放下举在半空的手，咯了两声缓解尴尬。

程榆礼说："小事。"

"你叫什么名字来着？程……程……"

他答："程榆礼。"

秦沣一边品着名字一边从烟盒里取出一根烟，夹在指尖递过去。

程榆礼手已经抬起来了，又被秦见月握住。她看着秦沣那只被挤扁的烟盒上的品牌名，讪讪说了句："他不抽烟。"

她的手被松开，程榆礼接住秦沣的烟："偶尔也抽。"

秦见月闷着头，心事不明。她欲言又止，秦沣也欲言又止。

程榆礼看在眼里，说道："你们聊。"

他把烟衔进唇缝，低头点火，往路边走。

秦沣被秦见月扯到另一边，见她雾蒙蒙的眼，他问："咋了你这是，愁眉不展的。"

秦见月说："你能不能别再给我惹事了。"

"最后一次最后一次。"秦沣嬉皮笑脸的。

"每次都是最后一次，耳朵都听出茧子了。"

"我发誓！"秦沣并着指头直指苍天，"这绝对是最后一次。哥已经下定决心洗心革面重新做人了。"

秦见月瞄了一眼程榆礼的背影，心里还憋着一股委屈无处发泄。

秦沣再傻也不是没眼力见的，戳着她肩膀说："你老实说吧秦见月，你是不是嫌哥哥丢人了。"

"你说呢？换你你不丢人？"秦见月声音颤颤的，"对，你确实不丢人，谁跟你似的脸皮那么厚呢。上回就是因为你欠钱，人家高利贷找上门，也是他帮我忙解决的。一次又一次的，烦不烦啊。"秦见月说着，声音都有了些哭腔。

"欸，好好好，你别哭你别哭。是我不对，有话好好商量。"

"我没哭。"秦见月吸着鼻子，"我就是想说，你以后能不能离他远点儿。"

"我怎么离他远点儿，他现在不是我妹夫吗？咱们不是一家人吗？抬头不见低头见的。你倒是教教我怎么离他远点儿。"

秦见月不由得抬高语气："谁跟你是一家人啊？"

秦沣不由得愣了下，这话就有点儿刀子剜人心了。

很快，秦见月也意识到不能这样说。可是她就是憋不住委屈，然而也无法向任何人诉说这种深埋心底的虚荣。

不愿意流露出任何不堪、不光彩的一面。不体面的家人，不够漂亮的过去，反扣的照片，都应该永远被压在深不见底的地方。

她还要亲自坐在那块坚实的盖板上，谨防"他们"狡猾地从边边角角流出来。

高中时，秦沣一时心血来潮要去学校接她回家，阴天的周五傍晚，秦见月坐在他破破烂烂的二手小摩托后面，清新的校服被吹得鼓胀。

车子停下来等红灯，同时，锃亮的轿车驶来并排停下。

车后座是闲云野鹤的大少爷，程榆礼手肘搭在窗上，用手指闲闲地点着窗框，偏头瞄过去一眼，平静无波的眼神撞到秦见月的眼底。

明明那么淡然，却将她注视得浑身发烫。

秦沣发动了好几次，他的车都无法启动，摩托车突突的声音震天响："怎么回事这破车？"

秦见月被颠得腿都发麻，她将脸埋在秦沣的肩颈处，无力地说道："能不能快点儿啊……"

无穷无尽的羞耻细碎地融进她身体的每一丝血液骨骼。

祈祷他不要再看过来。

很快，轿车驶远。而秦沣的车久没发动，年久失修的摩托最终被推到了路边，等待拖车。

秦见月蹲在阴云密布的天空底下，感受着凉风簌簌对体肤的侵蚀。她回忆他方才的眼神，回忆并行的那二十秒。

那是她人生中最漫长难熬的一段时间之一。

秦见月不知道该怎么跟秦沣描述，眼下被她亲手揉成碎屑的自尊。

是她的错，无关哥哥。

"对不起，是我太激动了。"秦见月颇为真挚地向秦沣道歉，"你别生气。"

秦沣板着的脸也渐渐恢复了一点儿温度。

"我是比不上人家娇贵的公子哥，我是做生意总是失败欠了点儿钱，但我秦沣也不是一无是处吧？他是哪儿来的上等人啊，我都不配跟他说话是吧？"他继续戳着秦见月的肩膀，教育道，"我发现你这小孩儿，价值观有问题啊。我得叫你妈好好教育教育你。"

秦见月摇摇头，不置可否："先不说这个了。"

她注意到程榆礼的烟已经快抽完了，转而问秦沣："你饿吗？要不要去吃个饭？"

秦沣说："今天跟你妈说好回家吃的，估摸着她还在家里头等我呢。"

程榆礼摁灭了烟头，回眸看一眼见月。

她点点头示意。

他走过来："去哪儿吃？"

秦见月还没开口，秦沣说："你跟咱们一块儿回家吧，是不是还没见过家长？"

刚才那番争执让秦沣不悦，秦沣现在看程榆礼已经鼻子不是鼻子，眼睛不是眼睛了，话里有种藏不住的教育人的姿态。

秦见月扯秦沣的袖子，秦沣也没理会。

程榆礼倒是很好说话，顺从地点头："好。"

秦见月袒护他说："不要了，很突然。他没准备好。"

秦沣一记白眼翻了过来。

程榆礼道："本来早些时候就该见的，是我怠慢，也不能再拖了。"

秦沣颐指气使地哼哼一声："你知道就好。"

秦见月用"你能不能有点儿情商"的眼神瞪着秦沣。

秦沣装瞎。

程榆礼开车，秦沣坐在后面，秦见月找了个枕头给他垫在腰后，生怕他背上那点儿血迹沾在人家车里。

秦沣气得快冒烟，非把那枕头撤了。秦见月给秦沣使眼色，秦沣直说："用得着吗，大不了我赔就是了，谁还没这点儿钱了？"

程榆礼系好安全带，看一眼后视镜："赔什么？"

秦沣的嘴被秦见月捂上，她忙说："没什么。"

车往家里开，秦见月在路上给妈妈发消息通气。秦沣拿了个秦见月给他的小镜子，擦着脸，疼得嘶哈乱叫。

他喊一声，秦见月就皱一下眉。

闹心。

4

于是乎，就这么阴错阳差地见了家长。车到门前时，秦漪在家里做饭，为了迎接一下女婿，她还特地趁着这一会儿工夫出去买了些卤菜。

耳尖听见车的声音，秦漪在围裙上擦了擦手，匆匆往外面走。

先碰上的是还在龇牙咧嘴的秦沣。

"姑，快快，快舀点儿水给我冲冲，疼死我了。"秦沣迫不及待地往院子里冲。

"唷。"秦漪见他这样子，吓得往后缩了一脚，"你这是又打架了？"

她担心地望着秦沣，他已经疾步凑到浇花的水池前，拧开龙头用水浇着胳膊，发出嗷嗷的惨叫。

秦漪蹙起眉，没再管他，着急地往外看去。

程榆礼在后备厢取路上临时买的一些东西，秦见月帮他清点。

秦漪眯了眯眼。被秦见月遮住半边身子，她只能望见男人纤白的后颈与板正的腰脊。赤红的车尾灯映着他半截西裤。

二十几岁小姑娘爱评判男人身材，肩与腰腿的比例，乃至衬衣西服熨帖与否。

而秦漪这个年纪的人看人先看什么？一身行头的档次，在心底一考量，浅浅估摸出身家。尽管早知是程家的富庶之人，但来人倒不是她想象中那般穿金戴银的奢，却是有种隐世的浮华。

举手投足都是正儿八经的京圈名门里养出来的，不显山露水的富贵和涵养。

光风霁月，不矜不伐。

程榆礼将车门关上，抬头见到门口的女人。秦漪的眼像是被晃了下，微微颤步。

"妈，我是程榆礼。"

他走过去，提着东西。

秦漪仰头细看他的模样，友好地寒暄道："小程啊，总算见到你了。我昨天还跟月月说什么时候去见你一面。"

"没有这个理。"程榆礼微微笑着，略有惭愧，"怪我最近总在忙别的事，一直没空来看看您。"

"来来，进来坐。"

秦见月怕妈妈乱讲话，忐忑凑到前面去。秦漪腿脚不便，跛着脚一顿一顿地往前，后面两个年轻人也不由得放慢脚步。

"小伙子比照片上看着还精神。"秦漪一边领人往里面走，一边又忍不住回头瞧他，"个子这么高呢。"

又看一看秦见月，她说："我之前还说月月能找个一米七的就不错了，她从小就比同龄人矮，做操站第一个，教室里也坐第一排——"

秦见月脸色青了一下，而后又满面羞红，抬手捏她妈妈的腕，恳求道："不要说这些好不好？"

秦漪"啧"了声："我说的不是事实嘛，要什么紧。你看小程都不介意，我说两句你还急上了。"

她说着又不免去打量身侧的男人，感叹道："真帅，怪不得他们都说我们月月捡了个宝。"

程榆礼跟着进门，厅内暑热闷沉，他用指轻挑开衣衫顶头的两颗扣子，正要将手中的礼物搁置案上，发现上面已经堆着一些中老年保健品。瞄到一张空着的方凳，程榆礼将手中东西放上去，轻声接茬道："是我捡了宝。"

秦漪注意到茶几上的东西，跟秦见月耳语说："之前小王送的，你改天给人退回去吧。"

程榆礼闻声，不由得动了动耳。

秦漪的声音又低了些："我跟他说了你都结婚了，他还非得给我找人送过来，真是不正经的。"

妈妈的倒戈速度真够快的，不过也亏得程榆礼长了一张招人喜欢的正派女婿脸。不知道这张脸有没有打消她心底对有钱男人都不学好的顾虑，总之秦漪在程榆礼面前表现得足够殷勤，客气也周到。

秦见月没精打采地应了声，她还在为刚才妈妈不经心的数落而耿耿于怀，就像鱼刺卡在喉咙里，下不去也上不来。

一道经年累月的伤痕，时不时就被揭开，产生钝痛。

是比那一回秦漪亲自冲她吼"秦见月你配吗"更为撕裂心扉的苦楚。

"饭菜好了，叫你哥来端一下。"秦漪说着便往厨房走，脑袋又探出去找秦沣，"秦沣！过来端菜。"

外面的秦沣应了一声。

秦见月随她走进厨房，去取放在蒸锅里的一道卤菜，一下被烫得指腹刺痛。下一秒，手被身后的男人捉住，程榆礼不急不躁地带着她冲洗被烫到的手。

他另一只手覆在她的肩上，淡声说："出去等着。"

她说："很烫的，你小心一点儿。"

程榆礼："知道。"

秦见月家的老房子装修还是几十年前做的，风格古旧，大厅里挂着一幅老虎上山的水墨画。她盯着这幅画愣神片刻的工夫，转眼桌面就变得热气腾腾。程榆礼在她身侧坐下时，很难得在他身上见到一道烟火气。

"要不要喝点儿酒？"秦漪刚坐下，突发奇想问了句。

接话的是秦沣："要要要！必须喝！我今天就代替姑父把他女婿喝趴下！"

秦见月摆手拒绝说："他开车来的。"

程榆礼也没吭声，不置可否地笑了下。

秦漪说："那要不今天就住下呗，还回去啊？怪折腾的。"

程榆礼微微偏头看向秦见月，用征求意见的眼神。

秦见月心事厚重地抿了抿唇。她不开口，一般是默认。

程榆礼没跟秦见月交代过，他平日里是滴酒不沾的人。

酒跟烟不一样，喝大了容易失控丧志。他算是挺克己复礼一个人，即便有应酬也不碰酒，起一个头就会刹不住车，有了一次两次，就有三次四次。一开始推托是难，但这小原则坚持下去几次，慢慢地，人家也就知道你是个清心寡欲的气性，饭局上也不会有那么多好事之人刻意去碰人底线。

今天，算是为她破了个戒。

程榆礼看向秦漪，淡淡笑道："既然妈都这么说了，今晚就不回了。"

"……"秦见月在桌子底下敲他的腿，被程榆礼反扣住手。

秦沣已经迫不及待地取出一瓶苦荞酒："来来，上回没喝完的。"说着就要往程榆礼碗里倒。

秦见月挡住瓶口："用杯子不行吗？能不能精致点儿？"

"行行，精致精致，"秦沣找来两个酒杯，哐哐哐地搁在桌上，"够精致吧，咱哥俩来碰个杯！"

"等等等等。"秦漪摆摆手叫秦沣把酒放下，"我突然想起来家里还藏了个好东西，你先把这酒放下。我去拿。"

秦漪说的好东西，是秦见月的爸爸江淮在二十年前珍藏的一坛女儿红。

江淮是南方一带人，家乡那边有风俗要在桂树底下埋一坛女儿红，等到嫁女那日再把酒坛子挖出来。

这坛酒就是在见月出生那一年酿的，那时候家里也没种什么树，没找着地方埋，就将酒坛搁在一顶荷花水缸的后边。

秦漪抱着坛子进门，众人一齐注目过去，独独秦见月红了眼。

秦漪叹道："爸爸也没机会见着你嫁人了，把这酒喝了也算了了他一桩心事吧。"

余光瞄到秦见月点头，程榆礼看了她一眼，那泛着潮气的眼角让他心头微颤。

"添个杯吧。"程榆礼微微抬了抬下巴，看向秦沣，示意他从后面递个玻璃杯过来。

空荡的杯被搁在四角桌空出来的那一边桌沿。

程榆礼起身，手臂伸过去。清脆一声酒杯碰撞后，他饮尽这一杯满满的女儿红。

敬完爸爸，再挨个起身，轮到哥哥、妈妈。幸而这酒不烈，程榆礼虽然喝得急，脸上也还算清醒。

他坐下后，秦见月闻到他身上隐隐的甜气，香得让人想抱着他亲。秦见月自知怀春得不是时候，脸红了红。

秦沣也给她倒了一两滴，秦见月抿了一口，觉得呛人。

果真酒还是得闻着旁人喝才香。

喝完一轮，秦漪开口感叹一句："哎呀，真是不容易。"

她露出对程榆礼的外貌跟品性很是赞赏的神情，一扫过去对程家人的不屑，脸上是沾了酒气的一抹绯红之色——

　　"就在一年前我还在家里愁呢，生怕咱们月月嫁不出去。你说她长得也就这样，性格还不大方，别扭得很。能拿得出手的也就唱戏那点劲儿，我说实话，内行来看也就点三脚猫功夫。没想到今天还能高嫁了。

　　"我看那小王喜欢月月，我还高兴得不得了，怎么说咱家闺女也不用愁嫁不出去了，我还在那儿成天跟那小子说你好话。"

　　秦漪说着，脸上难说是喜是愁，又自灌一杯酒："不容易，今天妈跟你说句心里话，妈是真替你高兴。"

　　秦见月咬着一根韭菜黄，久久不下咽，最终菜掉在碗里，她麻木地用筷子戳了两下饭粒。

　　秦漪的话音刚落，秦沣就急眼了："什么高嫁低嫁，不要把什么高低放在嘴边，咱这儿就没有高嫁这么一说！月月哪儿不好了？我看好得很！方圆十里找得出比咱家月月还水灵的姑娘吗？"

　　也不知他是冲着什么急的眼，是为刚才秦见月对程榆礼的过分袒护，或只是对秦见月发自肺腑的偏爱。

　　总之这一刻，秦见月很感谢哥哥。

　　秦见月埋着头，轻轻用手指蹭了一下发热的眼睑。

　　一只手轻抚上她的发顶，耳边是程榆礼应付地笑了下的声音，他说："哥说得对。"

　　他没有忤逆见月母亲的立场，有一些话到了嘴边百转千回，也只好咽回去了。

第八章 / 买尽青山
送你一颗启明星。

1

程榆礼顺利在秦见月的家里留宿。洗澡之前，他去给江淮上了一炷香。照片上的男人和秦见月有几分相像，他滞住脚步，待在那里静看了一会儿。

"阿礼，你去洗澡。"秦见月挪着步子过来，牵他一下，"龙头有点儿难调，我给你放在合适的位置，你不要动它就行。"

程榆礼点头："嗯。"

她身上穿一件夏日睡裙，下摆翩跹地缠着腿根。秦见月被他掐着腰托到外面，程榆礼俯身贴她耳旁低声说："床上见。"

秦见月："……"

这个男人，语气总有一点儿和神态不符合的轻狂。她捏了捏发热的耳，催促一声："你赶紧去吧。"

约莫二十分钟，程榆礼洗完澡，进到她的小卧室，凉风习习，从立式空调里送出来。第二次进入她的闺房，他才注意到前面的斜顶上还有个天窗，窗里可以看到外面屋脊的飞檐，檐上立着一朵孤零零的凌霄。

再往前几步，程榆礼的步子停在她的床尾，抬头看到一轮十六的圆月。他稍往后倚在一个书架上，就这么平静望着。

秦见月也仰着脖子同他一起看了看："好亮的月亮，感觉要变身了。"

程榆礼失笑。

秦见月转了个身子，脑袋从床头转到床尾："这样可以正好看到欸，你躺下和我一起吧。"

她伸手牵了牵他的裤子，邀请这么一句。

这才注意到，程榆礼穿的是秦沣的裤子。一条黄蓝撞色的中裤，秦沣穿在身上像是马上要去抢家伙干架的咸湿佬（广东的俚语，意思是下流、猥琐的男人），程榆礼愣是把这件单品穿成了 T 台遗珠。

尤其他将手抄在裤兜里、抬头望月的优雅姿态，即便清眸里无半分情绪，这样静静立着，也让人不免多看几眼。

她看呆，扯他的手都微微松开。

程榆礼上了床，和她并排躺在一起。他伸长胳膊揽她入怀，秦见月顺势将脑袋枕在他的肩上。

天窗有一道暂未合上的遮帘，秦见月再抬眼，发觉外面玻璃上缀着一只萤火虫。明快的淡绿色映入她的明眸，秦见月伸出手悬空点了点它。

"妈妈很严厉？"程榆礼开口，许是喝了酒的缘故，声音有点儿喑哑。

秦见月一下敛了笑意，慢吞吞地收回手，回答说："是挺严的，小的时候学戏我就是最笨的，学得很慢。妈妈很着急。"

"是她说你笨？"他敛眸看她。

秦见月说："我确实笨。"

"后来一起学戏的同学都怎么样了？"

"不太了解，应该没有再唱了。"

他轻轻笑着，像是安抚小朋友："那你就是最聪明的。"

秦见月也笑了笑："谢谢你的安慰，但好像不能推出这个结论。"

片刻，程榆礼再次开口，语气有几分正经："有志者事竟成，说着容易做起来难。这不是安慰。"

秦见月没再接话，她抿着干燥的唇。几次亲密之后她变得大胆许多，将手轻轻地碰在他腹肌上，下一秒，摸到了松松的裤腰带。

程榆礼的腰比秦沣精瘦一些，因此这条裤子显得有点儿难以紧箍他的身体。

很便于使坏的时刻，但想到秦沣，秦见月又想起那块堵在心口的石头，她讪讪地收回手，突兀地开口："今天的事对不起。"

程榆礼问一句："什么事？"

她说："哥哥的态度不太好。因为他的脾气就是那样，讲话很冲的，也没什么礼貌。但我哥哥一般对别人没有什么恶意，你不要多想。"

几句话说完，她面红耳赤。秦见月不敢看程榆礼，好半天才听见他反问了一句："你认为我会介意？"

她低低地说：“我觉得，有一点儿丢脸。”

看着她闪烁的睫和躲避的视线，想必是真的为此苦恼。

她和秦沨的争吵也隐隐被他听去了一些。程榆礼思考了很久，关于她的掩藏、她的不安。

最终，他缓缓开口说起自己的家事：

“我妈妈是我父亲公司的董事。他们两个珠联璧合，郎才女貌，把我爷爷的产业搞得很红火，事业风生水起。只要在外面提我家人的名字，别人都会敬我三分。是不是很厉害？”

她当然知道这些，点点头。

他又问：“是不是觉得我很光鲜亮丽，锦衣玉食？”

秦见月反问：“你难道不是吗？”

“可是，你知道代价是什么？”

程榆礼松松地握住她的手，让她感受到掌心的一片燥热——“我上了十多年学，他们从没有去过我的学校。我过生日，他们一次都没有出席。最长的一段时间，我和我爸妈四年没有见。”

秦见月抬头看他，眼中惊骇。而程榆礼不管说什么，他的眼神总是那么平静无波。这也致使她的惊讶被稍稍压下来一些。

这么想，好像的确从没有见过他的父母亲。

他继续说道：“小学的时候要用到家长的地方很多，儿童节做活动，他们可以请来不同的叔叔阿姨到场，有一些人我甚至根本没有见过。大雨天，学校要求每个同学打电话请家长来接，我们家来了两个司机。”

说到这里，程榆礼停了一下，万般无奈地苦笑一声：“老师很难办，因为这是校方规定，必须父母过来，于是他打电话给我母亲。当时我站在门外，有个同学过来问我，为什么每次都是叔叔阿姨来接你，你是孤儿吗？

“这句嘲讽让我痛苦到什么地步呢？我立刻告诉他说：‘对，我是孤儿。’”

程榆礼闭着眼，没有见到秦见月眼中的那一点儿戚戚，他笑了下，恍如自嘲，而后又继续轻描淡写说着：“从那天开始我就这样自欺欺人，假装自己是孤儿，装到了小学毕业。大家看我的眼神都在觉得我很惨，时间久了，我反而很享受他们用同情的眼神看我。

“我知道他们只会觉得我是没有，而不是得不到。

“比得不到要好那么一点点，我宁愿我是个孤儿。

“我想让妈妈接我放学，为此我做过一回傻事。一个雷雨天气，我跑到学校的山顶上，我想着如果她不来，我就坐在这儿等着雷劈下来，我要是死了，她总该来吧。

"可是就算我做了这样的荒唐事，我妈妈也没有来。"

秦见月看向他的眼渐渐地垂下，动作轻慢地匍匐在他身前，像是回到雨夜的山峰，拥住他。

末了，程榆礼轻道："我应该是最早学会伪装的小孩。"

他说，后来他逐渐想明白这件事。不管接不接受，我们都得和自身虚伪的那一面共生。这一面只有自己知道，因此也只有自己才能摸索到出口。

程榆礼握着她细细的手腕，温和地邀请："至于什么时候接受，一起修炼。"

秦见月看着他温淡的眼，似懂非懂地点头。修炼，听起来是一件很难办的事。半晌，她又开口问他一个问题："如果现在你回到小时候，你还会假装自己是孤儿吗？"

程榆礼略一思忖，说："不知道。但我应该不会去山上求雷劈了，还想多活几年。"

秦见月笑出声。

"从那以后，得不到的东西就不强求了。别人看来可能觉得我很潇洒，不过是因为我把不甘心都藏了起来。"

原来不强求是因为早知不会事事顺心。

喜欢藏怯，喜欢觊觎。都是凡夫俗子，都是人之常情。

沉吟片刻，二人都没再说话。程榆礼拥住秦见月，贴她近一些，声音也柔和许多："所以，不用给我道歉，去给哥哥道歉。"

秦见月想起秦沣的脸，不由得翻白眼："才不去，他都拽死了。"

程榆礼被逗笑："好，你决定。"

天窗的窗帘被拉下，萤火虫惊得飞走。最后一道自然的光线被隔绝。秦见月雪白的四肢被固住，程榆礼倾身往前，热的氛围都备好。

然而，嘎吱嘎吱，老旧床板摇晃的声音过于夸张。

他苦不堪言："你这个床，一向如此？"

秦见月捂脸："我一个人的时候不这样。"

来回犹豫少顷，想到毕竟家里还有两个家长在。程榆礼无奈躺了回去，语气挫败地说："看来今天不方便。"

因为这样的小事就被中断，秦见月也颇为沮丧，她喃喃说："方便的。"

他扬一下眉："想要？"

"……"

秦见月被程榆礼低头吻住，轻轻抚着她脖颈的那只泛凉的手慢慢碰到她的肩，不动声色地握住她光滑细腻的肩头。

指骨的妙处在于它灵活。春日涧中里的溪水在山脊中流淌。一半是冬寒未褪的冷，一半是暑热将至的暖，冷暖交织，将人送到极致舒适温和的境地。

还是会紧张如初次，过程中听他讲得最多的一句话是"放松，别绷着"。

片刻后，秦见月侧卧在床沿感受浓烈的余温。

光洁的脊背对着程榆礼，他用视线描绘她秀美的蝴蝶骨与缠乱的黑发，纤弱的脊椎轮廓清晰可见，她的耳后被闷出密密汗水。

起伏的体姿趋于平静，秦见月羸弱地睁着眼。

程榆礼本躺着没动，又不免好奇去打量她。轻轻掰过秦见月的肩，她的眼底是一贯的赧意，不肯看他，脑袋埋于被窝。好半天，她声音细若蚊蚋问了句："你要不要？"

他明明听见，故意撩一下被褥，笑问："什么？"

她探出绯红的颊，猜到他的故意，有点儿急眼了："问你要不要呀？"

程榆礼掐着她的下巴，没让她再闷进去："还挺会关心人。"

"礼尚往来而已。"

"原来满足我对你来说就是礼尚往来？"

秦见月歪一下脑袋，埋进枕头里："我不跟你讲绕口令。"

她没动弹，只感受着他的指在勾着她的头发，半晌，听见程榆礼喊她一声："见月。"

秦见月声音变倦："要你就直说。"

后半句话被程榆礼截断在口中，他语气轻淡地说："自信一点儿，你很优秀。"

温温暾暾几个字让她喉咙哽了哽。沉吟少顷，她只能点一点头，无法吭声。吻落在她的眉心，互道晚安。

秦见月有时也觉得生活有许多温情时刻，但好久没有体会过这样独为她一人涌来的温柔。

没有人会耗尽力气，翻山越岭，只为听一句"你很优秀"，秦见月也从不企盼能得到这样一句奢侈的宽慰。

她不期待，就不会落空。

然而当一个习惯被雨浇透的人突然拥有了一把伞，她终于也有了充沛的勇气开始向往他们阳光普照的未来。

秦见月在这个夏夜里慢慢释怀了一件事，她不再反复地追问自己"你真的有资格成为他的妻子吗"。

突如其来的安心让翌日的清晨变得轻盈通透。醒来时，床上只剩她一人。她细听外面的动静，但没有动静。

第一反应，她拿起手机。有两条未读消息。

程榆礼：出差赶早班机，先走一步。跟妈妈说一声。

程榆礼：给你煮了粥。

他是七点发来的消息，眼下八点半。

秦见月迷糊打字：你几点起床的啊？

过了三四分钟，程榆礼回复：五点多。

秦见月不敢置信地揉揉眼睛：这也太早了，怎么不多睡会儿？

程榆礼回道：怕我的新娘饿肚子。

秦见月笑着，放下手机。她下了楼钻进厨房，清晨一抹橙黄色的日光攀在她的身上。掀开热锅的锅盖，见到粥汤上面浮着几颗银耳。

舀粥时，她侧头瞥见悬在窗棂上的一株青草。秦见月捞过来看，是一丛洗净的薄荷，指腹触上去，还能感受到上面沾着些凉水。

窗下的玻璃杯里装着石蜜色的茶水，上面漂着几朵湿津津的白色小花。

端来细看，一股薄荷与茉莉交织的清香浸润清早的厨房。

秦见月听见妈妈唤她的声音，一时没应，看向窗外在暑热里悠闲摇晃的茉莉花，眼里、心里都有一股雾气腾腾的暖。

程榆礼对秦见月交代的往事里，有一部分被他夸大了。譬如最长时间不见父母不是四年，准确来说是三年零八个月。那时候程维先生和谷莺竹女士远在南洋开创事业，程榆礼还在闲适地蹉跎着校园时光，并无异常。

直到某天，夫妻俩听说儿子放弃了他们在海外精挑细选的好学校，选择在国内高校就读，这般忤逆让谷莺竹大动肝火，一通电话打来质问。

程榆礼的回答很简单平静："人生地不熟，不想出去遭罪，在家里什么事都有个照应。"

他的平心静气却换来妈妈的一声谴责："程榆礼你翅膀硬了是吧？！"

没过多久，父母为这事赶回来，对他耳提面命。

程榆礼头一回发觉，原来他作为"儿子"这一重身份也有一定的存在感，而这样紧密的关注只会发生在他为数不多的叛逆时分。

不被注意、不被关怀，只不过因为他的脾性里没有尖锐的部分，他生来平和细腻，太过顺从且按部就班，不需要人多加操心。

直到某一根针刺穿他和父母之间那层妥当安稳的遮罩。

他"翅膀硬了"。谷鸢竹不能接受。

那天在家里，程榆礼静坐着，看着妈妈在眼前踱来踱去，她忙着给他所在的航校各位校领导通话，问能不能把学籍转出来，她说程榆礼要退学。

谷鸢竹想选择最安全的方式替他办理好转学事项，无论如何他不能继续待在这里。

学什么航空技术？做工程师能有什么出息？给人家打工的命！

他得回来继承家业。

最终是实验室的老师出面说："这个孩子很有天赋，我们校方还是想他能留下，希望您能让他自己做出这个决定。材料我们会备好，如果程榆礼答应，叫他周一来签字。"

"叫他周一来签字"这几个字从电话那端传来，谷鸢竹止住了步伐，瞥一眼在悠闲折纸的程榆礼。她走过去一把夺过他手里的纸飞机，摔进垃圾桶："星期一你跟我一起去学校。"

一下子变空荡的手顿在半空，程榆礼抬眸看妈妈，说："如果我说我不会去呢？"

"你没得选。"

煽风点火的还有家里的老爷子程乾，程乾对他的控制欲更甚于他父母。程家上下几口人一脉相承，这个家庭冰冷僵硬得像一个机器盒子。

程榆礼也是头一回意识到，叛逆要付出代价，翅膀硬了要被折断。

他没再执拗，当场明哲保身地应下了。直到约定的前一日，程榆礼搬来救兵。

隐居世外的奶奶出现在程家老宅，这个机器盒子被她拄着的拐头一下一下戳出裂缝。

"我看看谁要为难我孙子！"

这么一嗓子吼下来，程榆礼的困境就轻而易举地解决了。

谷鸢竹生平最怵的人就是这位老太太。沈净繁的身上有不怒自威的气场。毕竟是家里老祖宗，谁敢不让着三分。

由是，这件事被奶奶拦下，母亲的气势衰竭，最终没人敢再吭声。

夜间，程榆礼向奶奶道别。

隔着一堵墙，耳畔是妈妈对爸爸说："老程，我们再生一个吧。"

……

许多年以前的旧事，程榆礼早已没多么放在心上，他很少去遗憾、失落、伤心或是缅怀一些什么，因为既无济于事，也影响生活的效率。

"往前看"这个道理他理解得很透彻，程榆礼不可能做伤春悲秋和活在过去的人。

然而婚礼将至的前一个月，他陡然又梦见妈妈那张气急败坏的脸，还是不免叫人惊骇。

睁开眼，是卧室里亮堂堂的天花板。

摸一摸颈，居然还出了一身汗。

程榆礼已经很久不做噩梦了，这不是很健康的征兆，看来最近要加强运动。

这一些天总是醒得很早，看天色就能判断出大概的时间点。他起床清洗自己，并打扫他的公寓。

程榆礼不排斥做家务，和大多数人的想法不同，他认为这一些事情有助于修身养性。

太多的时间被必要的事情填满。于是做饭、家务、散步或是其他运动，这些可以分散注意力的事能够帮他进入时间有限的思考。

自然，一切都以修身养性为前提，思考也必须是独立安静的。

他穿着一件薄衫，立于厨房水池前，不急不缓地搅着碗里的鸡蛋。手机里放着一支音频，是秦见月唱曲的声音。在这样柔和温婉的腔调里，他的意识从困倦中一点一点恢复过来。

抬眸便看到城市边沿的地平线，这个厨房很方便看日出。东边的空中金星高悬，人们叫它启明星。

程榆礼的手顿了顿。三秒后，鸡蛋被浇进热锅。

不知道国外现在几点，谷鸢竹的电话打来，是回给昨晚没有接到的那通。

程榆礼开口便直奔主题："妈，我结婚了。你和爸有空可以回来参加我的婚礼，定在九月初八。"

"你还知道你有我这个妈？"谷鸢竹阴阳怪气起来，语气变重，责问的口气，"你退了白家的婚，也不跟我们商量？"

他淡淡说："爷爷奶奶知道。"

"你爷爷同意？"

"奶奶同意。"

很闷很漫长的一段沉默。谷鸢竹说："你刚说哪天？"

程榆礼："九月初八。"

谷鸢竹沉闷地应一声："知道了。"

有些隔阂也被时间慢慢冲淡，谷鸢竹上了年纪，不像当年那般和儿子斤斤计较，也是因为上了年纪，身体素质不便于生育。说到底，她还就程榆礼这么一个儿子。她不保证和他闹决裂后，光靠她拥有的那些财富可以助她快活养老。

兜兜转转也是考虑到她自己身上。

挂断电话前，谷鸢竹还是略显关切地问了句："找了个什么样的？比小雪更漂亮？"

半天，程榆礼开口说："比她更合适。"

用完早餐，他打印了一份离职申请，打印机里的纸张咯噔咯噔被推了出来。

他取来细看，发现一个错别字。程榆礼的完美主义犯了，不允许这点儿小瑕疵出现，便点燃火机将纸烧了。灰烬落在水池，被徐徐冲走。

碍于时间紧迫，没有再打。

2

秦见月回到沉云会馆唱曲。此时暮夏时节，天际悬着一朵积雨云。她对镜卸妆，一切如常，又显得一丝异样。

化妆室里静得像没有人，她要通过忐忑地去看镜子才能发现，原来大家都还坐在原位。

一派山雨欲来的诡异。

是陆遥笛先打破平静。她走到见月的跟前，握住她的肩膀，俯身说："见月，这是我给你准备的新婚礼物。我自己编的，祝你们永结同心哦！"

她手心放着一颗赤色的同心结，寓意美好。

"天啊，你的手好巧！"秦见月忍不住惊呼一声，站起来接过这个小巧的礼物，真诚道谢说，"谢谢，我把它挂在戏服上可以吗？"

"当然啦，这么抬举我啊？"陆遥笛笑眯眯地说。

"因为真的很可爱。"

陆遥笛跟秦见月的关系颇为温和，两人一动一静的性子，算是处得来。况且秦见月是个含蓄的人，没那么多不成熟又刺耳的话，也不会叽叽喳喳跟人争执，她温顺又体贴。尽管只有秦见月自己知道，她擅长迁就他人的好相处脾气，是用内在的敏感易碎来换的。惯于顺从别人，却从不放过自己。

总之，在陆遥笛的眼里，她觉得跟秦见月相处很舒服。

因此这件小礼物也算是她正儿八经的一点儿小心意。

而让某些人瞧见了去就不那么顺眼了。花榕约莫是上回让程榆礼气的，脾气又涨了一截："这就急着讨好上了啊？"

"你胡说什么。"南钰扯他胳膊，劝他住嘴。

花榕立刻说道："你演什么演啊？刚不还偷偷给我发消息说秦见月不配吗？"

他这一嗓子两句话，让氛围霎时间胶凝。

其余三个人齐齐愣住，各有各的尴尬。

又是熟悉的这五个字，就像一根无情粗糙的麻绳，尽管已经将她柔软的一颗心拴得麻木，秦见月听见了还是会心口一颤。

她攥着手里那个同心结，拦住了要去跟他辩驳的陆遥笛。

那一点被无条件赋予的底气让她站起来，走到花榕的跟前。秦见月看着他说："有什么想法你就直说，不用藏着掖着。"

花榕冷笑一声："我哪敢说您呢？我这不是说陆遥笛和南钰呢，我哪敢说阔太啊。"

陆遥笛说："你有病吧？少在这儿阴阳怪气！"

南钰的脸色也黑了些。

她不会像花榕那样把想法直率地放在嘴边，也没陆遥笛那么容易释怀秦见月嫁给程榆礼这件事。虽说不上嫉妒眼红，只隐隐会觉得不快。内心想法一朝被人抖落出来，羞耻难免。

"可是我当阔太有你什么关系啊？你未免也太把自己当回事了吧？"秦见月瞅着他，眼神倒有几分无辜清澈。

花榕咬了咬后槽牙："怎么，嫁了人就高人一等了？"

"对。"秦见月点点头，"你是有意见还是羡慕了？"

花榕摔了手里的化妆棉，愤愤起身，正要开口，秦见月又将他的话截住："有意见也少说出来，因为没有人管你是什么想法。"

南钰上前劝架，拉了拉见月："好了见月，你也少说两句。"

毕竟南钰也没当面数落过秦见月，秦见月还是看在她的面子上止了语。

花榕一时没找到回呛的话，好半天才挤出来一句："攀上高枝当凤凰了。"

秦见月立刻道："有的人攀不上高枝，也当不上凤凰，你说气不气人？"

花榕："……"

秦见月的声音很是温暾，吵架也不凌厉，倒是把这个没理的师弟气得半死。

没见过她这副嘴皮子，下一秒孟贞从外面进来，众学生起身迎。她稀奇地说："什么事儿啊这么剑拔弩张的，说出来我听听？"

嘴快的陆遥笛说："就是见月结婚了，有人看不顺眼！"

孟贞冷笑一声："老远就听你们在这儿吵架，有这工夫不去把曲练练，唱的什么东西。"她说完，瞅一眼花榕，"我看你这《霸王别姬》是真不想演了。"

花榕眼一颤："我还能演吗？"

"你真能唱好谁还不让你上台？怕的就是你这花拳绣腿的功夫，谁来都能把你给顶咯。半瓶水成天乱晃。你看看人家见月像你这么嘚瑟吗？"

"……"花榕坐回卸妆台，把凳子挪得哐哐响。

不想再让气氛这样僵持，南钰打了个岔："老师今天来有什么事情吗？"

孟贞说回正事："是这样的。明年春天犬吧，电视台要做个戏曲比赛的节目，我刚才接到通知，这也是比较难得的一个宣传咱们京剧的渠道，虽然目前还不知道会做成什么样，形式内容都不太明确，可能他们内部还没有定下来。但我提前跟你们说一下这个事儿，很大可能是用来宣传推陈出新的，看看有没有好的新剧本子。要是谁有创作的想法可以到这儿来跟我沟通一下。"

说到这儿，她顿了顿，继而吐露几句真心诚意的话："干咱们这行的都不容易，所以我们也要尽可能地把握一些机会。不是说为了抛头露面，也不是说为了自己走得更长远，而是吸引更多的人来欣赏我们的戏曲。能够被欣赏就是我们最大的成功。"

秦见月听得很感慨，重重点了点头。

花榕见缝插针地奚落人："啊？这么好的机会，阔太肯定不需要了吧！让给我们这些攀不上高枝儿的呗！"

孟贞捶了捶他的脑袋："就你这德性，你能攀上谁？丢不丢人！"

秦见月憋着笑。

她不想在此多待，赶忙收拾好自己的东西，心情颇好地跟着孟老师下了楼。

今天没跟馆里的车走，秦见月叫了辆快车，下楼就见司机在等候，她匆匆开门钻进去。

秦见月抚着尚有余悸的心口，半响，决定给程榆礼打个电话，开口，声音颤颤的，跟他汇报："我我、我刚才跟人吵架了。"

程榆礼语调懒散："嗯？"

"有个同事讲我的坏话，我就上去冲了他两句。"

他轻轻地笑一声："挺能的这不是。"

"哎呀，到现在还有点儿紧张。"秦见月弯着唇角看外面的树影，少顷又低头打开打车软件，看着目的地是自家的兰楼街，手指悬在修改目的地那一栏，久久没按下去，问他一声，"阿礼，我可以抱抱你吗？"

沉吟片刻，他说："想我？"

"想。"

"那你先让司机停车。"

"啊？"秦见月愣了一秒，赶忙抬眼看后视镜。

果不其然，一辆眼熟的迈巴赫跟在后头。

心跳如擂，秦见月紧急挂了电话，在中途下了车，她迫不及待地钻进停在后面的车。

开车的人是阿宾，程榆礼穿了件黑色的衬衣，像是刚结束他的会议行程般懒倦，在后边坐姿慵惰，含笑等她。

秦见月落座。

他轻嘲一句："这是激动得连你老公都看不到了？"

她捂着脸说："不是，我压根儿没看见你的车停在哪儿。"

怪她刚才下来得很着急。

程榆礼温柔注视她："怎么吵的，仔细说说。"

秦见月便逐字逐句地将事情经过告诉他。

他问："第一次跟人吵架？"

她点头："第一次。"

程榆礼神情微妙："真的？"

秦见月不解他为什么要这么问，笃定点头说："是的啊。"

他便浅浅一点头，不再对这件事发表什么意见。他从衬衣上面的小口袋里取出一张照片，夹在指尖递过去给她："说到做到，还你一张。"

她没看照片时，都忘了他在说什么"说到做到"。

原来是程榆礼的幼年照。看到这张俊脸，她才恍然记起他那时说用别的照片换他们的合照这回事。

"你跟钟杨的合照？你有没有问过他的意见啊？"秦见月有点儿蒙地看照片。

他微微笑说："他敢有意见吗？"

照片上，两个十岁上下的小男孩在冰封的湖面上，钟杨穿着他家里人的将校呢大衣，手缠着缩在袖里，被宽大衣服裹得看不见四肢，整个人一副没睡醒样子。

程榆礼看起来精神些，他身上穿的是普通羽绒服，年长两岁的他身躯要挺拔健壮许多。两人表情都被冻得有点儿麻木，但程榆礼眼中还有微弱笑意。如凛冬与早春之间，冰雪消融的严寒季节里，那段难挨又让人充满希冀的时光。

"为什么是这张？"

毕竟也是朋友合照，这样拱手让人，未免太大方。

程榆礼捏住相片，指着在角落的天空里的一颗星。

秦见月凑近去看，不仔细看不到，一看到便就挪不开眼。银装素裹的敞亮大地上，它是最平凡渺小，也是最耀眼的一道光辉。

他说："送你一颗启明星。"

3

程榆礼今天接秦见月去看他们的新房。

夏日昼长，彼时落日余晖未散，良夜将至。新房地点在侧舟山的山脚，抵达时夜空已然星辉密布，秦见月被程榆礼牵着走在潮湿的绿意之中。

临近立秋，山下泛冷，秦见月裸露的脚踝沾上几滴攒在叶片上的露珠。

她说："这里很适合避暑。"

程榆礼说："冬暖夏凉，一年四季都宜居。"

"开发商都是说好话，谁知道是不是真的。"

"我有判断，钱又不是白花的。"他莞尔道，满眼慧黠。

秦见月看着他们握在一起的手，她的头发长到贴在他的小臂上，细腻的发梢浅扫过男人筋脉交错的体肤，带着一点儿润物细无声的柔。

被扫荡的痒意让他不禁敛眸看她。浓黑的发衬得却是一张冬雪般干净白皙的脸，眉是天生的柳叶，眼是纯美的花瓣。他喜欢她的嘴唇，饱满而光润，浅粉色泽，咬上去像是在尝蜜桃味的果冻。微微抿起时浮出心底的不安，此时适合柔和地轻吻，安抚她的怯懦。

男人有时也会心猿意马。

秦见月还在观察小道两边鹅卵石的精美色泽，抬眼撞上他的凝视。

"看我干什么？"她摸摸脸，以为哪里异常。

程榆礼但笑不语，片刻便止住脚步："到了。"

秦见月看着眼前这道庄严的中式合院的户门，门前有两尊抱鼓石。她不敢置信地抠抠脸颊。跟着他往里面走，院落宽敞。在碧色天际之下，青葱的山脉做陪衬。

"程榆礼，你这是买了一个园林吗？"秦见月吃惊地望着眼前诗情画意的合院景象，又不禁看向他。

他噙着笑："你不喜欢？"

"不是，你真的比我想象的还有钱。"

秦见月迈步逛了起来。园林的底色是素净的灰白，格调古典雅致。别墅是两层的，青砖黛瓦，飞檐翘角，淡雅而含蓄。

"三十岁的时候在这里看看花。"他指着前方不规则的莲花池，秦见月看过去，里面还浮着几片幽绿的叶。

"五十岁的时候在这里喝茶。"程榆礼又敲了敲茶室的桌角，她寻声望去。

"六十岁在书房练练画。"推门进去，偌大的禅意书房，金丝楠木的桌椅陈在中央。程榆礼走过去悠哉地坐下，若有所思地望着秦见月，"九十岁……九十岁干什么呢？"

她扑哧一笑，跟过去："你还想活到九十？"

程榆礼淡淡笑着，长臂一揽，将她搂到自己腿上，戏谑地说："在找延年益寿的法子呢，非得活到九十不可。"

落地窗外，一片阴云飘来，方才的碧空变得黑压压。想必又要迎来一个暴风骤雨的夜。

秦见月搂着程榆礼的肩，笑着说："那我活到八十八。"

墙外一棵枝叶高悬的青松落入她的余光，这一瞬间好像能让人一眼看到暮年。

"看你身后。"程榆礼道。

秦见月扭头望去。在书柜的一旁墙角，竟然悬挂着一张大幅的水墨画。画上是一个穿着戏服的京剧美人，仔细看，扮相还是他错过的王昭君。那一张小小的礼品终究被他记挂在心上，替她补全。

她心下感动，却又笑着揶揄说："怎么那么闲啊你，天天画画。"

他微笑："说要给你的，一份儿都不能少。"

程榆礼望着她纤白的脖颈，离他的唇畔不过二三寸，窗棂的倒影落在她的锁骨之上，摇曳着粼粼的光斑。他喉头微涩，想到一句古语：花看水影，竹看月影，美人看帘影。

待见月转过头来，他沉声问一句："满不满意这个家？"

"当然！"她有什么资格不满意。

程榆礼放松一笑："收房。"

一串钥匙被塞进秦见月的手中。

"保管好，女主人。"

惊喜当然需要吻来偿还。

秦见月揣起钥匙，凑过去碰了碰他的薄唇，下一秒被程榆礼撬开唇齿。

无论多少次，她跟他接吻还是会脸红，还是会舍不得闭眼睛。两人在小小的椅子上面，极尽缠绵。

芭蕉被冲下来的雨水打湿，到后面，秦见月就亲得有点儿没有章法了。

唇齿磕碰，程榆礼握着她的肩，稍稍推开她一些，才发现她眼角泛红，泪汪汪的样子。

他失笑："怎么了？"

秦见月害羞地摇头，垂眸说："有一点儿感动。"

简单地用手指替她擦一擦泪，程榆礼打趣道："这么容易感动，小哭包。"

秦见月也赶忙擦擦泪，转移话题问他："对了，找那天听到一个消息，白雪是不是去找你了啊？"

忽然想到这个，这事儿还是齐羽恬告诉她的，也不知道她从哪里弯弯绕绕知道这八卦。最终传到秦见月的耳朵里，她半分吃惊，半分失落，犹豫再三还是不打算藏着掖着，以免互生嫌隙，决心当面问问他。

程榆礼应道："她不是找我，是找到程家去了。"

他还是上着班的时候听到这个消息，知道家里人都在，但这娄子是他捅的，也不能总躲在后边当缩头乌龟，就立马赶回去，打算当着白雪的面跟她恳切解释一下。

没料到一进门就听见那大小姐在口出狂言："你们程家找什么人不好，就找个草台班子唱戏的，简直就是在羞辱人！"

程榆礼一只脚才踏进门槛，就望见白雪端着手臂在那儿嚷嚷。

本来打算好好跟她谈一谈，程榆礼听见这话哪能冷静，他几步踏到白雪跟前，盯着她那双滴溜溜的眼睛。

他还是那副不急不缓的慵懒语气，字字句句却都是刺："退您的婚是我对不住您，但是饭可以乱吃，话不能乱讲，您怎么挤对我我没意见，至于我太太和她的职业，这不是什么人的嘴都配评价的。"

程榆礼一向待人温厚有礼，眼里难得表现出一丝怒极的冰冷。

听得程乾都连声斥他："程榆礼，你说什么呢？没教养的东西！"

程榆礼置若罔闻，居高临下地看着白雪："白小姐，我奉劝一句，要撒野去别处。这是我程家的地盘，您要还在这儿赖着不走——"

他回头看一眼家中阿姨，扬眉示意："梅姨，撵一下吧。"

白雪放下抱起的手臂，气得面红耳赤，甩着她的包就气急败坏地撤了。

白雪和夏霁有一点相似，但也不全然相同。白雪是娇，夏霁是媚。两人一个直肠子，一个还会稍微掩饰掩饰。

但那股凌厉的劲儿都掐着人脖子似的，每秒钟都觉得窒息。

总之都不是什么省油的灯。

想来想去，还是怀里这个省心。

到今天想起这回事，太阳穴还在突突地跳，程榆礼轻轻按了按额角。

他宽慰秦见月，简单道："处理好了，今后不会再来了。"

"你是不是为了我得罪了很多人啊？"

程榆礼说道："不重要的人得罪就得罪了，别放心上。"

秦见月若有所思点头。

闪电的光落在她的身上，程榆礼借着这点亮轻轻地替她擦了擦唇角的水渍，意味深长笑了下："真到了九十岁，最后一口气也得留着亲我老伴儿。"

秦见月抱住他，下巴磕在他的肩膀上。

她慢吞吞地想，他是不是真的这样规划过他们的未来呢？

有些事情她可以当面问清楚，有些事情还是只能靠猜。

但无论如何，最起码此刻他的怀抱是暖的。

翌日，秦见月回到家里，想了很久要把他送的启明星放在哪里。犹豫不决间，听闻外边有动静，咚咚咚，门被敲响。

秦见月急忙把照片往日记本里一嵌，秦漪进门不会等她通知，她的动作刚落，门便被推开。

"怎么了？"秦见月问她。

秦漪给她送来一点儿洗净的荔枝，放在桌上："昨天去看房了？"

秦见月点头："嗯。"

"怎么样？"秦漪习惯性替秦见月整了整被单，而后在床沿坐下，是要和她长谈的意思。

一时之间，秦见月不知道要怎么评价她今日的心情，只浅浅答了一句："挺好的，在侧舟山。等办完婚礼你和我们一起搬过去住吧。"

"嘻，我去凑你小夫妻俩的热闹呢。"秦漪摆摆手。

秦见月想说，房子真的很大，你未必凑上我们的热闹，又找不到形容的措辞，便没再吭声。

"妈妈这几天想通了。之前跟你说那些话别往心里去。"

秦见月剥荔枝的手指顿住，动作变缓，那一道甜津津的黏稠汁水流入她的指缝。

秦漪继续说："但是不管怎么说，我都是为了你好，怕你受委屈，还是希望你嫁个好人家。我是担心你嫁过去，这不对付那不对付，又跑回来跟我哭。这种事儿啊我见多了。

"上回见过小程，我才稍稍放下点心。他看着还算靠谱，虽然不知道他们家里怎么样。他要是能一直护着你，也算是你的福气。"

秦见月不吭声地继续剥荔枝，果肉被挤到嘴里，甜，却又不那么甜。

"人家都说，嫁出去的女儿泼出去的水，以后就是婆家的人了，去了好好伺候公婆。别吵架闹事。"

用湿巾拭了拭指，秦见月鼻尖泛酸。不知为的母亲这番掏心的话，为的母女分别，抑或是为了她们的意识从不在一样的轨迹上。

"嗯？听见没？"秦漪见女儿不吭声，拍了拍秦见月的手臂。

她擦一擦唇角，不情不愿地应："嗯。"

"还有，"秦漪指着见月桌上的一瓶汽水，"以后这种东西少喝，凉的不许吃，当心孩子怀不上。"

这话刺耳，秦见月急躁地回："怀什么孩子，我还要唱戏呢。"

"话不能这么说。"秦漪安抚地拍的肩膀，"程家也不是一般家庭，说少了也得让你生两三个，你既然选择嫁过去，就得有这方面的意识。唱戏是唱戏，但你还是得以家庭为重，别人给你好的生活条件，你就得回馈过去什么。"

"那你的意思是，我以后就只能待在家里相夫教子吗？"

"我可没这么说，唱不唱戏取决于你自己喜不喜欢，但是你得分清主次。"

秦见月不平道："可是你当年嫁给爸爸，也没有因为他荒废了事业啊。"

"是啊，我没有。"秦漪坦诚道，"但你爸爸那时候什么条件，我能因为嫁给他就不工作吗？我要是不接着唱，咱们全家等着去喝西北风吗？"

他们结婚结得早，江淮刚从外交学院毕业的那年，秦漪便一头热下嫁给他，次年秦见月出生。人说贫贱夫妻百事哀，但起码秦见月算是爱情的结晶，基于爱的贫贱依偎，在争吵过后，也总能浮出一点儿萤火的温情。

那几年很艰难，秦漪没有放过任何一次和秦见月吐苦水的机会。

秦见月自然知道。

后来爸爸事业有成，妈妈也确实秉承了相夫教子的理念，恪守妇道，为女儿丈夫操劳。妈妈觉得幸福，因为这就是她的人生追求。

再后来便是到了家庭的低谷时期，妈妈不得不重新工作，而她告别舞台已经好些年头，再加上腿脚不便，登台已成奢望。她便经人介绍在一所戏曲学校做了外聘老师。

秦漪又感念一番往事，说道："但你现在不一样啊。我说句你不爱听的，小程的这个能力，养你一个老婆还不够吗？你这辈子吃喝都不用愁了，还上什么班？"

秦见月心中不快，她自知和妈妈观念不合，无法沟通，便岔开话题道："我要睡了，你出去吧。"

"你看你看，我一说你就这样。妈这是教你做人的道理呢。"

"知道了，我听见了。你快出去吧！"

秦见月说着，等不及把她妈轰走了。

终于等到九月初八。

这场婚礼办得比程榆礼意想之中要简单很多，是秦见月的意思。太夸张的场面会让她拘束，况且程家的势力在，多少双眼睛盯着，多少闲话又要传出去，只是揣测着那些风言风语，她心里也难免打怵。

避免争端，二人最终决定只请关系比较亲近的亲朋好友吃个饭。

删繁就简的婚宴，她穿一身浓郁的红色旗袍，盘起长发。化妆团队是齐羽恬特地帮她找来的时尚圈的大佬，山清水秀的妆容，配着诗情画意的一张脸。

秦见月的气质很古典很东方，这身旗袍相当适合她。程榆礼本想着这么打扮会不会过于朴素，好歹他也承诺了人家要明媒正娶，不办得像模像样一点儿都问心有愧。

待他见到妆室里那位婷婷袅袅的美人走出来，一切顾虑都打消，他倚在门上细看着，有半分钟没说出话来。

秦见月当哪里不好看，问他："是不是妆有点儿奇怪？"

程榆礼微微一扬眉，淡道："不奇怪。"他说着，便伸手搂住她的腰往外面走。

在廊上碰到来人，程榆礼手掌微微合了合，秦见月腰间一紧。

"我妈。"他低声说。

秦见月立马清清嗓子，糯糯喊了声："妈妈。"

"……"对方手里攥着手机，头也没抬一下。

"妈。"直到程榆礼出声，跟终于抬起头来看向他们的女人介绍一声，"我媳妇儿。"

"哦！见月是吧？"谷鸢竹往后一退，上下打量，"看着挺机灵的。"

"……"秦见月笑得肌肉都僵了僵。好一个"机灵"，哪个字跟她是沾边的？

谷鸢竹揣回去手机，这才挪眼认真看了看，还算客气地笑说："唱曲儿的？这身段真好，嗓子也好听。"

总算是夸了两句真心实意的。

"谢谢妈。"

秦见月身前的女人，和她个头一般高，穿金戴银，把华贵写了满身。而秦见月心里发怵，就总觉得低人一等，因而头始终低低的。

程家尽管众怒于程榆礼私订终身这回事，但好歹也是个名门大户，都是懂得规矩和清理的，婚宴这种好日子不能叫谁难堪，众人还是笑脸相待，氛围融洽。

父母也只来了一个，程榆礼的爸爸程维一向很少出席这种场合，即便是儿子的婚礼，他比谷鸢竹还要严肃。

沈净繁跟程乾也来了，老两口出双入对的，穿得还挺喜庆。沈净繁叫见月上去唱两句，被程榆礼拦下了。他是好心，生怕秦见月不乐意或者不好意思。

秦见月说："没事的，反正大家都是一家人嘛。"她求助地看着秦漪，"跟妈妈一起唱好不好？"

秦漪笑着，起身说："哎哟这孩子，还难为情呢。"

京剧比起别的剧种要磅礴一些，里头没那么多情情爱爱，挑不出适合在婚礼登台的曲子。今天便唱了段黄梅戏，家喻户晓的那一支"树上的鸟儿成双对"。

"这曲儿得叫新郎上去唱啊。"中途响起这么一道起哄的声音，有人蹬了一下程榆礼的凳子。

程榆礼今天又破例喝了点儿酒，身子散漫地侧在桌沿，笑着瞥对方一眼，懒洋洋开口道："少埋汰我。"

他就喜欢这么静静坐在底下，倚在椅子上，看着她在台上唱，这一刻，全舞台的光都是为她打的。

婚宴结束后，程榆礼忙着送客晚了些，夜里回到他们的新房，进门就见厨房灯亮着。他是提前叫人把秦见月送回来的，彼时她正觉得酒多口渴，翻箱倒柜找饮料。

"我说家里吃的怎么越来越少，原来是在眼皮子底下养了只小老鼠。"

男人倚在门边，手插兜里，似笑非笑地望着她。

在喝酒之后这人显得就没那么正派，也是今儿大喜日子多几分喜庆。整个人一副散漫姿态杵在那儿，一脸调戏的笑意，隐隐显出些京圈纨绔子弟的顽劣本性。

突如其来的一道声音让秦见月吓得急忙起身："你才小老——"话音未落，脑袋一下磕在冰箱上层未合上的门上。

"嗷。"好痛！

秦见月痛苦地揉着吃痛的地方，眼泪都在眼眶里打转。

程榆礼吓得忙伸手抱着她，揉着脑袋，笑着哄："怪我怪我。"

秦见月噘着嘴巴，捶他胸口一下。她两颊泛着粉，三分醉态，比往日更为诱人。

程榆礼不由分说地将她打横抱起。

"你抱我干什么？"秦见月晕晕乎乎的。

"这不是撞着了，怕你走不了路。"

"啊？"她蒙了，"撞的是头不是腿。"

他义正词严："撞到头容易摸不清方向，更严重。"

他转身出了厨房，往楼上卧室去。

"没有吧。没那么夸张。"秦见月摸摸撞疼的地方。

半晌，程榆礼无奈一笑，盯着她喝到混沌的眼："没理由我就不能抱抱你了？"

秦见月鼓了鼓嘴巴，不再吭声，将脸埋在他的胸前，一副任由处置的小羊姿态。

很快，一身红火的新娘被撂在火红的床上。他从身后拥过来，秦见月霎时间整个人被箍住，动弹不得，瘦削脊背隔着他的衬衣贴住男人结实的胸口。

程榆礼紧拥住她，又腾出一只手来。

秦见月推他的手腕，声音变隐忍："不要这样子。"

程榆礼看着她闪躲的眼："难受？"

"不是。"秦见月脸红得都快熟了。

解开她的领子，他声音哑了些，带点困惑："怎么没穿我给你买的？"

"太、太奇怪了。"

"是吗？"程榆礼弯一弯唇，"行，今天就饶了你。"

第九章 / 八年恋慕

少女的心事是孤岛。

1

程榆礼照旧起床比秦见月早，秦见月醒来在陌生的卧室，一时不知今夕何夕，她定睛细看在搁置在床前为她备好的干净睡衣，缓缓坐起。

程榆礼在楼下坐着，穿一身休闲的衣裤，像一位秋日赋闲的居士。他正俯身往案上的一鼎香炉里嵌入一炷倒流香。翩若游龙的烟尘袅袅下坠，一缕缕灌满这鼎小山形状的香炉。

清淡的香味涌入秦见月的鼻息，眼里是腾云驾雾的仙气之美。

听到脚步声，他抬眼望来。

秦见月头一次喝这么多酒，嗓子沙了些："我有点儿口渴。"说罢就往厨房去。

身后是他的淡声提醒——"不要去冰箱找，这儿有热的。"

秦见月脚步一滞，恍然记起妈妈那句"凉的不许吃，当心孩子怀不上"，并不知道程榆礼是什么样的意图，但犹豫这片刻，新婚的第一天早上，她突然就为他们是否有对等的婚姻观念而担心。

然而，她还是听从了他的话。

为她倒好的热水已经变温，秦见月站着咕噜咕噜灌了几口水。

"这个味道好不好闻？"程榆礼问她。

"有点儿像那个，大雄宝殿的。但没有那么浓。"

被她这个形容逗笑，他说："是檀香。"

她忍不住评价说："好精致啊。"

秦见月见过有一些男人追求表面亮眼，维持着假模假样的帅气，穿干净的球鞋和 T 恤，一进到他家里却好像进了狗窝。

而程榆礼的干净是自内向外，真实流露的。

男孩子的帅气可以靠五官和打扮来撑，但一个男人的谈吐和气质是装不出来的。

他有自己的一套生活品质，所谓的洁癖也是用来规整自我，并不对别人有刁钻的苛责。

程榆礼将小山香炉放进客厅里的壁龛。蒸腾的雾气似乎让那堵墙活了起来。

秦见月继续喝她的水，无意看到桌上摆着一副框架眼镜，好奇问："你戴眼镜？"

他说："右眼有一点儿度数，雨天开车会戴。"

她把眼镜拿起来递给他，请求说："戴给我看一看好不好？"

程榆礼大方地接过去。

明明不过是一副很普通的黑框眼镜，他将镜框推上鼻梁，眼镜瞬间就变得高档了起来。

秦见月看着他不由出神，端着那杯温白开，久久凝视。

有一段时间，程榆礼的位置在教室最角落的窗户边，看黑板做题的时候他会戴上眼镜。秦见月有幸见过几次，她在楼下抬头看着他的教室窗口，只要窗帘不合上，她就能贪恋地看他一会儿。

至今还记得，那时他戴是一副银色边框的眼镜。

戴不戴眼镜，样貌都没有太大变化，因为程榆礼的长相本就是清秀斯文的，眼镜也很适合他。

相处的这段时日，她已经很少再从程榆礼的身上看到过去。她认识到的是一个崭新的温润男人，不仅仅只是那个眼神淡漠的少年。

但难免还是会有一些瞬间，让眼前的男人再一次和那个少年的侧影重叠上。

程榆礼失笑："你这是什么眼神？"

秦见月脱口而出："就是想起以前——"一瞬间，她意识到自己失言，忙住了口，脸颊泛红。

"以前？"程榆礼饶有兴趣抓住她的言辞，"以前就认识我？"

秦见月躲开视线："不是，只是听说过，你还挺有名的。"

"听说过。"他浅浅笑着，点头，"嗯。"

眼镜被取下，放回去。他意味深长说道："也听说过我戴眼镜？"

"……"完了，圆不上了。

秦见月忙岔开话题："我今天有空，把家里东西搬过来吧。"

她在兰楼街还有很多行李没搬。程榆礼的意思是可以买新的，他认为适当更换家中物件能够保证生活品质。但是秦见月是个念旧的人，在这方面并不苟同。

"好。"

"嗯。"秦见月埋着头要往前走。

程榆礼却稍稍挪步，挡住了她的去路，有点儿恶作剧似的行为。

她不解地问："你想说什么？"

沉默片刻，他注视她，不怀好意开口说道："我在想，我好像还没有问出你的那位学长叫什么。"

秦见月抓了抓头发，局促地说了一句："……你不认识的。"

他轻哂一声："还没说就知道我不认识了？"

并不想露出任何一点儿从前的蛛丝马迹，打算躲开他的追问，秦见月胡乱地扯了个谎："姓张。"

程榆礼闻言，煞有介事地低头思考起来："姓张？三中有姓张的帅哥吗？"

"……"

"张叙辰？"

"你不要乱猜，我不会说的。"

他不依不饶地堵着她的路，躬下身子看她的眼睛，问："喜欢多久了？"

秦见月很坚持："都说了不要再说这个了。"

程榆礼说："你别告诉我，到现在还念念不忘。"

她总算有点儿着急了："程榆礼，你咄咄逼人。"

他笑起来，揉揉她的头发："不好意思，我有点儿八卦。"

"停止你的八卦。"她皱着眉。

"好好好，不说了。"程榆礼放下那点儿好奇，用指腹搓了搓她拧起的眉心，没再戏弄她，而后指着外面的花园说，"今天有人来给你送东西，出去看看？"

"嗯？"秦见月还挺好奇，"给我送东西？什么啊？"

她一边说一边往外面走，赫然看到一辆粉色的超跑停在外面。

"店员开过来的，说是——"程榆礼倚在门边回忆一番，把对方的话复述给她，"内娱第一萌妹的礼物。"

秦见月一脸复杂："好吧，是我朋友。"

她万万没想到齐羽恬竟然出手这么大方。

因为一直在外地拍戏，昨天婚礼给她请过去几个化妆师，齐羽恬本人却没到场，晚上有给秦见月发消息。但秦见月那时忙着恩爱，也没有回复上。

她看着这辆车，感慨万千。

也不知道大家怎么都不约而同爱送她车呢？她真的不喜欢开车。

遥想当年在学校一起为了省零花钱，紧巴地吃泡面的日子，短短几年便已经一去不复返了。

起码对齐羽恬来说，是时过境迁。她现在可以豪爽地送见月一辆车，但秦见月却无法回赠。有一些距离早在人生的岔路口就不知不觉被拉开。

秦漪对她说：小程都这么能挣钱了，足够养你一个老婆。

可她很清楚，程榆礼的富裕并不属于她，也不能够成为她炫耀的资本。

还是唏嘘。

秦见月给齐羽恬发消息：太贵重了啊，还不起。／苦涩／苦涩

齐羽恬：谁要你还了？

齐羽恬：我结婚的时候你来给我演几个节目就好。／耶／耶／耶

秦见月笑着，心头一暖。她回：嗯。

这天，秦见月回到家中整理书桌，顺走了一些日用品，堆放了十多年书的桌子就这样被清空了。从未见过它如此干净，异常的面貌看起来还有几分不习惯。

空荡的桌面上最终只摆着一个牛皮封面的本子。

不难看出，它早已泛黄褶皱。秦见月就这么看着她这个高中时期的日记本，反复地在带走它和留下它之间迟疑不决。

她翻开到最后一页，没再去读那些密密的文字，只看到角落里的页数。

Page129。

她习惯一页只写一篇日记，129篇日记，全都是第二人称。

就像129封没有寄出的情书。

"好了没？还有东西吗？"楼下搬家公司的大叔突然吼了一声。

秦见月从深不见底的回忆里抽身，把日记本揣在包里："来了来了！"

最终出于担心秦漪或者秦沣随意进出她的房间，秦见月还是把日记带走了，和它习惯性放置在一起的，是那本被她翻来覆去读了三四遍的《洛阳伽蓝记》。

到了新家，秦见月特地找来梯子，将日记本塞到了书柜的最上面一层。她舍不得丢弃，但也决心不会再看。

他们有值得期待的更灿烂的未来，她终于慢慢接受过去已被定格在那一年的 6 月 2 日。

那一天是一道分水岭，在山岭的后面藏着一个不为人知的秦见月，为她注定被人潮吞没的宿命唱着最后的挽歌。

少女的心事是孤岛，岛上的她捧着孤寂凋零的爱意，在不见天日的漫长时光里，连同她雨打风吹的青春，被海水无声无息地吞没。

没有人会知道它的存在与葬送。

站在梯子上，将本子嵌在书柜的最里层，紧紧贴墙。秦见月就这样抬着手，许久没有动弹，直到手臂都变得僵硬。

"啪嗒！"另一只手上的书掉在地上。

秦见月慢慢往下面爬。

一道身影已经先她一步折下，拾起书本。

"怎么还看这个？"程榆礼也是有点儿不客气地就翻了起来，几眼瞄过去，很晦涩的文字，"看得懂？"

"多看几遍就懂了。"她将书夺过去。

因为这本书，又想起另一件被虚荣心挑起的荒唐事——

晚自习结束之后，她为了跟上从上面楼层下来的程榆礼，拉着齐羽恬一路小跑。

放学人多，她们被堵在楼梯转角。上了一天课，眼含倦意的少年从楼下迈步下来，步伐懒倦。

秦见月见势插入队伍中，顺利地"贴"在了他的身后，抱在手里的书却不小心掉在地上。

齐羽恬帮她捡起，并好奇地问道："什么书啊？洛阳什么记？这字读什么？讲什么的？"

秦见月掀起眼皮看着他纤白洁净的后颈，还有柔软的黑发。

"就是，从前在洛阳有个寺庙叫伽蓝寺，讲的就是和这个佛寺有关的一些知识。"在略显嘈杂的楼道里，秦见月字正腔圆，稍稍提高声音讲完这一句话。

偶尔，也会在他跟前发生，这样十分刻意的表演和卖弄。

人对陌生人如何产生兴趣？条件之一，是那位陌生人有和自己趣味相投的一部分。

下一秒，秦见月得到齐羽恬的夸赞："哇，这听起来好厉害，怪不得你语文能考一百四五十分。"

突如其来的夸赞又为她提高了一点儿"回头率"。

然而，不要说回头，程榆礼连步子都没顿下来半分。

他是……真的没有听见吗？

终于到一楼，走到广场，人潮散开。

程榆礼步伐走得越发匆匆，很快就消失在这片滚滚流动的少年身影之中。

秦见月的卖弄失败了。

说不上失望，意料之中的被忽视已经让她习以为常。

而程榆礼此刻却看着她轻轻一笑，间接地告诉了她"实情"。他声音轻淡，语调倒有点儿佩服的意思——"以前替我们班班长买过这个，没想到你居然也喜欢读。应该让你跟他交流交流。"

秦见月愣了愣，一下成了哑巴。

最终忍不住苦笑了一声，笑她一厢情愿的徒劳。

"是吗？"

秦见月又跟着程榆礼去见了一次奶奶，是沈净繁很想见她，喜欢听她唱曲儿。不过这回倒不是在沈净繁那低调奢华的四合院，沈净繁去了一趟青隐寺做义工，晚上又叫程榆礼去庙里接她们。

祖孙三个人到外面用餐。

沈净繁是个好相处的人，她不像谷鸢竹那样面子上装着假随和，反而人很直率，因此喜欢就是真的喜欢，不喜欢也不会藏着掖着。

秦见月喜欢和她聊天："奶奶您在庙里做义工多久了？"

"早得很，我年轻时候就皈依了，到现在少说也有四五十年了。"

沈净繁是个一开口唠就停不下来的。在菜馆里，她衔着一口糕点，含糊地说："那时候庙里头香火倒是没这么好，特别是咱们这一带，没有南方那么热衷拜菩萨，道场都在南边。也就是这两年开始人多了些，平日里也忙。"

秦见月似懂非懂地点头，悄悄牵了牵程榆礼的袖子："皈依是什么意思？"

程榆礼尚未开口，老太太抢在前面解释："皈依佛门啊，皈依。"

秦见月一惊，又悄悄跟程榆礼说："那怎么办，我刚刚点了肉。"

他憋不住笑："没听过一句话吗？酒肉穿肠过，佛祖心中留。"

说时迟那时快，一筷子鸭掌被夹进嘴里，沈净繁竖着大拇指赞叹："这芥末鸭掌，够地道。"

程榆礼也抬起手，一筷子夹到见月的碗里。她咬进鸭掌，呛得差点儿一口气没喘过来。

身体在和入侵的食物做斗争。

沈净繁的声音再次传来："我记得从前咱们总来这家吃，老菜馆儿了，这老板跟我可熟。"

程榆礼微笑说："您记性倒是好，我怎么不记得了？"

"你怎么不记得了？"沈净繁"嗬"了一声，"你那会儿多小啊，跟小杨、小九在这胡同里撒丫子乱跑。踢什么破球把人家玻璃给打碎了，大半夜的上咱家门儿讨说法，你爷爷让你给气得大半夜上医院，你不记得了？"

程榆礼是真没印象，失笑说："那球指定不是我踢出去的，八成是让钟杨那家伙给嫁祸了。"

沈净繁也笑眯眯："我寻思也是，他是挺没规矩。"

程榆礼想了想，忽地问一句："小九是谁？"

沈净繁"啧"了一声："怎么连小九也不记得了？夏叔叔他闺女，高三跟你一个班来着，后来出国了，没印象了？"

程榆礼若有所思地点头："您不提我都快忘了，她还有这么个诨名儿。"

"是啊，那时候还说给你俩定个娃娃亲来着。这么一算，你爷爷给你找的亲家也够多的。"

秦见月总算嚼完了鸭掌，她拿着纸巾擦着被芥末催出的滚滚热泪。

沈净繁话说一半，才意识到什么，拍了下自己的嘴巴："嘿哟我这嘴，瞎说什么呢，净在这儿哪壶不开提哪壶呢。姑娘你别介意。"

秦见月勉力微笑："没事的。"

程榆礼一边帮她倒水，一边问沈净繁："夏叔叔这几年怎么样了？"

"他呀，这话问你爸妈了。我能关心这些事儿？"

沈净繁说着，又意犹未尽夹一只鸭掌啃了起来："我只知道他闺女回来了。你要是碰上了就跟人打个招呼，怎么说也是小时候穿一条裤子长大的，有的时候人这情分还得自个儿主动去联络，说断就断怪可惜的。"

"嗯。"程榆礼淡淡应，"知道了。"

再后来的话题就回到秦见月身上，她便漫不经心地扯了几句。

2

墨菲定律，越怕出事，越会出事。

有时候你越忌惮什么东西，它偏偏就会猝不及防地出现，扼住你的咽喉。

和奶奶吃完饭，约莫半个月以后的某天，程榆礼下了班说带秦见月去逛逛超市，买些生活用品。

那天她休假，正好在手机上刷着做菜小视频，忙应道："好啊！"

秦见月在备忘录里记录下她需要购买的食材，下厨的欲望强烈，她逛得心潮澎湃。

程榆礼是负责帮忙提东西来的，也不知道她要买些什么，走在各种为抢折扣菜的大爷大妈之间，他的存在和超市氛围不大相符。

但程榆礼本就没什么架子，好脾气地跟随她各种走动。

"我去买点儿牛奶。"他忽然想起什么，指了指旁边的冰柜。

"好，分头行动。"秦见月走到蔬菜货架这边。

她挑了点儿菌菇、青菜、茄子，又去称了一点儿肉类和鱼类，很快拎着满满一大袋东西，过去找他。

程榆礼挑东西很慢，毕竟是个追求生活质量的人，他需要挨个端起来看牛奶的生产日期。一定要是当天新鲜的才能入他法眼，于是就这么一整个货架都被看过去，仍然没有挑到中意的。

一股浓烈的香水味冲进鼻腔，余光里是一个披散着扎眼的粉色头发的高挑女孩。挨得有点儿紧，程榆礼以为他是挡了人家的路，侧身要让。

一抬眼发现夏霁正笑眯眯看着他——"我都杵这儿两分钟了，你愣是没看我一眼。"

放下手里刚刚过目的牛奶盒，程榆礼又拿起另外一个，似笑非笑应承她的话："还让家里惯着呢？"

"什么意思？"夏霁贴着冰柜站，歪头看他。

程榆礼戏谑道："哪个单位能让你染这头发？"

"别瞧不起人好不好？我现在做主播呢！"

他淡淡道："是，你厉害。"

他视线扫过货架，继续找合适的牛奶。

"欸，你能别这么冷漠？一会儿要不要一起共进夜宵？"

"拒绝。"程榆礼终于抬头正眼看了看她，轻描淡写的语气里却不无得意炫耀之嫌，"我太太说要做饭给我吃。"

被重重的袋子勒红了手指，血液不畅让手变得麻木。藏在货架后面的秦见月慢吞吞收回视线。

听不到他们在说什么，她看到夏霁脸上漾起的笑。

这种时候应该想什么呢？

想到那一天晚自修结束的拥挤楼道里，她的表演没有成功等来他的回眸。

被忽视太多次，这都不算什么了。

直到在人潮拥挤的广场上，她看着逆着人群跑过来的女孩冲他挥手："程榆礼你快点儿啊，快没车了！"

秦见月站在没有路灯照得到的一块地砖上，听着齐羽恬东扯西扯，眼里是他跟随着少女一同离开的身影。

她对他的无视习以为常，但又不免因为他们的相伴而有所落寞。

齐羽恬把那本书揣进秦见月的书包，也抬头看到如影随形的那两个人："程榆礼啊！那是他女朋友？"

那应该是秦见月第二次见到夏霁。

第一次是程榆礼为躲避她，摔掉自己的手机。

她以为，他是讨厌她的。

而说到底究竟讨不讨厌，其实她一个外人很难猜测判断。

毕竟人跟人的关系，本就很难用交好或决裂这样简单的方式界定。

相处不了的人，也可能自有他们的磨合期。

相处融洽的人，也不乏下一秒老死不相往来的例子。

"不知道。"秦见月呆呆地回答齐羽恬，"可能是吧，看着还挺亲密的。"

有的人因为缘分和运气相遇，又因为更多一点儿的缘分和运气而结合，这样的关系就像一个蝴蝶结，它华丽精美，但不牢固，轻轻一扯就散了。

有的人之间，远隔千山万水，联络都变淡，提起名字都不会被再次放到一起，但他们的命运早已在最初就被缠绕，成为一个不起眼的死结。

狭路相逢的温情碰到知根知底的细水长流。

"夏叔叔"会让他惦念关切地问一声是否安好，小九是他童年故事里的秘密主角。

秦见月以为藏起日记就能够让她不为人知的孤岛沉没。但真的到了注定来临的这个时刻，被推到人生的某一个路口，一切都会卷土重来。

她藏在货架后面，看着程榆礼在货架与货架之间仔细寻她。他走过冷藏区，走过水果区，走完整个超市，折返回来再找一遍。

他的身影也说不上焦虑匆忙，程榆礼不是一个会焦急的人，他有着用不完的耐心，只不过比往日步伐要快一些，时不时低头看一下手机。

聊天框里显示着他发来的两个字：人呢？

秦见月给他回复：你回头。

程榆礼看到消息，便旋即转过身来，一眼看到秦见月拎着好几个袋子就站在他身后。他迈开长腿，几步走过来，也没有问东问西，去接她手中东西。

秦见月好奇道："你没有买牛奶吗？"

程榆礼说："我想了想，还是叫人每天送吧。"

她不置可否。

"出口等我。"他提着东西去付钱。

"嗯。"秦见月点着头，往外面走。她闷着头，就这么走着走着又散了。

曲解了程榆礼的意思，她怀揣着厚重心事，走到了超市出口，站在马路上，目光虚焦，看着人流来去。

那个染着粉色头发的女人一晃而过，再没出现，但她的明艳久久烙在秦见月的视网膜，无法消失……

有了第一次、第二次之后，秦见月在各种小道消息之中得知了这个女孩的名字，后来再遇见夏霁，是在校门口的煎饼摊。

周五放学，秦见月习惯在这里买煎饼，从兜里摸出一张十元纸币，对摊主阿姨说："加两个鸡蛋，谢谢。"

秦见月站在青葱的梧桐小道上，身侧都是先行放学的高一同学。而绿荫的后面是荒废的工地，工地的四处被泡沫板围起，扬起的飞沙走石里，秦见月听到一道似近又远的声音："喜欢我啊？那你学两声狗叫我听听。"

这离谱的言论让她不禁偏头看去。

说话的女孩将校服的衣袖撸到手肘，露出纤细的小臂，腕上戴着一串亮晶晶的银链，此刻正笑得张扬，看着眼前和她身高差不多的一个男生。男生穿着校服，背着书包，规矩板正的书呆子模样。

她的身后还站着两男一女。

那个被针对的男生又是谨慎又是激动地问："我要是叫了，你能跟我在一起吗？"

夏霁笑着："得看你叫得好不好听喽。"

秦见月收回视线，看着煎饼摊上被打入油锅的鸡蛋。刺啦刺啦、油锅沸腾，滚烫的油水溅到摊车的玻璃上。

秦见月盯着那一片油污出了神，另一边轰然的铲车运作声里，夹杂着一道喊破音的声线："汪汪！汪汪！"

夏霁不大满意地揉了揉耳朵，一时没说话，片刻又松开紧拧的眉："这也不怎么像啊，要不你再地上爬两圈，一边爬一边叫怎么样？"

"爬……爬？"男生不敢置信地看着她。

她大发慈悲的姿态："也不用太远，就从这儿到校门口吧。"

男生手捏着书包的肩带，慢慢收紧，说话毫无底气："改天吧，我家里还有事，我、我得回去了。"

女孩的声音一下变得尖锐："烦死了，爬两下都不愿意。说什么喜欢！"

"对不起，对不起。"他莫名其妙地道歉，转身跑走了。

再后来，秦见月不时会注意到夏霁，看着她夺走同学手里的零食，而被欺负的女孩敢怒不敢言。在餐厅路过别人的餐桌，她会故意撞翻对方的菜盘，再假惺惺说句"Sorry"。

在校园里，有很多的针对甚至不需要理由的。

返程的车上，秦见月显得反常的沉默。车里在放李健的歌，不知道是程榆礼爱听还是随机歌单，总之听得她快遁入空门了。音乐的疗愈作用是明显的，终于在靡靡的旋律声中平静下来，秦见月打开手机安静地看了会儿菜谱。

程榆礼也没有什么表达的想法，他平静地开车。

霓虹在玻璃上跳跃，两个人常常这样相对默然。这应该会是令他感到舒适的生活状态。

音乐声渐渐褪去，开始播放新闻，原来是电台。

"根据天文预报显示，今晚本市将迎来猎户座流星雨，预计每小时会有120颗左右的流星划过星空……"

这则新闻让秦见月停下了滑动手机的手指。

流星雨……

秦见月想起曾经在多年前见过一次流星，那时还处在为和他的一个对视欣喜若狂的年纪。浓烈的喜欢让秦见月满脑子都是程榆礼的名字，她躺在床上设计着今晚的美梦，忽然望见天窗外面一颗流星划过，秦见月惊喜地坐起来，揉揉眼睛。

好运就这样毫无征兆地划过她的夜空。

她急忙十指扣起。

快许愿！快许愿！

但是，许什么愿呢？紧迫的时刻，一切关于祝福的美好句子都想不起来。

程榆礼，祝你……祝你……祝你，做我老公吧！

再睁开眼，天又静谧了下来。流星飞走了，她懊恼地想，她刚才在口出狂言些什么啊……还不如许一些切实的愿望。

想到这回事，秦见月不自觉弯了弯唇。

好傻。

应该没有哪个女孩没做过这种梦吧，这样的愿望统称为"非他不嫁"。陷入对回忆的尴尬思索，总算淡去了超市里那一段邂逅的不快。只不过那一片粉色的影子还在她的眼前晃动虚浮。

扎在心上的刺被整个按进了肉里，不代表它会消失。

进了家门，一件好奇之事吸引到秦见月的目光，她迈步往客厅的大鱼缸走去，指着在角落里的两尾缠绵的鱼，她问款步过来的程榆礼："它们在干什么啊？"

眼前，一条鱼正顶着另一条鱼的腹部，蠕动摆尾。

"交配。"

"……"

他微微笑着，把她的脑袋按进自己怀里："非礼勿视。"

秦见月冷静了一下，又满心好奇地抬眼望他："听说鱼的记忆只有七秒，你说他们做完会不会忘记自己的爱人是谁？——哦，爱鱼。"

程榆礼说："在很多动物的世界里，繁衍比感情更重要。"

她一边消化着这句话，一边慢吞吞去下厨。程榆礼跟随她一起，很难说是在监工，还是在感受来自妻子独一无二的宠幸。

吃饭的时候，秦见月觉得家中院落太空旷，一时兴起提出建议："我们要不要养只猫猫或者狗狗？"

程榆礼说："猫可以，我不建议养狗。"

这似乎还是她的想法第一次被驳回，秦见月谨慎地停下了筷子，问他："为什么？"

程榆礼只简单吐出两个字："聒噪。"

她辩解道："不是，有的品种狗狗很乖的，不会叫的。"

他想了想，退让一步道："等我考察考察吧。"

总被顺着意，秦见月还真当作他们之间没有什么事情是值得商榷的。于是，她被养出来的小姐脾气也开始冒头了。秦见月开口嘀咕一句："唉，我还以为，你会事事顺我心。"

程榆礼笑了笑，宠溺又无奈的语气："好吧，想养就养，活到八十也不错了。"

秦见月也失笑："只是养条狗而已啊，没那么严重吧，狗狗很治愈的，帮你延年益寿，活到一百！"

程榆礼放下筷子，托着腮笑。

他垂着眸，笑意淡然清润，眼前是吃干净的空碗。每当这样时刻，明明是正大光明的注视，秦见月却有一种偷窥的谨慎，和重蹈覆辙的暗暗喜欢。

从前觉得他是不沾丝毫烟火气的高岭月，高处不胜寒，洁净如山头的积雪。不会落入这凡尘俗世的人间。

然而这样一个人一头扎进他们的柴米油盐里，原来也是这么的温情可亲。

餐后的二人时间，程榆礼提出一起观影。

秦见月过来时，他正坐在沙发精心挑选影片。穿一件宽松的黑色薄衫，修长的腿叠在一起，平心静气的散漫姿态。手指在平板电脑上来回地滑动，速度轻缓，一部一部地过目筛选。

屏幕的光映着他聚精会神的眼，这双眼仍是一如既往的轻淡，没有什么热烈的时分，也很少表现出敌意，让人很难猜他的心中所想。

程榆礼不喜欢开很亮的灯，于是在电子设备微弱光线的照耀下，晦暗暧昧的房间氛围里，他的面目显得尤其明亮。注意到秦见月已经过来，他也没抬头，便开口问道："你喜欢看什么类型——"

话音未落，秦见月忽然坐过去，紧紧地抱住他。

措手不及的拥抱，让程榆礼缓了两秒钟，两秒钟后，才将手掌轻轻搭上她的后背，拍着安抚。

秦见月很用力地箍住他的肩，抱得像要诀别那样悲壮，似乎还微不可闻地吸了吸鼻子。

程榆礼不禁轻哂一声："怎么，又感动了？片子还没放呢。"

她摇了摇头，却不说话。

为什么呢？

她以为结婚就会有安全感的。

可是，好像不是。

程榆礼好像给足了她安全感，可是，好像又没有。

看着他坐在这里，以她丈夫的身份，但她还是觉得距离他好遥远。

她想起古早的电视剧里总是会演的台词：我带你去一个没有人认识我们的地方，好好生活。

这样的告白往往都会成为悲剧故事的"flag"（旗帜）。然而此刻，秦见月很想讲出这句俗套的话。

如果真的有一个地方，没有人认识他们，没有任何外界的压力，没有任何过去的参与，让她好好地、奋不顾身地爱他一次。

如果有这样一个地方多好。

半天，秦见月恋恋不舍地退出他的怀抱，她垂眸，眼神戚戚然："你之前说带我出去玩，是真的吗？"

"嗯？"他一时没有反应过来是哪回事。

"就是度蜜月。"

程榆礼顿了顿，答道："下个月，等我离职。"

被这个震惊的消息消除掉悲戚的情绪，秦见月的眼神转而为吃惊："你辞职了？为什么？"

"不用这么激动，"程榆礼笑着，用手指轻顺她的长发，"养家糊口，责任在身。"

她不太信这个说辞，又问："程榆礼，你老实说，你是不是遇到什么困难啊？"

他摇头说："没有，只是想变动变动。"

并无半句虚言。

程榆礼是一个安于现状的人没错，但他也并不想沉溺在一种流水线似的工作状态里。在研究所的工作是稳定安逸的，但这样的安逸让人生锈。

本来辞职的想法并没有那么强烈，但它某一天、某一个时刻突然冒出来一个头，就会像根刺一样慢慢壮大，时不时出现扎人一下。

"那你是想自己开公司吗？"

他想了想："过一段时间再说，先做些项目。我得等一等人脉和资金，公司不是说开就开。"

秦见月也不大懂这些，点了点头："好。"

养家糊口不容易，选电影也是个难事。最后程榆礼随便点了个文艺片开始放映。电影开场，秦见月还沉浸在思考之中，她忽又偏头看他，小心问："你很追求新鲜感吗？"

程榆礼说："某些方面是，某些方面不是。"

"哪方面是呢？"

"男女关系上不是。"

这个回答过分狡黠，像是很有针对性地在拆她的招。秦见月难以判断。

"对了。"程榆礼忽地想起什么，拉开前面茶几的抽屉，取出一个玉镯递给她，"这给你，从朋友那儿拿的。"

秦见月接过去，好奇把玩，并问道："这个多少钱？"

他说："没多少钱，八九万吧。"

……没多少钱，她一年工资罢了。

秦见月拿着手镯端详一番，慢吞吞坐直了身子，只捏着它，也没敢戴上。她看着他，煞是认真地审问他："程榆礼，你都这么有钱了，你以后可以养我吗？"

他轻笑着："怎么着，一个手镯就让你消极怠工了？"

程榆礼捏着她的手，替她将玉镯戴上。秦见月纤细的五指被搁在他的掌心，他仔细观赏，剔透的镯子在她细巧白嫩的手腕上，两方高雅，很是相衬。

他满意地挑了挑眉。

"所以会吗？"秦见月又问一遍。

程榆礼抬眸看着她的眼，颇为诚恳地说道："我可以养你，但我不希望你被我养着。"

她鼓鼓嘴巴，"哦"了一声，假意失望地说："听起来有点儿小气呢。"

"我想的是，你应该在你热爱的事业上走下去。我奶奶有句口头禅：是金子总会发光的。我当然希望有更多的人看到你发光。

"从前就听人说，十年能出一个状元，但十年成不了一个角儿。如果婚姻让人的初心变质，荒废掉你的十年功，那我们结婚的意义何在？"

程榆礼看着她，讲话语速还是那样的慢条斯理。就连烂俗的大道理都能让他讲出几分儒雅的味道："'被养着'这样的说法，听起来很不人道主义，我不应该成为'摧毁'你的人。"

秦见月讪讪说："也没有到摧毁那么严重吧。"

他说："如果我真的抹杀掉你的价值，在我看来同等严重。"

眼里有一点点热气，她敛了眸，又小心地问："那……假如某一天，我不想再唱戏了呢？"

程榆礼淡淡一笑："你不会的。"

他用笃定的语气中断她的一切假设。

秦见月再没有话说，哑然扭头到一边，看电影去。有时自己都忘了，她那不起眼的英雄梦想，也该被成全。

他怎么会这样懂呢？动人得犯规。

无聊的文艺片，看得人直打盹儿，总算熬到了片尾，秦见月迫不及待往卧室跑："终于结束了，我要去看流星雨。"

眼看就要到点，她坐在卧室一整面墙的玻璃窗前，过瘾地望着外面的青山。在夜幕之下，呆呆静坐等候。心里涌现一大堆愿望，回头去想又觉得统统无趣，再挨个筛选，挑挑拣拣还是没想到什么合适的。

这心理斗争做得她都快急眼了。

很久之后，程榆礼进门，他问："就打算在那儿坐一晚上？"

秦见月回头看他一眼。程榆礼手插在裤兜里迈步过来，邀请道："干点儿别的？"

"万一那一会儿，流星就过去了，抱憾终身。"

"怕看不到？"

"嗯。"

过会儿，他说："想到一个法子。"

秦见月被从沙发上拎起来，很快她栽倒在床上，是仰躺的姿态，后背贴着他的胸膛。

"就这样，躺在我身上。"程榆礼的手掌轻轻握着她的侧腰。

秦见月心尖打着战，耳郭变了色："好奇怪呀。"

程榆礼莞尔，他抻开五指，牢牢紧紧扣住她的："Take it easy.（放轻松）"

秦见月放弃了绷紧她早就酥软的双腿，被他屈起的膝盖撑开。不知多久，夜空流星群闪过，一整片玄妙的亮色铺陈在空中，乘着颠簸的舟，她在奇妙的感知里看着它们飞逝在天际。

他微微掀起眼皮，一同看到，哑着声音道："许愿吧。"

"……嗯。"

秦见月闭上眼。

是还愿。

3

侧舟山的流星雨持续了半小时有余，停歇下来时，夜空寂寂。秦见月问他："你在想什么啊？"

程榆礼闭着眼："想你为什么看起来意犹未尽。"

"……"

他掀开眼皮，用手指着她的发，半天才顺到底部的梢："怎么把头发留这么长？"

秦见月没什么力气，翕动着嘴唇轻飘飘地开口说："以前上学的时候流行一句话：待我长发及腰，少年娶我可好。"

他笑了："看来那位张同学是没福气了。"

这句话，让她想了半天谁是张同学。

程榆礼的脑子里过了几件事，他忽而想起什么，起身要出去。怀抱一下落了空，秦见月着急问："你去哪儿？"

他慢悠悠套上一条裤子，背对她说："想起来有几个文件要处理一下。"

"……好吧。"

秦见月这么说着，侧身要睡，忽然也想到了什么。书房……她霎时坐起来，脚步迈得比他更快，着急忙慌地冲到程榆礼前面，冲进书房，把她还没关机的笔记本电脑啪地合上。

这声音，欲盖弥彰的响亮。

程榆礼步子顿在房间门口。他轻愣过后，又迈步往前，胸膛抵住秦见月的后背，一下把她锁在桌沿与手臂之间。

"秦见月，你再这样我要闹了。"慢慢悠悠的声音，似笑非笑贴她的耳，"到底跟我有什么秘密？"

做贼心虚的秦见月这下被牢牢钳制住。

"我……"

简直不容商榷，恶劣的男人说闹就闹。一只宽大的手掌将她握住，轻轻松松就擒住两边。

"嗯？"

秦见月不由得躬身，虚悬的指按在桌面上，找到一个疲软身体的支撑点："程榆礼，我发现你……"

"发现我什么？"他的力道游刃有余。

她的声音沙哑地颤着："你有的时候……"

"有的时候？"

"还蛮阴险的。"

他的嘴唇抵在她的耳后，不置可否地轻笑一声："你今天亲我了吗？"

秦见月侧过脸，捕捉到身后男人的嘴唇，飞快地轻碰了一下："好了，亲了。"

显然没什么诚意，但程榆礼满足地一笑。最终，他玩够了，轻轻地拍一下她的小腹，大度道："忙吧。"

程榆礼说完，便转身去书架上取了两本专业书籍。

秦见月的心头还在小鹿乱撞，他倒是非常闲云野鹤地拎着书出去了。

其实也没有什么不能说的，只是她最近在写一个新剧，为了孟贞上回提到的那个电视节目做准备。

不想给他看原因有二，一是第一反应，对自己创作出来的东西不自信；

二是因为没有定稿，乱七八糟的提纲草稿全在上面，他也看不懂。

倒也不是没有好好解释的打算。

可是刚刚他那副样子看起来，哪里是想知道答案？分明就是为了要人！

程榆礼辞职那天，机房里一位叫袁毅的工程师，说要请他吃饭。两人很多年的交情，程榆礼想也没想就答应了。他要带见月一块儿，但程榆礼提前跟秦见月说了这回事，秦见月倒是没给出明确答复，她只说有可能时间冲突，没法过去。

当天晚上，程榆礼在约定的饭店门口给她打电话，估计她人是在台上，一通电话也没接到。

程榆礼给她发了则消息：几点结束？我叫人去接你。

秦见月好半天才回来一个：有一点儿事，你不要来，我现在不在戏馆。

秦见月：回头给你解释。

程榆礼也没再问，发了一个字：嗯。

他把手机揣进兜里，抬头便看到袁毅的车停在门口，夫妇二人从车上下来，袁毅推一下眼镜，冲程榆礼招手。

"老程，抱歉抱歉路上堵车迟了一点儿，"袁毅一边走过来，一边冲他打招呼，"怎么不进去坐？"

程榆礼微微笑说："这不是也不知道你订了哪一桌。"

袁毅旁边的女人也向他温和笑着。袁毅介绍："这我媳妇儿。"

夫妻二人都戴着眼镜，斯斯文文。

"你好。"程榆礼点着头示意，"程榆礼。"

袁毅问："你们家那位呢？"

"估计还在加班。"说到这儿，他把手机拿出来又粗略看一眼，没有消息。

他们进包间落座。

程榆礼不喝酒，他觉得店里最好喝的是加一片青柠的免费茶水。端着茶杯，细细浅酌。他这静谧平和的茗茶姿态，两三分钟就把这饭店包间变成了某处高雅会所。

对面的袁毅正在试图不动声色地为自己满上二锅头，他旁边的妻子黄一洁本来低头玩手机，猛然瞄到，一巴掌拍在袁毅的手臂上："要死啊你！"

袁毅手一颤，溅出来几滴，讪笑说："我错了我错了。"

程榆礼看笑。

袁毅问他："你老婆也这么管你吗？"

他微微挑眉："我不喝酒。"

"差点儿忘了，这么多年还这么自律呢。"

袁毅是程榆礼的大学兼研究生同学，他是非常典型的工科男。不仅是袁毅，程榆礼在大学结交的人几乎都是学术型的知识分子。

这样的人在日常生活里很少去探索交际的技巧，无论是和男人还是女人，他们的想法通常简单，甚至简单过了头的，也不乏有人直率到丧失了和人打交道的能力——所谓情商。

但不得不承认，确实在那几年，程榆礼被这样一类人包围着，感受到一种很不一样的鲜活向上的冲劲。

他自小生长的那个圈子，不断在莺莺燕燕、酒绿灯红里兜转，他的自我意志被侵蚀。而他任由侵蚀，早就习以为常。

因为在他生活的那个阶层里，各路子弟皆是如此。直到某一天突然意识到，或许也是可以不一样的。

他很喜欢在象牙塔里那几年的简单日子。不再被刻意吹捧，不再因为一些外在的因素被众星捧月，不再因为一些利益关系而为人棋子。

脱离掉家庭带给他的这些种种，当他不再是程乾的孙子、程家的二公子，他的成长环境从身上剥离，程榆礼真正地领会到，各凭学术的能力被赏识的那种珍贵和动人。

袁毅如愿以偿地品上了二锅头，问他："还会做这行吗？"

程榆礼用筷子夹了一个冰块堆里的荔枝，又垫了两张纸巾，将壳挤开："应该。"

"现在不一样了，要养家。"袁毅意味深长地说。

"养家"这个词确实容易让话题变沉重，但并不会让程榆礼变沉重。无论什么行业，能在一个行业做到顶端的人，都不会存在钱财方面的压力。

他轻淡地"嗯"了一声，没有多说。

"我好像还没见过你媳妇儿长什么样，也没怎么听你提起过。"

程榆礼微笑："没提过吗？"想了想，又道，"她挺好的。"

说到这里，程榆礼剥水果的手自行顿了顿。不知为何，他每每想到见月，形容词都变得匮乏，几乎总是以"合适"这个万能回答来应付。

而再深刻、再细腻的描述，一时间却凑不出了。

荔枝被丢进小碗里，他突然不想吃了。他捻来一张干净的纸，慢条斯理地擦拭修长的指。程榆礼开口道："说说你们的事。"

袁毅说："我俩呀，我俩也是去年才好上的。"他不怀好意地拱了拱身旁的妻子，"你问她怎么回事儿？"

黄一洁说："每次都叫我说，我说你这人鬼点子可真够多的。"

程榆礼面上带着淡笑，视线在斗嘴的二人间流转。

袁毅说："你还记得吧，我大学时候跟你说有个妹子跟我表白。"

跟他表白的人并不多，那阵子可把袁毅乐坏了。程榆礼印象深刻，点头说："略有耳闻。"

"就是她。嘿嘿，我当时也没谈过恋爱，然后也忙着保研，我是怕耽误她啊，结果脑袋一团糨糊就稀里糊涂地把人给拒绝了。

"那时候对黄一洁印象吧，就是隔壁班一个不起眼的小女孩，好像是个数学课代表，因为我们俩班一个数学老师，她有的时候会来我们班发卷子，我那时候就觉得这姑娘怎么老是偷瞄我——嗷，这不是事实嘛，打我干什么？

"就留心了一下，不过我还是对我自个儿长相有点儿数的，我寻思这姑娘应该不至于这么眼瞎看上我吧。然后我那时候数学成绩还特好，她有回在办公室看见我，就过来跟我搭话，说叫我能不能教她做题。我可算是整明白了，原来是不是看上我了，是看上我数学成绩了。"

袁毅说一半，喝酒，被黄一洁扣下。

他接着说："后来我印象很深，毕业那天她给我送了个同学录，问我报哪儿的学校，我看着就纳闷，感觉她当时都快哭了。

"上大学之后咱俩还一直有联系，也是她主动联系我。我这人嘛，就是你有来我就有往，咱俩关系一直处得就像普通朋友吧，结果到大三那年七夕节，她突然给我告白，一下给我整蒙了，我说你图我什么啊。

"她哭着骂我是猪，说她一直暗恋我来着，从高中就开始喜欢我了。问我怎么就一点儿也看不出来。

"那我哪能看出来，我说你也没给我暗示过啊……"

程榆礼的耳朵敏感地捕捉到一个词："暗恋？"又问，"多久了？"

"我算算啊，"黄一洁掐着指，"得有八年了吧。"

八年时间，修成正果。

饶是一向气定神闲的程榆礼也不免讶异地顿了顿手里倒水的动作，滞住的一两秒，他也说不清是在惋惜青春还是感叹这情谊的深厚。

溢着青柠清香的温水灌满他的茶杯。

程榆礼用指端轻轻摩挲着杯壁，若有所思说："如果有个姑娘偷偷喜欢我这么多年，我可能……"

他想了很久，想不到很准确的词汇来表达眼下的心情，最终玩笑似的说了句："命都给她了。"

"哎哎哎，这话可不兴说。"袁毅忙打岔，"这话不兴说。"

程榆礼轻淡笑着："戏言。"

戏言归戏言，他的吃惊却是真的。

程榆礼为人处世大多持一种淡薄的态度，这样的态度让他自身获益多过于损失。这就像是一种防御机制，能够帮他维持必要的理性和正常的思辨能力，克制谨慎地权衡利弊，规避风险。

中国的很多老话讲得都很有哲理性。除却"有志者事竟成"，还有一句叫"当局者迷，旁观者清"。

他认为时刻保持旁观者的清醒是一种很强也很难练就的能力。

因为无论如何，人的感性的那一面永不会被消除，且一旦被放大，膨胀到百分百，平日锻炼得再强大的理智也会一瞬被挤压崩塌。

这大概率就是为人的天性。

于是偶尔的偶尔，也会临近情绪的旋涡。比如看到一些坚持，看到一些苦难，看到一些荡气回肠的爱意。

很难不动容，不深陷。

他盯着茶杯里漾起的水波。

耳边是服务员清脆的声音："小姐，您预订的哪个房间？"

三人一起回头看去。秦见月穿一件浅色的风衣，手揣在大衣的兜里，安安静静地站在那儿。好像站了很久，久到服务员都不免好奇上前询问。

她颤了颤眼睫，刚神游回来一般迷惘："哦……我就这间。"

程榆礼冲她招手，示意她进来坐。

服务员为她添盏。

"谢谢。"秦见月拿出通红的手，搁在茶杯上，想暖一暖，却被程榆礼握住，牵到桌下。

比起高温的水杯，他的手心除了热，还有生命体肤的柔软温存。

她讪讪说："不好意思，我来晚了。"

"那就自罚三杯吧。"袁毅和她开起玩笑，"喝白的还是喝黄的？"黄的指的其实是旁边的橙汁。

秦见月笑着说："我喝果汁吧。"

她手刚伸过去要拿瓶子，对面的女人先一步起身，替她往杯中倒。

秦见月受宠若惊，忙说："谢谢谢谢。"

……

这顿饭吃完，秦见月先去门口捣鼓了一下她的车，从停车处开到门口，呆呆望着后视镜好久，才等来她的男主角。

已是深秋，程榆礼穿一件黑色风衣，面容清隽瘦削，他从最普通的餐馆里走出，个高腿长，清贵之气丝毫不融于旁人来来回回的烟火味，低头时显得下颌尤其清瘦。

他微笑着和袁毅夫妇道别。

秦见月将车启动，程榆礼四下巡视一番，看见她的车灯亮起，方才迈开长腿走来。

"怎么这么久才出来？"

他说："买单耽搁了一下。"

程榆礼有幸坐了一回秦见月开的车。

她开过来的是秦沣送给她的那辆新能源二手车。今天会开它，原因是昨天回去给秦沣送行，他要去西北跑车，也没别的念想，就是千叮咛万嘱咐妹妹一定要领了他的好意。

秦见月被逼得没辙，只好在门口开着练手，跑了两圈。

结果，路面太窄，倒车那会儿"哐"一下，车屁股撞家门口那邮筒上了。

几十年风吹日晒的邮筒没出什么事儿，倒是把她这车屁股给撞瘪了。

她晚上来迟，就是因为去修车屁股。

程榆礼一听乐了："我那回在你家门口也差点儿撞上去，危险障碍物。"

秦见月絮叨说："是吧，那邮筒真的碍事，又没有人用，哪天把它凿了去。"

他笑着，今晚实在是个千载难逢的坐副驾的机会，悠闲得很。

偏着头去看开车的秦见月。

她的长发被松松地盘起来夹在脑后，有种凌乱随意的美。在降温的秋末，女人的脸被冻一遭就显得更加苍白，因为极少开车而紧张得一脸悲壮，拧起的眉毛，紧抿的唇线，细微的小情绪让他不自觉弯了弯唇角。

终于，下了高架，秦见月开到低速的路段，心头的谨慎消去一些。

她的余光回归到旁边的男人身上。

程榆礼低头看着手机屏幕，自然不会察觉出她的心事重重。

"程榆礼，"秦见月自言自语一般，喃喃说了句，"如果我喜欢你八年，你会把命给我吗？"

第十章 / 蜜月之旅
愿你灵魂自由。

1

程榆礼的手机屏幕上显示着袁毅发来消息：多少钱？我转你。

这是因为刚才在店里付款的时候，袁毅卡里的钱没周转到位，程榆礼便上前垫了一下。

他刚打完几个字，发给袁毅：见外了。

似乎听到秦见月在说话，他抬头看她紧绷的神色："你说什么？"

"我说……"秦见月望着前面，却又好似不在看路，方向盘往左边倾着，她却毫无知觉。

眼见就这么慢吞吞轧过了中心线，对面从夜色里飞驰而来的一辆公交车发出警示的喇叭声——嘀！

程榆礼见状，飞速往右边扯她的方向盘。

电光石火的一瞬，两车险些车身相擦。

惊险地绕过公交车，前路开阔，但秦见月惊魂未定。

程榆礼又将方向盘缓慢地往左边推一下，回正。

他的手还在替她控制，没有立即放下。看着秦见月，他不放心地问一声："能开吗？"

"……对不起。"秦见月迷糊地说，"刚才走神了，我好好开。"

他说："不要紧张，紧张什么。"

"嗯，嗯。"秦见月掌心都冒虚汗，"我很少上路，看来以后还是不要开车好了。"

少顷，程榆礼温声安抚道："也好，我帮你请个司机。"

秦见月闻言，嘴巴微启又合上，欲言又止，还是忍不住吐槽了一下："这车还要找司机啊，真是开了眼了。"

程榆礼笑了起来。

这么一打岔，他似乎也忘了刚才她嘀嘀咕咕说了句他没听清的话。

秦见月终于平静下来，做了一个克制的深呼吸，想看他又不敢腾出眼睛，聚焦在前面的路边线，开口道："对了，你有没有订酒店啊？"

程榆礼把手机收好，专心替她看路，说着："我办事，你放心。"

良久，秦见月会心一笑："好。"

蜜月定在秋冬季节。

出发之前，秦漪特地过来帮秦见月收拾东西，妈妈对女儿总是一万个不放心，给她收纳了好多多余的小物件、药、羽绒服、冲锋衣，一大堆吃的喝的，甚至还给她带了好几袋暖宝宝。秦见月进房间时，秦漪正犹豫着手里的大杧果要往哪里塞。

秦漪拎着两个杧果愁眉不展，程榆礼坐在旁边想笑不敢笑的样子。

秦见月把秦漪的杧果拎到别处："带这么多干什么呀？"

她躬身将收整在箱子里的暖宝宝拿出来一半，又顺手将药给丢在一边。

"哎哎，药不能丢药不能丢，听说在国外看病可贵了。"

秦见月说："贵不死人的，而且我哪那么容易生病。"

"听说那儿零下几百摄氏度，你这病秧子体质能受得了？带着！"秦漪不由分说把药揣了回去。

秦见月惊讶得眼睛都瞪大："零下几百摄氏度？你有没有常识啊？零下几百摄氏度我一下飞机就成冰雕了。"

秦漪"啧"了一声："我就是夸张一说，你计较这个做什么。"

秦见月瞄了旁边的人，程榆礼手握成拳头，抵在鼻前，努力藏着他嘴角忍不住溢出的笑。

她扯着秦漪告状："你看，他都嘲笑我了。"

秦漪看过去："你笑什么，我认真的啊小程，不要光想着玩，不管到哪里做什么，健康、安全都是第一位。你不要笑，你要把这点放在心上，才能给月月更有保障的生活。"

程榆礼忙恢复正色，懂事地附和着说："没有笑，药确实要带一些，以备不时之需。"

秦漪："你看，还是人家懂事。这么大人了还不知道照顾自己呢。"

推推搡搡半天，药还是让秦漪给揣进箱子里了，又怕被晃荡散了，她拉开内层的收纳袋拉链。

"啪嗒"一声，从里面掉出来一个盒子。

小两口一看，脸霎时就绿了。

秦漪还好奇地取来细看，她一看清，脸也绿了。

程榆礼咳了一声缓解尴尬："要不还是我来——"

"没收！"秦漪把计生用品装进自己的包里，转过身来给秦见月使了个眼色。

尴尬的几秒互相沉默过后，她说："行了，我学校还有点儿事我先撤了，到了有什么事儿给妈打电话。别在外面待太久，国外也不安全，早点儿回来知道不？"

秦见月忙点头，为的是赶紧把她妈送走。

蜜月之旅，很快启程。

旅行地点在北极圈内的一个小岛，叫作浮西岛。既然有了一个"逃避"的理由，秦见月就想去离他们的城市最遥远的地方。

到过地球的终端，见过天涯海角，不知道能不能等到海枯石烂。

人烟稀少的岛屿，夜里从机场降落，驱车过去，雪意蒙蒙。直到清晨才抵达程榆礼租下的那套别墅。

秦见月在车上睡了好几次，本来在赏景，中途犯困，醒来后有点儿冷得上气不接下气。

她捂着胸口，艰难地喘。

什么叫不听老人言，吃亏在眼前。妈妈的话果真应验了，秦见月的病弱体质在寒冬风雪里瞬时现了原形。

"不舒服？"程榆礼停下车，倾身过来端详她的脸色。

秦见月咳了两下："有一点儿头疼。"

他的手指抵上她的额头，试探她的体温："可能是水土不服，到了先歇一会儿。"

"嗯。"

"抱你过去？"

"……能走的。"她抢先一步下车，为了证明自己很健康，健步如飞。

别墅的后面是一个小的商业街区，对面有一座夜里看起来阴森的尖顶教堂，在光照之下又徐徐显出庄严肃静的一面。

卧室的窗外有一面冰封的湖泊，无垠的雪地里矗立着稀落的枯竭衰草，凛冽山峰被爬起的日光燃成浓烈的金黄。

这里的植物看起来很生硬，死气沉沉。

头顶挂一盏设计别具一格的钨丝灯。

秦见月卧在床上憩了一会儿，耳畔是程榆礼在清整衣物的声音。但很快这道声音减弱直至消失，她不安地睁眼，发觉他一同躺在床上。

她如释重负，凑过去，将手搭在他的腹部，继续入睡。

程榆礼陪着她，倒是没什么困意，闲来无事捧着不知从哪里弄来一本叶芝诗集在读。

"老公。"秦见月很疲倦，艰难开口喊他一声，声音娇娇柔柔，像是撒娇。

程榆礼握住她的手。

"好喜欢这里。"喜欢陌生的国度，身边有着熟悉的人、温暖的体温。秦见月疲倦地闭着眼，唤他，"你给我读首诗吧。"

他瞥一眼她："不睡觉了？"

"要你哄着才能睡着。"秦见月仰着脸，微微弯起唇角，笑得腼腆，像个小孩。

程榆礼笑了下："行。我挑一首。"

他选的是最出名的那首诗——《当你老了》。

When you are old and grey and full of sleep,

当你老了，头发花白，睡意沉沉，

And nodding by the fire，take down this book,

倦坐在炉边，取下这本书来，

And slowly read，and dream of the soft look

慢慢读着，追梦当年的眼神，

Your eyes had once，and of their shadows deep;

你那柔美的神采与深幽的晕影。

……

窗外是肃杀的冬景，没有边际的雪国，被挤压的日光照射时长让这里的人不再追赶时间。零星的雪落下来，像是漫无目的地飘零。

人影寥寥，孤寂荒芜。时刻要凋谢，时刻要败退。世界寂静得好像只剩下他念诗的字正腔圆的声音。

声音恍惚也有了触感，像是手指抚在冰湖上的一瞬时，那一道薄薄的、刺痛的凉，余留在指尖晶莹又纯净的冷洌水滴。

Murmur，a little sadly，how Love fled

忧戚沉思，喃喃而语，爱情是怎样逝去，

And paced upon the mountains overhead，

又怎样步上群山，

And hid his face amid a crowd of stars.

怎样在繁星之间藏住了脸。

秦见月的英文不是很好，听得一知半解，但堪堪理解了最后一句，诗歌的力量神奇又强大，她温柔地笑了下："好美。"

忽而想到什么，秦见月抬眼问他："对了，那天流星雨，你许愿了吗？"

程榆礼点头，合上书本："嗯。"

"什么呀，告诉我好不好？"

"说出来就不灵了，傻子。"

秦见月说："说出来不灵，那你就写下来，随机应变知不知道？"

程榆礼被逗笑，拿她没办法的语气："好，我给你写。"

得到首肯，秦见月安心睡去。

病恹恹的身子骨一直到下午才恢复了气力，才四五点钟，天已经黑透了。秦见月睡完一整个紧凑的白昼，不知道今天还能不能出去玩。

晚餐吃了一点儿鳕鱼片，但她实则没什么胃口，是看程榆礼弄了半天不忍辜负他的好意。事实证明，身体是不接受强迫的，秦见月只吃了几口，胃里就忍不住翻江倒海。

她实在没忍住，跑到洗手间一口气全吐了出来。

吐完后感到强烈的不适，这阵头晕感比早晨时更为严重，程榆礼跟她说什么话，她都听不清，脑袋抵在枕头上，耳侧只剩下自己闷沉的呼吸声。

一个艰难的夜。

程榆礼太过着急，一下请了好几位家庭医生，她的症状看似严重，其实就是发烧。折腾了半宿总算退了烧，秦见月躺在床上蜷着身子，握着打过点滴还在胀痛的手。

捏一下疼一下，又自虐似的握紧拳头。

这疼痛不能让她清醒，但让她流了一身汗。

程榆礼替她擦着额角，俯身拥住她，听见秦见月意识模糊地喊他的名字："程榆礼。"

"我在。"他忙捉住她的手。

"你不知道……"

她瘦弱的肩被揽进他宽敞的怀。

秦见月的声音带着哭腔，大概率是做了噩梦。

她说："好多事情你都不知道，我好痛苦……"

他为了听清楚她的每一句梦呓，脸颊贴在她的耳侧。

热泪落在他的下颌，程榆礼放下了纸巾，轻轻用手替她擦拭着湿润的脸。

"我知道，我知道……"他的嗓音沉沉碎碎的，穿过梦境的边界，抵达她的心脏。

像是被她的痛苦感染，程榆礼也紧皱着眉，白皙的指握住她泛红的脸，颊边是她滚烫的体肤。

秦见月在半梦半醒的昏沉状态里抽噎，她也分不清自己究竟有没有流眼泪。意识的混沌和撕裂慢慢隐去，最终她只听见他在耳畔的声音，断断续续，似远又近。

忘了自己在哪里。

只觉得身体黏稠的汗液胶凝，一切的感知都热烈浓厚得像夏天，他们初识的夏天，他们分别的夏天。

那些在她孤独星球上的热夏，鲜活又晦暗，热烈又苍白。那个被粉饰，又被撕碎，而从头至尾也只是将她一个人困住的夏天——

她热得满头大汗，裹着闷不透风的校服，汗水从脊背上淌过，低着头走在离他好远的街对面，连靠近都是痴心妄想。

必须要隔着马路，才有跟随的勇气。

秦见月逐渐认命，她也只配这样看一看她的月亮了。

行至某处，脚步骤然被钉住，无法在往前走了。秦见月着急地喊他的名字，可是他没有回头，因为他根本就出不了声。

于是她只能看着他的背影随着那一片泛青的樟叶，在夏日热浪的虚影中一寸一寸消失。

她流着泪告别自始至终不属于她的少年。

"程榆礼，你不知道……我很害怕，很疼……"

而她擦着眼泪转身的时候，却猝不及防被人从身后抱住。

这个拥抱太焦急太紧密，以至于她根本抬不起沉重的脑袋去看一看他的脸。

可是她清楚地听见那个让她等过了漫长的八年，才姗姗来迟落在她耳边的声音。

他说："我知道，我听见了。

"不哭了，宝宝。

"不哭了。"

2

秦见月一夜没睡好，程榆礼一夜没睡。他留了一个医生在这儿，等秦见月的体温恢复正常才敢放人走。

她在黑夜里入睡，又在黑夜里清醒过来，睁眼便看到在卧室外边的露天花园里的程榆礼。他握着手机打电话，斜倚在护栏上，雪花落在毛衣的肩头，身姿宽阔，而肩背微躬，又显疲惫。

这通电话加深他的忧虑情绪，难得见到他脸上的严肃之色。

程榆礼伸手捏了捏眉心，开口说了几句什么，隔着厚厚玻璃门，她听不见。

不像刚才那一句句左哄右哄的，那么清澈体己，贴近心房。

想来还觉得羞赧。

程榆礼余光瞄到屋内动静，收了手机迈步过来。他端来一杯牛奶："妈打了好多电话来问。"

秦见月从床上坐起来，接过温温的牛奶，小口抿着："你跟她说了呀？"

他说："是因为联系不到你，她很着急。"

昨天还觉得想在这儿待一辈子，今天就想妈妈想得难受了。果然生病时最脆弱。

秦见月打开手机，看到妈妈发来好多消息，不同时间段的，语音为主。

一点开，是秦漪扯着嗓子的声音："把板蓝根喝了啊，维 C 银翘片每天三顿不要落，药一定要早点儿吃！好了跟妈妈说一声。"

被关心的暖意涌上心口，秦见月蜷着腿给妈妈回消息，又对程榆礼说："我妈妈很唠叨的。"

尽管秦漪对她管教颇多，即便是担心女儿嫁不出去、挑不到好的夫婿这些很荒唐的担忧，那也确确实实是有着一个关怀她的出发点。

儿时学习唱念做打基本功，坚持不住就被抽了屁股，秦见月躺地上就哭，秦漪过来一摸，秦见月整个人身上滚烫。秦漪急坏了，课也不教了就带着她去隔壁诊所挂水。她抱着女儿，眼泪簌簌地掉。

消极的时候，往事一并涌上来残害柔软心境。秦见月发出一个简单的"知道了", 眼神虚焦看着程榆礼的腿。她的声音很轻柔, 听得出是在自语。

"感情有的时候真的很矛盾吧。"一边想离开她的桎梏, 摆脱母亲的权威带给她的影响, 一边又被她熟稔的温暖吸引。

程榆礼没有说话, 他往床前迈了两步坐下在床沿, 轻轻摸了摸她因为眼泪干涸而微皱的颊。

泛着凉意的指骨又擦过她浮肿的眼皮, 秦见月的眼微微颤了下。

良久, 程榆礼才放下手, 沉声开口问了句: "睡觉为什么会哭?"

她擦擦眼, 怔怔说: "我真的哭了吗? 都没感觉。"

眼望向天花板的钨丝灯, 有些微刺痛。秦见月说: "我已经很久不做噩梦了。"

他问: "以前会做?"

她低着头: "嗯, 高中的时候。还挺频繁的。"

少顷, 程榆礼淡笑一声: "你太刻苦了。"

她不吭声。

是太刻苦了, 抑或是别的原因呢? 也不再重要了, 她都毕业多少年了。

秦见月一直也在努力地对抗, 她正在慢慢地磨掉过去的痛苦给她带来的印记, 只是偶尔极度脆弱的情况下, 会出现像胃里反酸水的情况, 那些东西不断地涌出来顶撞着她的伤口。

她勉力一笑, 主动握住他的手: "梦跟现实都是反的对吧, 以后好就好了。"

程榆礼点一下头: "当然。"

病了三天, 秦见月恢复气力。好在程榆礼没有被她传染, 他很坚持规律地为她准备三餐。她对异地食物的排异反应让程榆礼警觉, 他弄来大米, 替她煮各式各样的粥, 总算是把她的胃养健康了。

第四天才出行。

浮西岛的冬季海岸有一股腥涩气味, 海滩是深灰色的, 海石错落地尖秃在地面之上, 像烧到干枯的木。开车去看海景, 秦见月裹紧大衣缩在后座, 仔细为行程做规划。

大病初愈, 不宜多动。他们的目的地在一个不冻港, 乘上一号中型游轮。

甲板上有人在弹琴唱歌, 《南加州不下雨》的旋律。秦见月好奇看去, 唱歌的是一位长相精致的金发碧眼小伙, 在他身旁与他合唱的是一个亚洲面孔。两人这么一唱一弹, 吸引不少人去看。

秦见月牵着程榆礼往船舱里面走，找到舱内餐厅的空位坐下。

"我们今天能看到鲸鱼吗？"她趴在窗框，睁大眼看外面湛蓝的景观。雪山被一层遥遥的雾气笼着，海水是很深很冰冷的色泽。冷风扑面，她裹了一下围巾。

程榆礼说："心诚则灵，你多念叨几次它就出现了。"

服务员为他端来一杯温白开。他握着透明玻璃杯喝水，蜜月的生活不便于他维持焚香品茶的习性，白开水也不错。他喉结轻滚，喝了一口，又放下水杯，抿去了唇角的水汽。

一张桌子隔在两人中间，秦见月托着腮呆呆看他，目光里是不需要理由就会无端出现的崇拜。

他喝水的动作都会让她觉得好看、美妙，连带着她的心情都变轻盈。

秦见月凑到程榆礼的身侧去坐，被程榆礼顺势搂住。

"晕船吗？"他敛眸看她苍白的脸，关切地问一声。

"还好。"

"晕就说，我带了药。"

秦见月忍不住笑："你怎么和我妈妈一样？"

程榆礼也微微笑着："经此一役，发现妈妈的话还是有道理的。"

秦见月不听他苦口婆心，她掏出手机侧身去拍外面的冰山和深蓝色的海面。在大海的深处，有几个尖锐似箭的脑袋突出在水面上，秦见月瞳孔一缩，拍拍程榆礼的肩膀："那是不是……"

摄像头对过去，堪堪拍到一条鲸鱼尾巴。

程榆礼也看见了，弯了弯唇角："独角鲸。"

一条鲸鱼钻出水面后，很快就能看到成群的小鲸开始出没。船只的速度变快了一些，很快开到了鲸鱼群中央。有一两只鲸鱼在顶撞着他们的船舱，秦见月从惊喜变成惊悚，吓得软弱地窝在程榆礼怀里："呀，船要翻了。"

他忍不住笑起来，拍她的肩："不会的，没事儿。"

秦见月缩在他的大衣里面，又忍不住探出脑袋去看看。在船侧游动的鲸鱼变得乖巧温驯，在秦见月的目送之下，它钻入水中，尾巴一扫，消失不见。

她抓紧最后的时机，拍到了一只鲸鱼的脑袋。接下来的时间，她对着照片欣赏一番。

"程榆礼，"秦见月偏过头来，目光严肃看着他，"下辈子做两只鲸鱼好不好？"

程榆礼不明所以，淡定地接茬："做人不好吗？"

"做人不如做鲸鱼快活嘛。鲸鱼多美好啊，每天戏水，自由自在游来游去。不像人，很复杂很多面。"

他一时间未置一词，思索片刻，正要开口。

"What's this（这是什么）？！"在秦见月后一桌的男人瞄到她的手机壳，惊喜地指着它吼了一声。

秦见月和程榆礼同时偏头看去，说话的是方才那位在甲板上合唱的亚洲人。他和秦见月差不多年纪的模样，长得俊俏风流，就是皮肤黑了点儿。

秦见月看向他所指的手机壳，上面印着一张十字门脸的京剧脸谱。那位欧洲小哥也凑过来看。

秦见月说："这是……脸谱。"

别人大概听不懂，她想了想，艰难地拼凑出几个英文单词："Facial……facial mask in peking opera（脸谱……京剧脸谱）？"

亚洲脸的男人看她讲英语生硬又努力的模样，不禁笑着用中文问了句："你是华人？"

秦见月说："对，我是中国人，你呢？"

"我是马来西亚人。"

她很喜欢沟通无碍的感觉："你会讲中文，太好了呀。"

男人自我介绍说："我叫何蔚，这是 Paul，他对京剧很感兴趣。"

秦见月身子侧过去跟他们打招呼："你好，你们好，我叫见月。月亮的月。"

何蔚给另一侧的小哥传达："She is the moon.（她是月亮）"

程榆礼闻声，端着玻璃杯的手指微微一收紧，不动声色地扬了扬眉梢。

何蔚说："你要不要过来坐啊？我们这里有吃的。"

秦见月瞅过去，看到他们桌上摆着一碗蓝莓。她旋即扭头回来看程榆礼，征询他的意见："要不要过去坐一下？"

程榆礼并不热情，只不咸不淡地说了句："我歇会儿。"

"那我过去聊几句，马上就来。"

生怕身边一下落寞下来，程榆礼犹豫了片刻，还是答应下，不过提醒说："别人桌上的东西不要吃。"

秦见月恍然："好的，好的。"话音未落，听不得再多一句劝似的，便拔腿过去。

程榆礼："……"

简直让人难以想象的愉悦。

他抱起手臂，松散的坐姿，眼神却略显警惕地盯着那两个年轻男人。

很快，交流的声音从那头传来。

"戏剧史上有三种很古老的戏剧文化，中国戏曲就是其中之一。另外两种已经失传了，现在也只有戏曲流传了下来。"

"不过京剧，就是这个，"秦见月指了指她手机壳上面的脸谱，"它不是中国戏曲里面最古老的剧种，相反它其实诞生得很晚，一直到晚清才出现。融合了一些南方的戏曲，像是昆曲，还有北方的唱腔，形成了一种叫皮黄的唱法——会不会太专业，你可以翻译吗？"

何蔚点头说："我在努力。"

"好的。"秦见月点头对他表示肯定。

"这个人是谭鑫培，他是中国早期的京剧演员之一。"秦见月调出一张照片给二人看，三颗脑袋齐刷刷凑在一起，"这是他演的《定军山》的剧照。因为时间太久，很多资料都失传了。

"这个是梅兰芳，他很有名气，也是第一个把京剧带出国门的人。当时他的表演非常出彩，被美国人认为是中美两国文化交流的纽带。"

何蔚看了看手机里的照片，稀奇地问道："男人唱女人？"

秦见月点头说："对，因为在旧中国，女人的地位很低下，不可以登台唱戏。不过现在不一样了，环境已经变了很多了。"

她翻阅着手机相册里的照片，不小心滑到自己的演出照，心下略微羞耻，手指飞快滑动，将照片掠过去。

何蔚是个眼尖的："咦，刚刚那个是谁？好美。"

"噢……那个是……是我演的《白蛇传》。"她尴尬地抓抓头发。

何蔚惊道："什么？是你？快，再让我看一眼。"

秦见月很难为情，又不好意思推托，便扭捏着把照片展示给两个人看。

何蔚连声称赞："好漂亮！"

Paul 也在不停给她竖大拇指，学着中文的咬字说："漂亮！漂亮！"

秦见月腼腆地笑笑："谢谢。"

程榆礼用指骨托着下颌，看着平静漆黑的海面，听闻那头又热闹起来，他便挪眼看过去。杯中的水变冷，他的指尖在桌面无序地点了点，而后端起杯子把凉水一口喝尽。

船已经靠岸，而秦见月浑然不觉，还在和两位男士热闹地交流。

聊到哪里了呢？

何蔚掏出手机："可不可以加一下你的联系方式？"

秦见月点头说："好啊，我能给你发一些视频看看。"

程榆礼见势，便拿出手机给她发消息：走吗？

而秦见月交换的是外网的账号，手机微信并不显示消息提示。

程榆礼吁了一口气，换了个坐姿静静。

明眸皓齿，一颦一笑，映在他眼中。明明某人早上出门还病恹恹，这下倒是容光焕发了起来。

程榆礼不是习惯于做配角的人，也从不存在被忽视的状况。参与他们的交流，是不可能的，他没有和洋人交朋友的兴趣。

程榆礼又给她发一遍：走不走？

秦见月笑着说话，并把手机藏了回去。

最终，程榆礼招来服务员："给他们再送一点儿蓝莓。"

他面露友好的微笑，用英语和服务员说道："顺便替我向那个女孩转达一句话，她的头发乱了——不过她的英文不太好，麻烦你用中文和她说。"

对方点头："好的，请讲。"

程榆礼便教了他几个中国字。

交换故事的时间，秦见月听着 Paul 讲他的事迹正津津有味，她托着腮一脸好奇地问："那你十几岁出来做乐队的时候，你家里人不会反对吗？"

"No,no,no！" Paul 摇着手指，正要跟她好好讲一讲他年少成名的经历。下一秒，新鲜的果盘被放置在他们的桌上。

众人好奇抬头，不知道是谁送来的。

服务员便指了指后面一桌不远处的"热心肠"的男人。

而后，小哥躬身凑到秦见月耳边，说了句什么。

女孩脸色一瞬涨红，她回头便看到程榆礼正在慢条斯理地系上大衣的扣子，这一张瘦削冷峻的脸在肃杀冷风中更显矜贵迷人。

他抬头跟见月对视上，便冲她微微颔首，意有所指地转了转无名指上的婚戒，眼神倒是清白得很。

她拼凑出这个小哥磕磕巴巴努力吐出的字词，是在说——

回家吗？老公想你了。

3

程榆礼返程疲倦，便不知道从哪里找来一个本地的司机，是一位长着络腮胡的大叔。他不像阿宾那样沉默，有聊不完的天。秦见月听不懂几个单词，程榆礼也没有好心情搭腔。

他懒散地倚在后车座，闭眼微憩，苍白面容在车灯的光影中忽明忽灭，黑色的呢大衣罩在身上，俊朗的半张侧脸看起来严肃而漠然。背后是灰调的苍穹。

秦见月咳了两声，有话要说的样子，男人掀起薄薄眼皮，听候指示。

她脆弱的耳郭泛着粉，眼神复杂看着他，弱弱地说："那个，我还在生病呢。"捏了捏喉咙，"你听我的嗓子。"

细碎，沙哑，带着鼻音，绵软无力。

他不明所以："怎么？"

她说："现在不是时候吧。"

程榆礼嘴角掀起，不由得笑："什么不是时候？"

秦见月挪过来一些，凑在他的耳前复述服务员之前对她说的话。

程榆礼闻言笑着，握住她的肩，俯身道："听岔了，我说的是：老公想要睡觉了。"

秦见月紧抿着唇，不能分辨出几句是真几句是假，毕竟这个人总有一些让人捉摸不透的阴险时刻。

不过见她露出虚惊一场的神色，程榆礼的眸色倒是沉了沉。缓一缓，他说："既然你都这么会意了，我是不是得考虑采取一些措施？"

这话听起来很严重，秦见月忐忑地问："什么呀？"

"惩罚你的三心二意。"说着惩罚，他的脸上倒是带着戏谑的笑意。

"啊？程榆礼，你不会在吃醋吧？"秦见月不可思议地看着他，"还是我把你晾太久，你不高兴了？"

他短促地笑一下："哪能。"

这语气，哪能是不生气呢。

秦见月凑过去，诚意十足地握住他的手："你说实话好不好？"

程榆礼撑着额，半晌没吭声。他嘴角掀起，露出一个极浅的笑："是啊，你哄。"

啧，怎么又要人哄。

她都不知道要怎么理解他这个莫名其妙的醋点。

秦见月撇了撇嘴巴，无措地捏着他的指，想了半天憋出来一句："程榆礼，我只喜欢你。"

浅浅几个字的回声荡在车厢里，半天没等来下一句，程榆礼瞥过去一眼，诧异道："没了？"

秦见月不像他那么会说情话，这一招她哪里玩得过他，思索半天还是决定和程榆礼交代实情，于是转而又道："我说实话，你别不信，那两个男人长得又没你帅，也没你有气质，我跟他们聊天纯粹是为了弘扬一下我们的国粹，你听见我们聊别的了吗？"

她打开手机送到他面前，社交软件的聊天框，义正词严道："你看，发过去的都是唱戏视频。"

程榆礼给面子地瞄了一眼："梅兰芳？"

"这是杨小楼。"

他意味不明地"嗯"了一声。

秦见月放下手机，又抓住他的手："够不够，还要哄吗？"

看他凛冽的神色，她再辩解都苍白，秦见月很是无奈，"小心眼"这几个字都要呼之欲出了。

而下一秒，她一张嘴，还没发出声，就被他低头吻住。这个吻并不激烈，而是温暾柔软的。做着强制的动作，姿态却带着他骨子里的温和。

秦见月怕疾病被传染给他，竭力地用手往外推他的肩，而程榆礼的力气大，被她用尽全力抵着也纹丝不动。男人的手掌覆在她的后脑勺。哄人的人克制谨慎，被哄的人倒是热切得很。

一番热吻结束，他轻嘲她一句，用气音说："说这么多废话，这不就行了吗？"

秦见月面颊发烫，她趁着这时忙开口道："我感冒着呢。"

程榆礼不以为然："那就一起生病。"

"……"

前面的胡子大叔开到某处就会介绍一下他们浮西岛的特色景观，哪怕没有人应答，他也能自顾自地滔滔不绝。直到后车座的声音殆尽，氛围诡异，他实在好奇偏头去看，一瞬嘴巴张成"〇"形，又被自己捂住。

寂静的卧室里，东西被塞进秦见月的手心，她诧异地看程榆礼。

程榆礼一副受害者的委屈模样，斜斜侧躺在床上，撑着脑袋，面不红心不跳地吐出三个字："你来。"

秦见月低头看着手里的东西："你都不害羞的吗？"

他笑着："既然你害羞，我就不能害羞，不然谁来主导我们必要的夫妻生活？"

秦见月："……"她无话可说，只忐忑地拆卸着。

耳边是他近在咫尺的呼吸，程榆礼就这么静静地瞧着她。

半晌，他悠悠说："抖什么？"

她背过身去，不给他看。

笑声轻盈，浮在身后。

她警告："不许笑。"

他正色："不笑。"

这慢慢悠悠的拆卸过程中，忽而想起什么，暂时放下了手里的东西，秦见月脸色严峻地看着程榆礼："对了，我有个事想跟你商量一下。"

程榆礼轻哂："真是挑了个好时候。"

秦见月道："就是要现在说才好。"

他很大度："说吧。"

他不急不缓地接过她手里的东西，绕在指骨间轻巧把玩。

天人交战了一分钟有余，秦见月还是闭着眼，一口气连贯地吐出了她的想法："我可能没有生孩子的打算。"

他们的婚姻完成得太过草率，从没有机会和他商讨过这件事，因此秦见月意图将心声说得严重一些。其实她只是近两年没有这个打算，往后的想法很难说。

程榆礼比她想象中淡然许多，他甚至连愣都没愣一下，旋即点头道："好啊，那就不生。"

他的淡然让她不免震惊，她瞪大了眼："你没有意见吗？"

程榆礼说："我的意见重要吗？"

"你要是有什么想法可以说，我其实……"还是会有些心虚，秦见月垂着头，慢吞吞开口说，"我是想这几年在工作上再努力努力，况且我现在也没有上年纪到生育困难的地步，所以之后，如果想法变了，我还可以……"

后半截话被程榆礼打断，他说："不管是为了事业或者别的，哪怕你只是不想怀胎、怕疼，甚至不需要任何理由，你都可以不生。选择权百分之百在你这里，所以不必向我解释。"

说完，他又打趣说道："或者你哪天又想生了，你可以告诉我，我能简单帮上一个忙。"

程榆礼在这件事上的轻易顺从让她觉得不切实际。秦见月看着他煞是真诚的眼睛，不免多问："那，你爸爸妈妈那边你要怎么交代啊？"

程榆礼闻言，把手中的东西搁置一边，他倾身压下来，看着她正色道："对我来说，我的家庭只有我和你两个人，我们满意就好，他们没有指手画脚的权利。"

秦见月躺在他的身下，眼神屡弱，水波粼粼。楚楚可怜的一张脸，实在惹人怜惜。

程榆礼就这么往下望着她虚焦的眼，似乎看穿她心底的迟疑和忌惮，他轻轻拨她的头发："见月，我说真的，不必这么替别人考虑。脑袋会累，心也会累。也许你是习惯了看别人的眼色，担心这个担心那个，但从现在开始打住，不许顾虑。"

秦见月说："因为我妈妈想让我赶紧生孩子，她的思想比较老派，希望我好好带孩子养孩子，最好……最好不要上班。"

说到这儿，她还很难为情地降低了声调。

程榆礼笑了，慢条斯理开口说："你一个'90后'跟'60后'计较什么？我教你个管用的招儿，以后长辈跟你说什么，你就瞎应付'对对对''是是是'。也别掰扯，你扯不过。多说两句人能给你扣个不孝的帽子。但你心里得清楚，日子说到底还是得自己过，要有自己的主见。

"我说句不吉利的，以后妈妈不在了，但是你发现你身边留下来的东西都有她带给你的影子，你不愿意生的孩子，你依她的话去迁就的男人和婚姻，你终于可以不被控制可以享受你的人生了，但你能吗？这些东西会代替你妈妈控制着你。你怎么去释放？再强加到你的孩子身上吗？所以说，该抗争的年纪就抗争，以免老大徒伤悲，是不是这个理？"

长篇大论说完，程榆礼都觉得自己快成哲学大师了。他从不跟人叽叽歪歪一堆大道理，也懒得开口，只是实在不忍心见她常常受困的样子。他用指腹轻轻抵着她眉心的褶，将它一圈圈揉开。

秦见月慢慢消化，而后深以为然地点点头："你说得有道理。"

见她的愁绪缓和下来一些，程榆礼问道："所以，你要跟我商量的就这事儿？"

"嗯嗯，是的。不过——"

"不过什么？"

秦见月弱声说道："其实，我还是挺喜欢孩子的，以后可能还得要你帮个忙。"

她一说完，羞耻地用被子蒙住脑袋。

第二天清早，秦见月收到一则消息，彼时程榆礼在捣鼓一个咖啡机，秦见月闲来无事玩起了手机。她吸吸鼻子，发觉今天的状态好了很多。

齐羽恬：还在蜜月？

齐羽恬：你那边几点啊？

齐羽恬：同学聚会你去吗？

秦见月：什么时候？

齐羽恬：下周。

秦见月：我可能没法那么早回。

齐羽恬：魏老师点名想见你欸，她明年都退休了。不来见见？

半天，秦见月回了一句：好吧，我想想。

魏老师是当年秦见月的班主任，她对秦见月很好。既然"被点名"，秦见月也没有推托的道理，因为同学会的通知来得突然，他们的旅程被砍掉一截时间。

实则秦见月的体质在这个岛上也待不了多久，正好也有了提前离开的合适理由。

车子开在雪山脚下，另一侧是呼啸而过的列车，玻璃箱一样的形状，透明盒子里装着奔赴而来的游人。

秦见月拍拍他的肩膀："你开快一点儿，看看能不能超过那辆车。"

程榆礼微微勾唇，将油门踩到底，就这么在莫名其妙的地方飙起了车。

一贯胆小的秦见月在此刻倒是觉得意外的刺激，她冲着窗外挥手，对面列车里的游客的摄像头照到她。

总是躲避摄像头的她，却冲着对方的相机大方笑着，比了个"耶"。

程榆礼也是为了依着她的话，难得把车拉到这个速度。

他们的车在宽阔的大道上疾驰着，跟列车赛跑。在晶莹的天空底下，灰色的群山背后，最高的那一座山巅被璀璨的光照着，像是末日来临前，太阳眷顾人间留下最后的辉煌，有种消沉的浪漫。

他们的最后一站是火山。

程榆礼和秦见月来时已经晚了些，围观的人潮不住地攒动着。

秦见月遥遥看见不停在往外涌出热浆的山顶。她兴奋地往山那头跑去，滚滚的熔岩不断地往地下流，她在密集的人影中快意地穿梭，奔向那个她前所未见的热烈汹涌的地界。

乌黑的发披在身上，肆意地散落，像一幅世界尽头的画。

程榆礼打开手机镜头，不由得看呆，视线追着她的背影跑。

这是一种怎么样的美？

坠落在地狱里的少女，仰头去抓住最后的生息。衰竭的末日，她遍体鳞伤渡上自由的方舟。

程榆礼看着她的身影，没有由来地，心境变得平和。一呼一吸散开空中，凝成湿润的雾气。

"见月，回头！"

"咔嚓"一声，照片定格在她转身的刹那，身侧的人流变成虚影，只有她的面庞永恒清澈，眼中是一片浓黑的夜，也有一团滚烫的火星。

为期十天的蜜月结束了，有一半时间在病弱中度过。

坐上飞机，秦见月坐在靠窗位置，往外看去。稀落的云像烟尘一样流淌着。

舷窗外面是广袤的黑白色土地，这里堆砌着终年不化的积雪。雪地里、冰河上、一望无垠的天际，都藏着他们无人干预的共同回忆，未必会有再次来到的机会，但无声之中，爱意在这里落脚。

程榆礼闭眼小憩，确信他睡着了，她才小心翼翼地取出包里的《叶芝诗集》。

这是临走前，程榆礼塞在她包里面的。

揣测他是不是在哪里落笔。关于那一天他承诺过，为她写下来的愿望。

相处久了，秦见月也能渐渐摸清一些他赠与惊喜的规律。

不过并没有抱太大的希望，因此诗集让她翻得漫无目的，除了一些字词的注解，并无其他。

就在秦见月将要合上书本时，她忽而扫到在扉页的一大串文字。封面轻飘飘落下，又被她飞快地掀开。

目光与夕阳一同停留在纸上，昏黄的光晕衬着他遒劲的字迹。

秦见月一字一字地看过去，连呼吸都格外谨慎，唯恐亵渎。

希望你的家庭，你的婚姻，别人的目光，包括我，都不要变成你的枷锁。
你应该成为一阵风，随着意识而流动。
侧舟山的群星，浮西岛的火山，列车途经的雪国，浮出海面的鲸鱼。
你在看向它们，它们同样也在接纳你。
你和万物一样，享有具象的美、无尽的生命力，以及值得被铭记的人生。
我的女孩，愿你灵魂自由。

第十一章 / 远山淡影

隐没在夜色，寂灭于雪声。

1

秦见月很难想象程榆礼会是一个落实到生活细节里的人，她没有试想过他们会坐在一起讨论生孩子这样的事情。还有许许多多的陈芝麻烂谷子，都离他很遥远。

她见过爸爸和妈妈为一点儿鸡毛蒜皮纠结争论的时候，在黏稠闷湿的夏天夜里，空旷的院子里只剩下秦漪扯着嗓子声嘶力竭叫江淮滚蛋的声音。

爸爸沉默地站在门口一根接一根地抽着烟，从阁楼上摔下来的蛇皮袋"刺啦"一声裂成两半，成团的衣物散落在江淮的身上。

体面全无。

这是秦见月最早接触到的婚姻溃烂的一面。

她不怀疑爸爸妈妈感情深厚，但她也看到横陈在他们中间，由刻薄的字句、深厚的怨气构成的不堪细想的另一面。

建立于爱情之上的婚姻，最终变成一只溅满泥点的水晶球。尚能隐隐看到最深处的精致漂亮，但表面的污浊早已令它痕迹斑斑。

到了程榆礼这里，那些陈芝麻烂谷子，他竟也能驾轻就熟地躬身捡拾，神奇的是，他在那恒久的布帛菽粟之间，身上还能稳固地维持着一贯的光风霁月。

他能给你讲一讲生活的小经验，转头也能给你写一首情诗，在务实与浪漫之间切换得游刃有余。

他的生长环境让他养成这样一种恰如其分的姿态，妥帖周到，不愁生计。不为一斤鸡蛋、五斗米跟人锱铢必较，人就会显得谦和大气。

不过，偶尔也会有情绪微折的时刻。

程榆礼塞着蓝牙耳机，一边在镜前更衣，一边通话，慵懒的调子，语气却略重："不能给我请个靠谱点儿的人？叫他办点事儿东一榔头西一棒子，做给谁看？"

他系好衬衣的每一粒扣子，卷上袖口。

这些事秦见月很少帮他做，她做得甚至没有他细致。

他按了按眉心，良久，说了句："等我到了再谈。"

他将手机搁置一边，神色微冷，熨帖的西裤裹着修长的双腿。秦见月一边咬着鸡蛋一边打量他，清晨的光透过干净的窗落下来，照清他宽阔的身影。

程榆礼穿好衬衣走了过来，手在漫不经心地系着领带。

秦见月问道："你有烦心事啊？"

程榆礼淡道："算不上，只不过有几个工程师办事效率太低了。说得好听点技术入股，说得不好听我花钱在公司供几个闲人。"

越过秦见月，他走进卧室的卫生间，取出一柄手动的刮胡刀，又走出来。

秦见月问他："已经入股了吗？"

"还在考察，"程榆礼把刮胡刀递给她，"帮我一下。"

秦见月愣愣地看着手里的刀，程榆礼已经闲适地在椅子上坐下，她便跟过去坐在他腿上，他顺势将手搭在她的腰间，将人松松搂住。

"不太会用，要怎么……方向……"她将手腕转来转去，没找准下刀的地方。

程榆礼捏住她的手，替她拨正了刮胡刀的位置。

很快，刀片轻柔地剔过他下颌的青楂。动作太温柔，弄得他有点儿痒。程榆礼弯了弯眼，狭长眼眶里盛着淡弱的笑意："使劲儿。"

"我怕你疼呢。"

程榆礼辞职之后开了个简易的个人工作室，目前还在一个过渡阶段，跟他几个关系好的师兄接一些零碎的项目。创业是很烦琐的，他有时和秦见月讲这其中的条条框框，她也不大明白。总之将想法落实必然要经历一个较为曲折的过程，有很多时候，困难不一定体现在钱上面。

秦见月渐渐熟悉了使用剃须刀，很快游刃有余起来，打趣他说："以后是不是要叫你'程总'了？"

程榆礼笑着说："不必，还是'老公'好听。"

收起刀片，她用手抚了抚他的面颊，感受她的工作成果。

程榆礼说："今天和一个阿姨约了时间，来清理一下院子，我今晚和人谈事情。你要是回来得早，接应一下。"

秦见月面露为难："我可能回来还挺晚的，我那个同学聚会是在今天。"

"同学聚会？"不提这茬他差点儿都忘了。他微微思索，意味深长看着她说："不打算带我去？"

秦见月紧抿一下嘴唇，犹豫不决，半天未吭声。

程榆礼捏她的腰："我算是看明白了，我在你心里的分量就那么一点儿。"

秦见月痒得闪开，腼腆地笑："哎呀，我不是这个意思。"

"那你是什么意思？"程榆礼也笑。

她说："啊？你总不能是真要跟我去吧？"

程榆礼斜倚在椅子上，手支着太阳穴，似笑非笑的神色："不行是吧？嫌我丢人了。"

秦见月抠着手指甲，闷不吭声。

程榆礼自知等不到好话，叹一声起身道："那我叫她改天过来吧。"

她如释重负："好。"

降温季节，程榆礼套上大衣，二人一并出门。眼见外面灰蒙蒙一片，他脱掉围巾，大方地塞到秦见月手里。

今天的沉云会馆难得沉寂，闭馆谢客。是因为三春班几位师生在馆里开了个重要会议，商讨关于戏曲节目的演出形式。

秦见月到的时候，几个师兄师姐已经在宴客厅里坐下了，众人讨论得很是火热。见陆遥笛旁边有个位置，她便过去落座。

花榕将手中的瓜子屑一丢："哟，阔太来了。"

两人自上回交锋之后，一直处于水火不容的状态。好在花榕和秦见月没太多同台的机会，两人也碰不上什么面。

早料到他这副阴阳怪气的神态，秦见月都懒得搭腔，她从包里拿出打印好的创作文本。

陆遥笛凑过来看："这是什么呀？"

"我改了一个《风雪夜归人》的本子。"

南钰也跟过来看："是吴祖光那个话剧吗？"

"对。"剧本被二人拿过去看，秦见月点头说，"只是一个初步的构思，写得有点儿乱。"

这一次是作品创意，不仅仅关于剧本内容的创作，对他们的戏曲艺术来说，更重要的是舞台的呈现。

"我想的是，既然是一档综艺节目，那它的受众定位一定不是局限于小部分京剧迷，而是要下沉到青年群体里面。但是京剧对现在的年轻人来说有点儿阳春白雪、曲高和寡的意思，你送到他们耳边，他们都不一定会听。况且现在娱乐的渠道和产业越来越多，很显然大家更不会沉下心来听戏。所以我打算在舞台形式上做一点儿改良，主要是将舞剧或者话剧和京剧结合在一起，具体的内容反而是其次，我们需要做一点儿雅俗共赏的东西。起码要先打开这一部分的市场。"

　　陆遥笛说："舞剧和京剧？听起来好像还蛮有意思的。"

　　花榕插话道："你这个主意我不赞同。京剧的艺术美在于古朴，在于写意。你用舞剧、话剧这种现代化元素太多的东西去冲撞它，会破坏掉它内在的东西。舞蹈？舞剧？那要怎么去维持它的虚拟性？你想改良可以，但是京剧绝不可以写实。"

　　秦见月说："写意和虚拟性我们肯定要想办法留下，在戏中戏里面体现，比如《风雪夜归人》里的魏莲生他本来就是一名戏曲演员，我们可以通过戏曲和戏剧的结合去展现他的一生。至于怎样融合这一点，可以在后面的过程中再做细化整理，目前我只是提出这样的一个概念。"

　　花榕说："可是你这样就是在根本上破坏掉了京剧的特殊性。加入这个元素、那个元素，最后留下来的东西还剩多少戏曲成分？那你干脆就去设计舞剧好了，还要加个京剧干什么呢？人家喜欢什么你就去做什么？你有没有想过你这样迎合市场，被吸引来的观众也只是图个新鲜感，不爱听的人还是不爱听。"

　　秦见月反驳说："哪怕多吸引一个人来也能证明这个方法是有效的，四大名旦当年也演过时装戏。不破不立的道理，折子戏经典你不可能唱一辈子《四郎探母》，样板戏好听你也不能一百年以后还在唱《红灯记》，京剧没有它们无法繁荣，但我们得在此基础上想办法改革。如果永远这样停滞不前的话，京剧还能活得过一百年吗？"

　　花榕正欲开口，南钰打断了一下："见月，我觉得花花说得有道理，他的意思是你想要创新可以在剧本基础上做一些改良，但你这样引进跨度太大的西方的东西进来，可能会磨灭掉京剧本身的韵味。"

　　秦见月说："我也明白你们的顾虑，我只是希望多一点儿人来听戏。我们如果不能走到群众中去，那不管怎么改良都只不过是在我们这个小圈子里打转。大家根本就听不懂，就根本不会有人来听。再怎么改得登峰造极意义又何在呢？"

花榕说："你这话我就不爱听了。说白了，京剧本来就是小圈子玩的东西，你打磨精进你的艺术，人家听不懂是他们的问题，你怎么还怪起艺术来了。"

秦见月说："艺术当然没有错，艺术本身没有错，可事实是，不顺应时代发展它注定就会被淘汰。听戏的人越来越少，那么会不会某一天它也会变成博物馆里的一段历史，我们不应该为怎么传承想想办法吗？"

花榕冷笑一声："你也太夸张了。"

"我认为你这样还是在自欺欺人。"秦见月说到后面声音有点儿激动颤抖，"你不爱听也得承认，我们这一行都快成为夕阳产业了，现在的社会就是很浮躁、很快节奏，大家都喜欢刷小视频，听流行音乐，没有人会静下心来听慢悠悠的京剧。你可以说听众的审美趣味不够格，但京剧本身缺乏创新也存在一个很大的问题，我们没办法回到一百年前那个戏曲鼎盛的年代了，时代注定回不去，人却在不停往前走。想要传承它的艺术价值，不是单单就靠我们这些唱戏的动动嘴巴唱唱曲就可以的，关键是在于怎么样招揽更多的听众，故步自封不是一件好事吧？"

自古以来，关于艺术性和商业性的架就打个没完。两个人立场不同，各自有理。

说了半天，南钰被秦见月说得颇有些动摇。陆遥笛迷迷糊糊想上前劝架，又不知从何劝起。最后，花榕倒了杯茶咕噜咕噜灌了几口，没应声了。

《风雪夜归人》的剧本被秦见月收回，她说："可能是我的想法比较偏颇，无论如何大家肯定都还是希望京剧越来越好的，至于具体的创新方案我们可以再讨论讨论。"

陆遥笛说："好啊，你要是改好了可以再发给我们看看，我和师姐最近也在写一个戏。"

南钰扶额，唉声叹气道："唉，能不能别提了，小学生作文写得都比你好。"

陆遥笛气得捶桌："不用这样瞧不起人吧？！"

两人一打趣，气氛总算缓和下来。

孟贞是最后一个进来的，她搓着冻红的手，摘下围巾："大老远就听见你们聊得这么热火朝天呢。"

见老师的围巾上沾着几粒雪花，秦见月往外望去。鹅毛大雪落在枯衰的柳条上，视野里一片混沌的白。

秦见月和花榕又把各自的想法跟孟贞说了一遍，孟贞想了想说："见月的主意不错，花榕的担忧也有道理。上次也说了，这个节目对我们来说是一个重要的展现机会，最好不要做成平平无奇的戏曲类型，那这样跟我们这天天登台唱戏也没两样。咱们班里年轻人多，我希望你们可以用你们年轻人的思维去思考，拿出新颖的创意和想法。有思考和碰撞都是好事。"

孟贞指着秦见月的剧本说："不管是在原有的基础上改良，还是创作新剧，我们首要义务是做好传承。这个节目制片人是我一个同门的朋友，不算是咱们内行人，也就是微微懂点儿戏，他也是希望通过这档节目把我们的戏曲带到大众面前。

"所以说大家不要限制自己的能力，尽可能去发挥想象。有时你以为是破坏，反倒能折腾出朵花儿来，顾虑多了束手束脚，倒是把自己框死了。

"好吧，那先就这样，距离节目播出还有一段时间，我们还是可以进行一些充分的交流。当然了，没必要的低级吵架就别发生了。"

孟贞说完，意有所指地指了指花榕。

花榕的表情是敢怒不敢言。

快要入夜，日暮西山，雪花变得密集汹涌起来。站在混浊的雪潮之中，秦见月隐隐见到那轮薄雾中的太阳，犹有余晖。

商务车开到跟前，她跟几个人一同钻进车里。花榕缩着肩喊冷，喝了一口保温杯里的水。他瞄一眼在后座发呆的秦见月。

"我觉得阔太说得有点儿道理。"

秦见月抱着臂，也觉得冷，脖颈间的鸡皮疙瘩蹿了起来。她裹上程榆礼在早上临别时给她塞过来的一条围巾，上面还有他暖融的气息。

她淡淡说："其实我觉得小榕子说得也有点儿道理。"

她也礼尚往来给他取了个阴阳怪气的别称。

前面的男人失笑一声，而后意味不明地嗟叹。车中陷入沉寂。

秦见月想到什么："对了师傅，我到小观园餐厅。"

她要去参加同学聚会。

司机应了一声："好的。"

同时，陆遥笛又开启了新话题："对了见月，你们去哪儿蜜月了？"

秦见月答："浮西岛。"

"哇，我超级想去的！是不是特别美？看极光了吗？"陆遥笛兴奋得眼睛都冒星星。

"看了，还有火山、冰川。很美。"

陆遥笛从前面伸过脑袋："好羡慕啊，有没有照片，给我看看。"

秦见月便把手机递过去给她。

"太羡慕了，我也好想和有钱人结婚啊。"陆遥笛一边翻看一边心直口快地感叹。

……原来她羡慕的是这个。

花榕呵呵一声："行，结吧，以后就是阔太一号、阔太二号了。"

陆遥笛骂骂咧咧，伸手去拧他的嘴，花榕发出惨叫。

手机被递还秦见月，被翻阅的相册停留在那张火山背景的照片。

秦见月的发在风中凌乱着，因为唐突的呼唤而眼神无辜，苍白的颊，黑色的衣，火色的熔岩。夸张的色彩碰撞，构成这张很特别的风景照。

在照片里，她终于领会到他所说的"具象的美"。

是在几天后她发现，这张片被程榆礼设置成他的朋友圈背景图。

她当时很不好意思地叫他换掉："秀恩爱死得快不是你自己说的吗？"

程榆礼没有答应。他说："我也没辙，就是想让人看看你。"

秦见月很难为情地去捶他的肩，程榆礼笑着握住她的拳。

2

"小观园到了。"

司机的声音将意识模糊的秦见月唤回。

"好的，谢谢。"

她拉开车门，一股凄冷的风雪嗖一下钻进车中。秦见月用力关上车门，立刻便裹紧厚重的大衣，还是有雪粒子狡猾地侵入了衣衫。风吹得她眼睛眯起，眼下站在一条四下无人的街，她左右看看，竟觉得陌生。

约饭的地点是魏老师订的，为了方便同学们找，就选在三中附近的一家酒店。妈妈菜馆是学生私底下珍藏的宝藏小吃，小观园是宴师会客的要地，都是她再熟悉不过的地方。

然而瞅瞅眼前的街道……她来过这儿吗？

再去问司机为时已晚，车开了出去很远。

秦见月又纳闷搜寻了一圈，赫然看到在前面的巷子里有个牌匾暗掉的"小观园"。

欲哭无泪，她被送错地儿了。

秦见月无奈地拿出手机，有打车的计划，但仔细看一看地图，从这里走到三中门口那个小观园，距离两公里。打车不足起步价，亏了。

她打开了导航，预备步行过去。被人戏称"阔太"，秦见月倒是自知没有阔太的命。

许是因有那么一段时日，家里经济状况极差，养成了她俭朴的品质。她的俭朴和程榆礼的低奢又有本质的不同。秦见月是真的图个省钱，而后者只是习惯性保持着节能减排的思维。

怎么说呢，殊途同归，就这么阴错阳差的居然也能搭上调。

她胡思乱想着，左一下程榆礼，右一下程榆礼的，就无所察觉地走出去几百米了。

狂乱的风雪里，秦见月闷着头往前。一道嚣张的汽车鸣笛声骤然响起，惊得她周身一震。

一辆深色的越野车几乎贴着她的身子在开，秦见月以为挡路，急忙侧身让行。而那辆车却没急着往前，她不解地看去。

车窗徐徐降落，钟杨是怕雪滚进去，只将窗户降一半，她看见他的一对含笑双眸，袒露在亮色里的眼与眉，精致漂亮得像个姑娘，还是一笑百媚生的那类姿色。

“程榆礼是怎么个意思，一点儿怜香惜玉的眼力见儿都没了？”他讲话还是惯常的吊儿郎当的调子，“让你在这儿受冻？”

秦见月如蒙大赦：“不关他的事，是我被送错地方了。你去小观园吗？能不能捎我一程？”

钟杨刹不假思索道：“上车。”

秦见月不犹豫，拉开后座门就坐进去了。宽敞、温暖，车里充斥着一股淡淡烟草香，又泛着点清淡的甜。她放下围巾，抖落雪粒。见到钟杨穿一件铅色毛衣，他微微侧过头，做出欲言又止的神色。

秦见月意识到什么，立刻解释说：“哦，那个，我不坐前面是怕你粉丝误会。”

他愣了愣，笑了下说：“还是这么善解人意。”

秦见月莞尔：“我就当你是夸我了。”

车子开去餐厅的路上。钟杨伸手从储物格掏出个什么东西，往后面一甩，“哐”一下落在秦见月的腿上。

是一袋棉花糖。

她没有客气便拆开，取走两个，又往前够着身子替他塞回去：“谢谢。”

和钟杨也好久没见了，重温到一些往日相处的小习惯，秦见月觉得颇为暖心。他仍然是大方爱分享的。有名气有钱的人，过得总归不会多差，性情还是那样天然无雕饰。

"对了，"秦见月嚼着糖，"上次那个事，我得跟你女朋友道个歉。一直忘了提了。"

钟杨漫不经心问："我哪个女朋友？"

他的语气听起来不像是在掩饰和开玩笑，看起来是真的忘了。

秦见月愣了下，微笑说："没事，不记得最好。"

钟杨抬手调整了一下镜子的角度，那双眼就直直地落在见月身上了。雪里过来的，眸子是清冽敞亮的纯澈。

她对上他的视线，寒暄说："我还以为你很忙，今天来不了。"

"本来是没打算来。"钟杨勾着唇，眼里倒是没什么笑意，"可是架不住有人发消息说想见我。"

本能地应该问句是谁，秦见月的话都到嘴边了，又有所警觉地吞了回去。

两公里不远，几分钟的车程。没再多扯上几句，钟杨下车前衔了一根烟，然后将车熄了，下车点火，用手圈住外面的一层冷风。

秦见月看到小观园的门口已经有一帮熟悉面孔在谈笑风生了，在二人融入进去之前，她还是忍不住说道："钟杨，我能不能劝你一句话，你可以不听，但是我想了想还是有必要跟你说。"

"嗯？"弥漫开的烟尘将二人笼住，他夹着烟垂下手臂，青烟被雪气冲散。钟杨好奇地看着见月。

她想了想，组织措辞："我们也不是十几岁的人了，在这个年纪，你如果不是下定决心要跟一个女孩一直走下去，最好不要给别人希望，因为对方可能会当真。哪怕你只是付出一点点的好意。"

钟杨听出来秦见月的意有所指，往前迈一步，距她近些，淡声说道："有些事儿不是你想的那样，别那么轻信道听途说。"

秦见月也知道，他毕竟是公众人物，这个身份给他增加了神秘感，而人们又会习惯拿这层神秘感做文章，用各种捕风捉影的小道消息来试图将他塑造完整。

比如说，"钟杨是个玩得开的"这种新闻，多传几人之口就成真的了。

而秦见月对他的了解也仅仅停留在某一些片面的特点上，他也有不为她知的死角。

自然，和他有关的是是非非，她判断下来也会将信将疑。

秦见月不再和他兜圈子了，她坦言道："所以不论如何，你可以不要伤害齐羽恬吗？"

钟杨闻言，稍稍一怔，而后笑着问："你是担心这个？"

"对。"

他轻微折身,凑她耳边:"那你放一万个心,伤害谁我也舍不得伤害她。"

秦见月细品这一句话,深谙此人已经渣到了一种境界,也有一种叫人迷惑的本领。

钟杨轻轻拍她的肩:"进去吧。"

两人并行往里面走。秦见月又想起什么:"对了,还有一件事。当时没有和你说过,但是后来我一直很遗憾没有跟你道谢。"

他迈步往楼上走,偏头看她:"哪件事?"

她声线微弱:"高一期末那件事。"

钟杨见状,不由得笑起来:"秦见月,你应该了解我,我从不猜女人的心思,所以甭跟我一而再再而三地打哑谜。"

到了指定的包间,两人一前一后走在廊间地毯上,秦见月说了句:"就是夏——"

下一秒,门被他推开,闹哄哄的声音涌入清净的走道,秦见月的后半截话被自然而然地吞没。

包间里坐着各种各样的成年人,秦见月一一扫过去,都是认识的脸却不能依次叫出名字,这遥远的熟悉让人觉得怪异。有人喊了声:"唷,这不是钟杨嘛,还带女朋友来了?"

钟杨扯了下唇角:"睁大你的狗眼仔细看看,这是我女朋友?"

"哇,秦见月啊,怎么长这么漂亮了?"

坐在上座的是魏老师,她戴副眼镜,十年如一日的文气,只是鬓角添了些白丝,见到秦见月,笑眯眯地招她过去:"过来坐啊,见月。"

钟杨也挑了个位置坐下,目光在桌上巡视一圈,漾起的笑意慢慢敛去。

面见久违的人,秦见月是拘束的,她找了圈齐羽恬没找到,也没再熟悉的朋友,只好谨慎地坐到魏老师跟前。

魏老师开始了对她的称赞:"这一届最喜欢的学生还得是你,又乖又文静,除了学习也没什么歪心思。从前上学的时候还是短头发是吧,现在头发都这么长了。"

餐桌上闹哄哄的,那头有几个男人已经开始起着哄劝起酒来了,角落里唯余魏老师和秦见月在安静攀谈。

魏老师又关切地问道:"现在还在唱戏吗?"

秦见月点头:"对,一直在唱。"

魏老师若有所思地点头："我就猜到，你还是会走这条路。也是好事，坚持可贵。"

秦见月没有即刻应声，沉默之间，两人共同想起当年的一些事。

秦见月的爸爸江淮过世之后的那个夏天，对秦见月来说是非常煎熬的。妈妈折了腿在医院里躺了半年有余，秦见月面临高考，艺考分数全国第一的喜悦在一刹那变为泡影，一个抉择被推过来，她很有可能无法再有支撑她走艺术之路的良好家境。

而曾经在台上辉煌过的妈妈也面临着永久失业的问题。

这沉痛的现实摆在秦见月的眼前，她急需在一个非常稚嫩的年纪去考虑她的将来，以及她是否还有必要去追逐那一堆"阳春白雪"。

魏老师当时了解到秦见月的家庭情况，找她谈心，给了她一些在专业上的建议，也和她掏心掏肺地分析了目前各个行业的就业问题。

秦见月听进了这些建议，那些天在她的小房间里，对着她过了一本线的分数考虑了很久，不停地翻看了院校资料，每一个都好，可每一个也都不好。

最后，她的志愿里只填了一所院校。是她心心念念的那所象牙塔，听说那里有一座货真价实的"梨园"。

每个人都不知道她承受过多少才到今天，也只能鼓励一句"坚持可贵"了。

面对鼓励，秦见月也只是淡淡笑了下说："嗯，谢谢老师。"

魏老师又问："跟你天天黏在一起那个小丫头，叫什么来着，眼睛大大的……哎哟，脑子里有长相，就是一下想不起来人名了。"

"齐羽恬？"

"啊，对对，齐羽恬，她是不是当明星来着？前段时间还在电视上看到，我儿子可喜欢她，叫我给她投什么票。"

秦见月失笑："对，她现在在做演员。"

"演员好啊，演员挣得多。"

"嗯。"说起这个，秦见月还补充了一句，"两千万粉丝呢，简直不敢想象。"

"欸对了，她今天怎么没来，我记得前两天她还主动联系我来着。"

"我也有点儿奇怪。"秦见月说着，拿出手机看了看。果不其然，她看漏了一条齐羽恬发来的消息。

齐羽恬说：呜呜呜，剧组不放人，帮我跟老师说一声。我今天去不了了。

秦见月问：你现在在哪里啊？

齐羽恬：还在申城呢。/哭泣

一千公里的路程，那确实是来不了了。

"演员好，演员好。"秦见月回复完收起手机，耳边是魏老师还在不停念叨，"生计不愁了。"

秦见月笑说："何止，一辈子都不愁了。"

说这话时，免不了会有几分羡慕。

演员、戏子，听起来是互通的行业，可是在她眼下生存的这个年代，却又千差万别。

亲口讲出那句"夕阳产业"的时候，怎么会不落寞呢？一脉相承的行业，做演员、做歌手，他们付出的精力和时间成本要比京剧行当的从业者小得多。

他们不需要为了必要的基本功，苦苦挣扎一整个童年。

即便如此，秦见月也不认为她选择的路是错的。她有着自己都觉得古怪的顽固，与一腔无人知晓的热忱。

男人们的酒杯劝到了女人这边，有人喝有人不喝，秦见月今天有那么点儿兴致，就沾了一些，喝上瘾了，渐渐不节制地开始添杯。

钟杨这边收到一条消息，是程榆礼发来：月月酒量不好，不能喝多。

感觉一把狗粮被塞到嘴里，钟杨本有些孤寂的心情复又提起兴致。他倚在座位上不合群地兀自抽着烟，打趣道：你又知道她喝酒了？

程榆礼：不回消息，多半是。

程榆礼：劳您照看一下。

钟杨：我一会儿有正事得办呢，找个男同学替你照看一下？

程榆礼：……滚。

程榆礼：定位。

钟杨笑起来，依言给他发了个位置信息。

程榆礼来的时候，酒席将散。

秦见月跟魏老师互搀着，老师又提起她当年在学校里办什么京剧社团的事，秦见月早将这些犄角旮旯儿的回忆给丢了，让老师这么一提醒，尽数涌来。

"那个社团啊，都没办几天就解散了，搞什么活动也没什么人参与。全都是好朋友来捧场的。"秦见月笑得腼腆，面颊绯红，醉意让她变开朗一些，她抓抓头发说，"好尴尬，因为大家都不感兴趣呀。"

魏老师见她醺意上脸，颇为担心想要不要找个人送她一程。

而秦见月眼尖看到某个在场外等候多时的男人。

程榆礼倚着车门而立，一身清冷高贵的漆黑，面容是带有距离感的俊美，他不做表情时是个高冷男神的架子，遥遥看去，雪雾朦朦之间，从淡漠的眼底，到微抿的唇线，神色里无不携着遗世独立的悠然冷寂。

只消一眼，她心潮澎湃。

秦见月跟老师说："我叫的车到了。"

叫的车？程榆礼微微蹙眉。

魏老师看见了程榆礼，心中恍惚一下，觉得这人不像个司机，但见秦见月脚步轻快的模样，指定是认识的人，才放心招手说："好，到家了在群里报个平安。"

"嗯，老师拜拜。"秦见月也挥挥手。

背着手走到程榆礼的车前，喝大了的秦见月戏瘾上身，绕车一周，瞅着牌照："咦，这车……这车怎么像我老公的？"

腰一下被人捞过去，秦见月重心不稳歪倒在程榆礼怀里。程榆礼握着她的脸问："那你看我像不像你老公？"

她用指推开他一点儿，故作惊喜道："是程总欸，您怎么亲自过来了啊。"

他轻笑一声："叫别人来我能放心吗？"

咕噜咕噜！秦见月的肚子不合时宜地叫了一声。刚才在餐桌上什么都没有吃，光顾着喝了。她羞耻地揉了揉肚子，借势将脸颊在他的身上蹭："程总，饿饿，饭饭。"

喝醉的秦见月过分娇柔，程榆礼借机将她脸上的软肉揉了个够："想吃什么？"

秦见月煞有介事四下张望了一番，指着一家便利店："那里吧。"

三中门口新开的便利店。在她读书的时候，这里还是个普通的小卖部，给学生们源源不断供应着午餐泡面，还有一些平价小零食。

秦见月抓了几个刚刚煮沸的关东煮，摇摇摆摆去付钱，然后到旁边的位子上，规矩坐下。咬一口丸子，汁液溅出来，烫到嘴角，秦见月疼得皱眉。

纸巾贴在唇边，他帮她擦拭，又温声说："先别吃，晾一晾。"

好吧。把吃的放下，秦见月乖巧坐了会儿，没有话说。她撩起眼皮，怔怔看着雪夜里的月亮。又是一个十六，想起李白的诗：小时不识月，呼作白玉盘。又疑瑶台镜，飞在青云端。

玻璃外面下起了一场鹅毛大雪，这是一个美不胜收的夜。

肚子又饿起来，她咬下去一口被程榆礼举着晾了半分钟的豆干。

怕她烫到，他将要制止，她已经满足地嚼碎吞了下去。

程榆礼放下签子，又用筷子从汤里夹出一个湿漉漉的海带结，轻微抖落两下汤汁，就这么悬在空气里，看着热气滚滚消散。

秦见月好奇地在研究程榆礼的坐姿，他坐在高脚凳上，一只脚蹬在支撑杆，另一只脚搁在地上，看起来十分轻松优雅。

学一下。

脚尖点地，是她最后的努力。她努力地点了两下，然后吧唧一下，屁股从座位上滑下。程榆礼垂着眸，耳闻她这小幅度的闹腾，不由得勾起唇角。

秦见月终于认清自己腿短的事实，遂放弃。

总算结束了各种好奇的研究，秦见月最终眼巴巴看向程榆礼。

他忙碌了一整天，倦意上了脸，一只手替她晾着吃的，另一只手撑着脑袋，竟在闭眼小憩。

"你好累啊。"秦见月有点儿心疼地摸摸他的脸，拨过筷子的方向，大度地说，"那这个还是给你吃吧。"

程榆礼失笑："我不吃。"伸手喂到她的唇边。

大方的秦见月还是遭不住美食的诱惑，接纳他的投喂。

她慢吞吞开口，语气迟钝，吐字都因醉意而有点儿含糊："我跟你说个事，我今天又跟人吵架了，不知道有没有赢。但是好像不管有没有赢，我都有点儿难过。"

程榆礼轻抬眼皮，说："为什么难过？"

她没再吭声，恹恹地低下头，半晌问道："你觉得我是一个什么样的人啊？"

秦见月是一个什么样的人呢？程榆礼的确应该好好思考一下这个问题了。他静静端详她醉态下娇憨的这张脸：杏眼微垂，唇角翻红，神色无辜得像个小朋友，眼里却澄澈无比。

一个词汇在脑海里闪过，程榆礼脱口而出："赤诚。"

秦见月用满怀感激的眼神看了他一会儿，眼眶都有点儿湿漉漉的："尽管你一直在安慰我，但我知道我就是个笨蛋，而且一直都很懦弱。

"就算是这样，就算是这样，我……我也是……嗯，我不想说实话，其实我是很需要的，我喜欢听你鼓励鼓励我，你夸我我就会很开心。

"就是真的会特别特别开心。"

秦见月喝醉了也不发酒疯，她会很乖地抓着他的手说开心。

笑一笑，憨态可掬。

已经没有足够强的理智跟逻辑，她讲话都语无伦次。程榆礼轻轻蹭一下她的脸，微微笑道："我知道。"

秦见月点点头，又道："程榆礼，给你说个我的秘密好不好？"

他微微折身，自行把耳朵送到她的唇边："洗耳恭听。"

"嗯……不行不行，现在不行，我要卖个关子，"她忽然脑袋一偏，狡黠地说，"你带我去三中，我给你看个东西。"

程榆礼实在是困得眼都睁不开，于是他就那么闭着眼说："好。"

3

程榆礼是在工作上碰到了一点儿麻烦，合伙人那边出了些岔子。也不是什么大事，但一旦烦恼在预期的时间内解决不下来，就免不了心头烦乱。

他总是把"效率"二字放在第一位，办事的效率提高了，生活效率也会顺势提高，反之，假如一件事情一直在磨洋工，整个人的精力都会被拖得很疲惫。

不过程榆礼尽量在克制糟糕的一面，不把问题带回家。

他平静地跟在秦见月身后，她心无旁骛地在领他去探寻她的"秘密"。

临近假期的校园，学生们紧锣密鼓迎接期末考。一格一格规整的亮窗，被缤纷的理想填满。岁月照拂着每一个年轻的梦。

秦见月哼哧哼哧地爬楼，走两步又回头看他有没有跟上。她醺得通红的颊被风雪一扫，又变白净，醉态还是从眼里流露出来。

"在天台。"她伸出指头往上指一指。

"嗯。"程榆礼紧随其后。

天台在七楼，地面有瓶瓶罐罐的垃圾，是玩闹过后的痕迹。这里不属于任何年级的包干区，是学校里难得一个被规则排除在外的地方。

"我当时在这里藏了一个东西。"秦见月跑到天台的某一处角落，用脚尖轻轻点着每一块地砖，"哪一块砖来着？"

咚咚，踩一脚，是紧的。咚咚，还是紧的。

她纳闷地抠抠脸颊，难不成被人偷走了吗？

第五块砖，用脚踢上去。咕咚咕咚，摇摇晃晃。

"哎呀，终于找到了。"秦见月忙用手去抠起那块砖。空心的砖头下面已经长出几棵生命力顽强的草，在潮湿的土壤里，她摸到当年亲手埋下的一个文具盒。她一边将其取出来一边喃喃，"要不是魏老师问我，我都把这事给忘了。"

秦见月："以前学校里有好多的社团，我也跟着建了一个。你看，这个就是我们的小旗子。"

秦见月"啪嗒"一声打开文具盒，盒口的锁已经生锈，冰冰凉凉，掰得她手疼。她呼呼吹了一下指尖，又急着去取里面的东西。

一面丝绒材质的宣传画布被她摊开在地上，她细心地揉平每一个角落。

月色清辉洒落在丝绒之上，横陈眼前的是她那一年连夜构思出来的设计海报，生旦净末丑排排站，每一个角色的人物扮相，伴随着历史的进程而走到新的时代。从清政府的工具，到今天的非物质文化遗产，成为永恒的瑰宝。

"你看，这个就是我们的小旗子。"秦见月生怕他是没听见，又重复一遍口中的话，指给他看。

"这里是我们社团的同学的签名。"

程榆礼探出纤长的指骨，指腹落下，轻轻揉在角落里板正的"秦见月"这三个字上面，一双温淡的眼在这个名字上久久凝视。中性笔的油墨在时间的痕迹下已经微微晕开。

一直以来，他知道她有自己的小秘密，但他的好奇心没那么强烈。他能够很从容地接受秦见月在这段关系里建立自我防备的界限，不让他涉足的区域，他便为她保留空间。

今天也是难得借着酒劲，她自行解开一点儿内心深处封存的柔软。

这秘密的邂逅，让他不忍说话去破坏掉她的心境。

秦见月的声音温温柔柔。

"齐羽恬、王佳明、李瑞、安可欣——咦，安可欣是谁？不好意思，我记性不太好了。还有钟杨。他好厉害，他帮我拉来好多他的朋友。"

秦见月一边絮叨着一边想："嗯，还有谁呢？这个字太模糊了我都看不清了。"

她拧着眉看了半天，终于放弃观察，又指着人物的脸妆说："你看，这个武生和老旦是齐羽恬画的，她还蛮有画画的天赋的。是不是比我画得好看？"

见程榆礼不接话，秦见月讪讪低下头，她轻轻将这积灰的丝绒旗帜从角落里慢吞吞卷起来："你也觉得很无聊，对吧？"

程榆礼轻轻拨开见月的手，又展平这面旗子，他用指尖在秦见月的名字上签下了自己的名字——程榆礼。

秦见月看着他这样一笔一画，郑重地写。

末了，他抬了抬下巴，看着她说："现在多了一个成员了。"

秦见月报着唇，良久不语。她是鼻酸了一下，又高兴又是遗憾地把旗帜重新收好："可是，可是都解散了。"

程榆礼不以为意地说："那就重新开张。"

丝绒旗被她揉在心口的位置，秦见月将嘴唇咬得泛白，红着眼，半晌不语。

她是柔弱的，但也有隐隐倔强的时刻。这样忍住眼泪的一面，仿佛让人看见那些寒冬腊月里艰难的坚守。

程榆礼用骨节蹭了蹭她的眼眶。他拉着秦见月起身，帮她把旗帜重新卷好，将其困难地塞进那个变形的文具盒。一团东西被揉进去，文具盒鼓胀得壳都翘起。

而后，他问："今天为什么喝这么多？"

她挫败地将额头抵在他的肩上："我也不知道，就是很想喝。"

程榆礼用手臂轻轻地圈住她。

秦见月也顺势搂住他的腰身，仰头看他："我们这样的人要成天在外面应酬，要喝得多，不许生气噢。"

他笑了笑："我不生气。"

"嗯。"秦见月点着头，把脑袋埋进程榆礼的怀里。

三中的放学铃声响起，秦见月挪眼去看底下乌泱泱的高中生。

人头攒动的热闹里，不知道是不是也会发生一场热切的眼神追逐，以及困乏了一整天，坚持下来只为这一刹那的蓄意靠近，因为一个似是而非的回眸而热烈澎湃之后，又在声势浩大的人流里，一次又一次地经历失去。

最终，所有的一切隐没在夜色，寂灭于雪声。

岁月藏匿起每一个年轻的梦。

她吸了吸鼻子，说："梦想都是重要的，一个都不会放弃。

"程榆礼也是其中之一。"

她的声音很小，不知道他有没有听到。

程榆礼请了司机来开车，他趁着返程的时间在车上睡了一会儿，回到家里不得不强撑起精神，替秦见月卸妆清洗。她半醒半睡，口中念叨些什么，甚至还唱了几句，弄得他哭笑不得。

不过好在她算是乖的，除了话变多，行为上安分十足。

忙碌完回到床上，程榆礼才力地搂着她睡。她洗过的发有一股清淡的莲子香气，他将脸埋进去，觉得好闻至极，又忍不住亲了她一会儿。

秦见月醉倒，手无缚鸡之力，任由他摆弄。

唇齿被轻松地撬开，淡淡酒气被清甜的蜜桃味牙膏盖过。

秦见月含糊地说："你怎么还偷亲我呢？"

他说："偷亲？我这是正大光明地亲。"

"我……唔。"被他亲醒了，秦见月闻闻自己的头发，闻闻自己的胳膊，好香，"我洗了澡，谁帮我洗的啊？"

"除了我还有谁？"

"你帮我洗澡。"想了想这回事，秦见月一下子脸通红，埋首在枕间，"真的吗？你脱了我的衣服？"

她没听到他答复，从枕头里腾出一只眼来瞄他。

程榆礼撑着脑袋，自上而下地看着她，嘴角噙着淡笑，眼神很是意味深长。

她又问了一遍："你脱了我的衣服吗？"

他说："没有——"

秦见月松下一口气。

不怀好意的男人又悠悠道："你觉得可能吗？"

她再挪眼看他，程榆礼已然笑意渐深。

"那我下次要是……不要再帮我洗了。好奇怪啊。"她把脸冲向另一边，羞耻地抿唇。

"哪儿奇怪了？"程榆礼轻笑着，把她身子拨正，轻啄她的唇，"不洗都臭了，怎么能不洗？"

秦见月捂着脸："臭了你就把我扔在外面，我在外面睡。"

程榆礼不让她捂脸，拨开她的手，又亲一下。她挡一下他就亲一口，故意逗弄似的，吻得她面红耳赤。

他说："洗澡有什么问题？哪儿不让碰？这里？"

秦见月瞳孔一缩，紧紧掐住他的手臂："不、不是。"

她心口酥软一瞬，乏力的指扼着他的腕，眼神求饶："不是的，已经十一点了，你该睡觉了。"

"十一点怎么了，今晚就破个例。"

"可是，可是我好累啊，"秦见月为了求放过，和他商量着来，可怜巴巴道，"能不能推迟到明早啊？"

程榆礼实际上也是累了，就是嘴上逗她两下，没有"加班"的打算。他低头亲她最后一下，应承道："那就听你的，明早还债。"

秦见月如释重负地叹了一声，最终歪过头舒服地靠在他的怀里。

程榆礼没有立刻睡着，没过多久，听见她喃喃在说："程榆礼，我好喜欢你。"

她似乎很喜欢在梦里说喜欢他。许多次了，都被他听见。

于是他会拥她更紧一些。

今晚没有破例加班，但破例延长出一点儿时间来思考。

他在想秦见月，从一堆被破事占据的思维里，抽出一点儿干净的空间，来存放他们的蜜意。

秦见月是封闭的，酒后的小秘密也是她不会轻易在清醒时袒露的一面。

程榆礼一开始好奇过她的这种封闭，在后来的相处之中，他逐渐地摸到了一些内因。有关家庭、有关母亲，生长环境里消极的一面会被她敏感地放大，自我捆绑。

因此，他想竭力替她松一松勒住身体的麻绳，但短暂的释放也不意味着她能够彻底地挣脱束缚。

就像一个处在远山淡影之间的轮廓，他难以看清她的全貌。她是复杂且讳莫如深的。

而他自认简单，也崇尚简单。

程榆礼不是事事有经验的人，比如结婚这样突如其来的人生大事，不出现在他周密的计划之中，不过他尽可能地将秦见月纳入他井井有条的轨道。

而人与人的感情，可控程度显然不如别的客观事物，至于有没有脱轨的可能，他无法给出一个明确的答案。

夫妻之间的交往、磨合都像是摸着石头过河。见月的懂事让他们的磨合省略掉许多麻烦的部分，两个没有棱角的人碰在一起，拒绝短兵相接，睚眦必究。他们的相处出乎意料地让他省心。

其实省心就该满意了，但程榆礼眼下又忽然觉得有些不够。

他或许也是有些贪婪了。

是被什么催生出来的呢？或许是今天的那幅海报，或许是今夜的这一场雪，在天台的拥抱。

对某个人、某件事太过刨根究底也许会破坏掉稳固的关系。可他确实有那么一瞬，很贪婪地想参与她的秘密。

这一阵无序的思考令他这天夜里做了一个梦。

梦里的场景有二，没有情节性。

一是秦见月在一个天桥底下迷了路，她坐在石凳子上哭，哭得眼里雾气蒙蒙，他忙走过去搂着她哄。

二是他跟在她的身后，见月正在离他远去。她回头跟他道别，而他却没有追过去，只在她消失的一刹握住她掉落在地上的发圈，心底淡淡惆怅。

梦醒时分，人在身侧，抱着他的手臂正睡得酣畅。

在温柔的霞光里，程榆礼端详着她清晰的面孔，脑海里飞速闪过一道"幸好幸好"的声音。他用指腹轻轻碰在她柔软的唇，尽管还有点儿困意，但他没再纵容自己睡下去，起早为她去煮醒酒汤。

第十二章 / 冬日共舞

万物虚空，唯浪漫永恒。

1

今天是休息日。宿醉头痛，秦见月睡醒后，喝了一碗姜味很重的茶，第一口下去，脸都皱成了包子。程榆礼坐在电脑前，似笑非笑打量她，宽容道："难喝就算了。"

秦见月抿一抿唇，又觉得回味里有一股甘，甚是上头，缓一缓喝了第二口。鼓起嘴巴吹了吹发烫的水面，她抱着杯子瞄一眼在忙工作的程榆礼，而后停下吹气的动作，小心翼翼地问他："我昨天晚上是不是喝多了？"

程榆礼："还记得？"

她忐忑道："就是因为断片了，才这么猜的。"又问，"我发酒疯了吗？"

他点头，嘴角轻扬："嗯。"

秦见月不由得深吸一口气："那，我有没有乱说话啊？"

程榆礼说："话的确挺多，哪些算是乱说的？"

"就是……有没有说我的秘密之类的。"

他淡淡道："不少。"

他取过桌面上一包未拆封的烟，慢条斯理地拆开。

书房外面的景色已是银装素裹，往日的青山被涤荡上一层薄薄雪色。外面萧瑟的冷气仿佛镀在他的身上，与之融为一体。程榆礼拆弄着烟盒，眼却在看她。

秦见月知道他不会主动说的。她心下慌乱，侧过身去避开他的视线，紧接着又察觉面前一堵墙有变化。原先在这正中央挂着一幅她的水墨肖像，被他调整了位置，旁边多容纳下一面旗帜。

她十分惊愕："你……你怎么会找到这个？"

看来她当真是一点儿记忆也没有了，程榆礼莞尔："是你领我去看的。"

"我埋在天台的。"

他点点头："我看它的两边角已经被腐蚀得很厉害，不能一直埋在地下。就给拿出来了。"

秦见月又瞄到在一旁置物架上面那个文具盒，惊道："你怎么连这个也拿出来了？"

文具盒的里层，她曾在课堂上做小动作，用修正液在里面写了一个"程"字，想着过后便将其抹去，但胶液凝固后，变得怎么也擦不掉。她心急如焚地往里面塞满文具，生怕被人看见。

原以为这个字会这样留到地老天荒，而今再看，已经模糊不清。

在阴暗潮湿、不见天日的地下隐匿到溃烂。它终于和那时不为人知的心迹一起消失，荡然无存。

秦见月看着文具盒生锈的表面，用手指轻触那一阵粗粝感。

她再次抬头，发现程榆礼在凝视她。

他是在想昨天那个延迟的约定。

没有早上办事的先例，光天化日，最清醒的时刻做最迷乱事，略有不雅。

程榆礼看着秦见月，面色很平静，心里却在想着要不要把她拎过来"蹂躏"。

秦见月在他的注视里"迷失"了自我，她很想知道昨天她到底做了些什么，以至于让他用这种思考人生的眼神看着她，于是清清嗓子，讪讪说："我出去了。"

他轻放烟盒，没有接话。这阵思绪很快被打断。

有人来访。是来清扫庭院的林阿姨。

程榆礼请来的家政服务区域一般局限于院落，他比较介意有人触碰家里的私密物品，所以屋里的清整布置一般都自己来做。

和林阿姨一起来的还有一条陨石色的边牧。

遥遥听见小狗嚷嚷，秦见月兴奋地跑出去："哇！哪儿来的狗狗！"

亲人的小狗朝她身上扑过来，两只前脚在秦见月的身上乱踩。

林阿姨笑笑说："是程先生托我带过来的。"

"好活泼！"秦见月都有些擒不住它闹腾的双腿。

斟酌、考察、挑狗、买狗。做得细致周到的程先生却没有第一时间出来迎接他的新宠。

不满两个月的小边牧被秦见月轻松地抱起来，她愉快地跑回书房，脚步轻快雀跃得都不像她，甜滋滋地亲了亲他的嘴角："谢谢老公。"

程榆礼愣了下，而后面露一点儿笑意，算是没白买它。

他很给面子地揉了一下狗头。

秦见月说："我们给它起个名吧？"

还要起名，真是个麻烦事。程榆礼揉了揉太阳穴，灵机一动，说道："不如就叫它'狗'吧。"

大雅若俗，秦见月欣然同意。

一桩小事，让互联网热闹起来。

秦见月是在去看演出的路上看到的新闻。她排场很大地坐在后边，开车的程榆礼问她："和谁去看话剧？"

秦见月一边点开热搜上的话题，一边漫不经心地回答道："陆遥笛。"

图片和视频里的事情发生在半夜，话题为：钟杨和齐羽恬进出酒店，疑似恋情曝光。

娱乐圈的事情，也就那么几个人值得秦见月点进去瞧一瞧热闹。评论里两个人的粉丝在打架，不可开交。

是昨天发生的事，秦见月回忆一番，十几个小时前还在饭桌上见到钟杨，半夜他人就跑南方去了。这事也符合他的个性，一个十足的行动派。

秦见月去问齐羽恬：进出酒店？恋情曝光？

齐羽恬发来一串省略号：……

齐羽恬：他昨天来片场找我，这里方圆十里就这么一家酒店，肯定住这儿啊。

齐羽恬：我们只是吃了顿饭。

秦见月想说些什么，但她又不善于感情周旋。不论自己或旁人，她在这类事里面不算开窍的。

甚至有一段时间，秦见月也搞不清楚这两个人究竟是在暧昧还是交往。

骤雨落下的夏天，齐羽恬值日的午后，她掀开教室后门的门板准备清扫，一只蹿得飞快的老鼠把她吓得一蹦三尺高，她撒了笤帚提着腿往后退。

钟杨被她的动静吵醒，抬首看过来："什么情况？"

为了闪躲忘记刹车，一下撞上身后人的膝盖，齐羽恬腿一软，就那么一屁股坐在他的腿上。

他还没搞清楚状况，忙接住她，手便顺势揽了一下她的腰。

她错愕回身，鼻尖擦在他的下巴，眼神发生距离最近的一次交汇。两人皆是愣住，就这么维持了半分钟有余。

一切被堪堪进门的秦见月撞进眼里。

淋了雨的见月用纸巾慌乱地擦着头发上的水珠，一时体会到尴尬，进退两难。

齐羽恬忙起身："见月！这儿有老鼠！"

秦见月尖叫了一声，拔腿就跑。

窗外的狂风骤雨冲刷掉她掌心那一团滚烫的温度。

当天晚自习，秦见月在做题，齐羽恬人不在，她想对一下算出来的大题结果，掀开齐羽恬桌上的草稿纸，角落里赫然是小字条形式的交流。

——谈吗？

——No！

她认出来，上面那两个字，是钟杨的"草书"。

两个字，两个字母。她从未见过更为简单的告白和拒绝。

秦见月愣住，看着"N"开头那一团晕开的墨。那一阵天人交战的迟疑，艰难的抉择在纸上昭然若揭。

秦见月将纸扣回去，为偷看他人的秘密而忏悔。

走得近的男女同学会被曲解关系，长得好看的尤甚，一夕陷入话题中央。

过后再有风波，是半月后，班里有人传着暧昧言辞，秦见月进来时，谈笑声未断，齐羽恬趴在桌子上眼睛变红。秦见月听到了一点儿风声，不知道怎么安慰。钟杨紧随其后过来，看到少女耸动的肩。

他皱眉问秦见月："怎么回事？"

秦见月小声说："有人说你们……"

"谁说的？"

她便伸手指了一下在讲台旁边坐着的一个平头男孩。

钟杨二话没说，冲过去找那人理论。

此后再没有流言蜚语落在齐羽恬的身上。

后来她去问齐羽恬。

得到的回答是：爱情是虚幻的，他是遥远的，未来是不切实际的。

只是暗恋的心情，是可以抓在手里支配和控制的。哪怕要在不断地猜测和迟疑中经历心情的大起大落。但最起码黯然神伤的结局，也有个能够兜住理智的底线，不至于叫人粉身碎骨。

恋人被泾渭分明的界限隔绝在两边。

一方是沉浸其中的亲历者，而另一方站在高处，冷静旁观。

齐羽恬想做冷静的人。

这话现在想来也是受用。秦见月握着手机很难答复。

"嗯？"前座的男人将秦见月点醒。

她问："你说什么？"

程榆礼无可奈何地笑了笑，重复一遍他被忽视的话："我在问你，沉浸式戏剧有什么不一样？"

她说："进入到故事里面，体验感会变强。更多维一点儿。"

"现在做话剧也要这么身临其境了，情绪都快被掏空。"

"不会的，要是你有确保不沉浸的能力，感情也不会被消耗得很严重。"

程榆礼说："如果不为这点儿体验感，何必去参与。进入了故事又要保持间离状态，在这时候非得扯清艺术跟现实，岂不是更累？"

秦见月说："是啊，所以不想体验的人就不会去看啊。比如你。"

他哑然失笑，一字一顿地耐心解释第三遍："真的要出差。"

她微微梗起脖子，耿耿于怀样。

红灯路口，程榆礼掌心朝上伸出手，微微偏过头，余光看向后座的秦见月："过来。"

她不明所以地凑过去，被他捏住下巴，吻在颊上，当作安抚。

秦见月和陆遥笛约着看了几场话剧，也是想搜刮一点儿新颖的东西，看看能不能加到他们的舞台创作中去。

艺术也有艺术的不同，话剧的趣味性的确要比戏曲强很多。

花榕说得挺对，京剧确实是小圈子玩的东西，不看的人怎么也不会看。要是真想，平常人在家打开电视就能看，再不济有个耳机就行，走哪儿听哪儿。

也只有那么一小撮人才能懂它真正的博大精深。

说到程家老太太，秦见月再见到沈净繁是在年关。

她们在一块儿包饺子。

程家老宅，围着八仙桌坐下。秦见月凝神去看沈净繁包饺子的步骤，跟着她学。沈净繁抬起脸来看见月，不禁问："以前没包过？"

秦见月怕是老人家觉得她好吃懒做不做家务，低低"嗯"了一声："我妈妈嫌我做事情不利索。"

沈净繁笑了，捻起她包的几个饺子，掂了掂："哪儿不利索，这不挺像回事的？你就当闲着没事儿找点儿乐子。"

"嗯。"秦见月低头微笑着，夹起一个硬币塞在里面。

"跟阿礼怎么样？"

她腼腆地抿唇："挺好的。"

"吵不吵架？"

"不吵，他脾气好。"

沈净繁若有所思地点头："他那会儿刚把你带回来我就说，这姑娘一看就是他中意的类型。这叫什么呢，鱼对鱼虾对虾，你说要是真叫他跟白家那闺女搭一块儿，我还不放心呢——欸当心，这儿豁了一口子。"

一小片肉粒落在秦见月的手背上，她轻轻抖落，将饺子皮拧上，放进筐里。

"不打算要孩子？"沈净繁又问。

秦见月一边捏着花边一边小声道："暂时没有这个打算。"

"不要就不要吧。"沈净繁把腿上的毯子往上扯了扯，大度地说，"生孩子也怪累的。"

秦见月认同道："还想在台上再唱几年。"

沈净繁"嗯"了一声："现在薪水能拿多少？"

秦见月将头垂得更低了："国家有补贴的，够过日子的。"

"问题不大，赚不到就叫男人多赚点儿。"沈净繁笑眯眯跟她打趣。

秦见月也闷闷笑了下，带点儿涩意。

"奶奶，我想问您一个问题。"她顿下手里的动作，"您应该懂戏比较多，如果现在有一个要改良京剧的机会，您觉得怎么动比较合适？"

沈净繁说："你要问我这个问题是找错人了。我就是个老古董，好的就是京剧里那一点儿古韵味，我寻思是怎么改动都不合适。"

秦见月说："我可以理解您这样的想法，只不过我们正在试图找到一个平衡点，想既要保留住京剧里的古韵味，也想多吸引一点儿年轻的观众。"

沈净繁望着她，放下手里的饺子，展平手掌伸到秦见月身前："来，你把你的手伸出来瞧瞧。"

秦见月不明就里地照做，水分流失的枯槁的手与细皮嫩肉、吹弹可破的肌肤放在一起，让人惊叹年华易逝。沈净繁说："你说我这双手，怎么修饰才能跟你的手似的，干干净净招人喜欢？擦点儿蜜、擦点儿霜？管不管用？是，看起来可能是好些，就是这皱起来的皮还是皱着。遮是遮不掉了。

"我是从小听着曲儿长大的，京剧年轻的时候我也正年轻，京剧老了我也跟着老了。你要问我怎么招揽年轻观众，就跟问我怎么返老还童似的。

"它要是跟科技挂钩，跟电影差不多，还能求一求发展，京剧是科技吗？它是乡音，已经有一个非常固定的成熟的形态，是一件完整的艺术品。它既然经历过繁荣的时候，就总有一天要开始走下坡路。这就跟人生一个道理，人会变老，艺术品也会跟着变老。强留不得。"

秦见月收回手，她发觉在程榆礼那一套慢悠悠的观念里，有着他奶奶的影子。她涨红脸说："我是不是有点儿急功近利了？"

沈净繁摆着手："倒不是说急功近利。只不过它目前是在顺应着这样一种自然规律的变化，你没法儿让它做到一直这么年轻下去，它也没法儿一直源源不断地吸引新人。你能保护它、尊重它，做好你力所能及的，普及它，或者带着它尽可能与时俱进也好，发挥一点儿余热，都是好事。只不过你得放宽心，把结果交给运气。"

说着，她微微摇头："人会进棺材，艺术品也会被挂在墙上，只是一个时间问题。"

老人温暖的手掌轻覆在秦见月的手背上，悠悠道："不要强迫京剧，不要强迫观众，更不要强迫自己。顺其自然，顺其自然……"

秦见月感慨万千，她点头："我知道了。"

翌日是年三十。

这天是在秦家过的，嫁人的头一年，秦漪不适应自己过年，秦见月自然也不舍得让她孤孤单单，于是回家吃了顿年夜饭，还把狗带回去跟妈妈亲热了一阵子。

第二天秦见月跟程榆礼去了程家老宅。

程乾、沈净繁，还有程榆礼哥哥一家子都在，他爹妈倒是没回。一帮人围在一块儿吃饺子。那枚包着钱币的饺子皮被撑得鼓胀，歪掉的硬币在半透明的皮里挤出一个明显的形状。

程序宁眼尖瞅见了，筷子将要伸过去，瞄准着夹过去，筷子碰到的一瞬却堪堪这么一滑，饺子又滑到了程榆礼的筷子底下。

他顺势夺走，将裹着硬币的饺子放到秦见月的碗里。

她看着皮里面的硬币，被他这明目张胆的作弊给逗乐了。

"小秦，一会儿吃好了我点事要跟你谈。"

说话的人是程乾。他的严肃声线立刻破坏掉他们这小角落里的甜蜜氛围。

秦见月一愕，抬头小心翼翼地看向爷爷。程乾面上倒是不冰不冷，就是这气势实在骇人。

饭后，在书房会面。

"您有什么事儿？"

程乾背着身子坐在长椅上翻阅书籍，听见程榆礼的声音，他头也没抬："找你了？出去。"

程榆礼往旁边侧一下身子，倚在门口的墙边，微微颔首示意秦见月进去。

程乾跟他孙子是一个比一个狡猾，他对秦见月说："你进来，把门关上。"

秦见月："……"她冲外面的人摆摆手，叫程榆礼不要站在这里，而后在他犹豫的面色中将门合上。

结婚至今，程乾一直对待秦见月都算宽厚大度，没提出过什么过分的要求，反倒是挑了眼下这么个好时候来对人颐指气使："当初程榆礼要娶你我是反对的。他原定的婚配对象是白家人，为了你他把白家的婚退了，其中损失多少，这账我就先不算了。

"你应该也知道，我们程家算是有头有脸的，一点儿风吹草动多少人等着看热闹。这我也就不多提了。

"我是不清楚程榆礼出于什么想法娶你过门，总之事已至此，既然没有回头路走，我是希望你最好能给程家有点儿什么付出。"

秦见月隐隐听出些不对劲的苗头："您是想叫我……生孩子？"

"什么叫我想叫你生孩子？你自己得有这样的意识。程榆礼事事妥帖顺你心意，总不能是为了找个菩萨来家里供着吧？"

程乾这一点上倒是跟秦漪不谋而合了。

秦见月也没打算支支吾吾跟他瞒着，直言不讳道："这件事情我会跟他协商的。"

她想起程榆礼那回和她说过，自己的人生自己过，便说："我们如果想要孩子是我们的想法和决定，跟家长无关，也跟您是程家还是王家、张家都无关。爷爷，我很敬重您，但您没有权利对我们的婚姻进行指点。如果您觉得结婚是为了娶回来一个女人给家里留后，那您的想法还挺叫人大跌眼镜的。"

程乾深吸一口气，怒道："是程榆礼教你这么说的？"

秦见月见他面色通红，也有点儿于心不忍，并没有激怒他的意思，用尽可能温和的语气说："不是他教我这么说，生育权本来就在我手里，现在都21世纪了，没有您这样的理。"

在程乾的火气堆攒起来时，恰好有人推门进来。

这样无所畏惧的行为非沈净繁莫属了。

老太太拄着拐进来，又挥挥拐，叫秦见月出去，"我来跟他谈"的意思。

程乾闭上眼，没吭声。

秦见月退出书房，松了松心情。回到卧室，程榆礼正坐在床沿通话，看到她进来，电话正好也接近尾声，他对着手机微笑说道："那就谢您了，有空请您吃个饭。咱俩也好久没见了。再会。"

很少见他这样殷切客气，秦见月不由得问："谁啊？"

程榆礼挂掉电话，回她道："一个叔叔。"

"有生意往来的吗？"

"不是生意，是他打算参与公司的融资。"

怪不得见他今天心情不错的样子。秦见月惊喜道："那你岂不是有好多钱？"

程榆礼说："钱不重要，重要的是他能帮忙引进一些人才和技术。"

没太深聊这个话题，他又问："对了，爷爷找你什么事？"

秦见月终于没忍住自己的白眼："你爷爷叫我给你生孩子，一口一个我们程家，我还以为他当皇帝了。"

意料之中，程榆礼笑着搂过她："那你怎么说？"

秦见月道："我说，大清都灭亡啦！"

程榆礼笑得不行，埋首在她颈间："学聪明了。"

今天的夜格外喧闹。

特殊的日子，程榆礼有了"破例"晚睡的理由。两人在他的床上尽兴欢爱，原来不用掐着时间的感觉是如此酣畅淋漓。烟花在天际散落，随之落下的是汗液与热烈过后的余温。

他的房间很空旷，结束后，秦见月悄悄打量着。

在地面的一个角落里，有一些简易的飞机模型和乐高玩具。

她饶有兴趣问："小时候的玩具吗？"

"嗯？"程榆礼转过头，又顺着她的目光看去，语调懒散地说，"七八岁搭的，很幼稚。"

秦见月问他："为什么会喜欢飞机？"

程榆礼抱着后脑勺，正经想了想："可能是因为，看起来很自由。"

比起狗，他更喜欢鸟儿，像鸽子，像鹦鹉，是这些动物让人类崇拜向往、进而研究出了飞机。乘着风在天际翱翔的感觉让他看到这世间本该归还给万物的自由。

那是他自小便迷恋的东西。

"你当时为什么会——""选择这个专业"这几个字还没说出口，咚咚的敲门声打断了秦见月的问话。她仓皇地找衣服，程榆礼伸手扯过被子盖在她的身上。

秦见月躲在被窝里整理内衣。

程榆礼说了句"稍等"，简单套上几件衣物便去开门。怕外面的人进来，他倚在门口，吝啬地将只门掀开一道缝。

看着外面的程序宁，他露出略有不耐的眼神，建议她"有话快说"的意思。

程序宁好奇地看着他，想要探头望进去，被程榆礼按着脑袋往外面推了推："咦，屋里很热吗？你头发怎么湿了。"

程榆礼不答，只沉沉道："有事就说。"

"我看你跟婶婶今天在，你们能帮我签个名吗？"程序宁手里握着一个本子，真诚地问。

秦见月好容易将衣服穿好，下床跟着走过来。

"什么东西？"程榆礼接过，掀开她的本子，里面密密麻麻都是她收集的不同人的签名。

"这是我们正在进行一个活动，需要搜集社会各界人士的声音，比如我的企业家小叔——"

闻声，程榆礼低头轻笑一下。

"还有我的婶婶，京剧名角儿。"

门后的秦见月忙摆手："不是，我不有名。"

程榆礼温和地笑着，回头看她，又问程序宁："是什么活动？"

"抵制校园暴力。"

程榆礼好奇挑眉："校园暴力？电影里演的那种？"

程序宁道："什么叫电影里演的？这是真实存在的好吗！正因为我的同学正深受其害，我必然要伸出援助之手帮助她！"

"真实存在？"他微微愕然，"三中？"

"对啊，难道你上学时候没发生过这种事情吗？你也太不食人间烟火了吧！"

程榆礼接过她手里的笔，唰唰签了个名，嘴上说道："不是，这和不食人间烟火有什么关系？我们那时候都忙着念书，没有这些烂事儿。"他又偏头看一眼唇线紧抿的秦见月，"是不是？要帮你签吗？"

程榆礼说着，笔已经落下，秦见月忽然显得有些激动地夺过他手里的笔。她说："我自己签。"

本子被按在墙上，秦见月慢吞吞地写下自己的名字。她在大学时练过行书，却在此刻换了一种写法，似又回到高中时期的笔触，稚嫩而沉重地一笔一画写下这三个字。

耳畔是程榆礼在问具体的情况："只签名管不管用？"

这样的行为听起来是幼稚的。

"要你签你就签吧，管不管用只有做了才知道！"

窗外一道冷风呼啸而过。

这场雪快下完了，燕城即将迎来整个冬天最冷的一段时光。

秦见月签完字落了笔，把本子还给程序宁。

程榆礼笑了下："行，祝你成功。"

程序宁好奇地往里面探头："咦，你们屋里好像真的有点儿热，还香香的。"

她的脑袋被程榆礼无情地按出去，他问："怎么追踪？"

"来，你关注一下我的微博。"程序宁一边说一边将手机拿出来，给程榆礼展示她的微博主页，点开其中的照片，"这是我们班同学争取来的一个活动区域，这个是我花钱装的 LED 滚动屏，就在我们的教学楼底下——你放心，这上面的内容绝对健康，是一些法制教育，表示我们坚决抵制暴力行为，包括冷暴力、言语暴力。"

程榆礼一一看过去，好奇地问："你买的？"

"我老爸出资。"

他说："运气不错，居然没被揍。"

程序宁小声："差点儿被揍啦！"

程榆礼笑起来，又问："怎么说服校长的？"

"你别说，就因为这事儿我真的跟咱校领导打了个无比漫长的持久战。他们觉得学校当然要反馈正面向上的东西，我说向上归向上，你也不能对这些黑暗面避而不见吧？就我们班同学那事儿，我跟我班心理老师说了，心理老师也赞成，校长就被说服了，不过他不允许我整出太大的阵仗。但怎么说吧，有机会就是好的。有一个人发声，就会有无数人发声。对不对？"

十五六岁的孩子总是热血沸腾的，他们对外部世界有着很强烈鲜明的个人想法。这热烈汹涌的反馈是一桩好事。

"到时候我再把这些签名印上去。"程序宁掀动着本子，又收起来，深入思考说，"我们还打算号召班里的同学拍一个宣传片，不过现在问题来了。"

程榆礼微一挑眉："嗯？"

"就是说，我们没有那么多资金去搞这个。你看我上次差点儿又被我老爸揍了，所以我善良热心英俊善解人意通情达理的企业家小叔……"程序宁搓搓手指，像是在搓着一沓隐形的票子。

程榆礼意味深长地笑了下："担心的居然不是学习？"

一提学习就让人头疼，程序宁无奈摊手说："我早就摆烂了，你还看不出来吗？反正我的老爸总有一天会把我送出国。"

对于她这种明目张胆的懈怠，程榆礼竟然觉得无力辩驳。

程序宁回归到正题上："所以，我温柔热心帅气多金的小叔，你愿不愿意出一份力量……"

程榆礼抱着手臂，斜斜地倚在门边，不假思索道："出。"

"哇！你现在看起来特别男神你知道吗？"小姑娘抱着手，星星眼望着他。

他抬手弹了一下她的脑门："少油嘴滑舌。"

程榆礼往后退了一步："行了，有事儿明天再说，大晚上的别乱敲门。"

"好嘞！我这就麻溜地滚！"

噔噔噔的脚步声走远了，程榆礼一边翻看手机微博上的页面，一边坐回去。

秦见月在他们详谈的时候，坐在落地窗前的茶几前呆呆看了会儿外面的雪景和星辉之下的万家灯火，她蜷着腿坐在暖融的地毯上，听见程榆礼走过来的脚步声。

程序宁的微博还发了一段关于同学被欺凌的文字描述，程榆礼慢悠悠地看，端起一杯苦茶，又因看到那些控诉而皱起眉头，将水杯缓缓放下。

秦见月看向他："你还关注这个啊？"

程榆礼淡道："我得对我的每一个签名负责。"

终于看完，他关闭手机界面："如果是真的，这算是比较严重的恶性事件。"

秦见月苦涩地笑了一下："你难道真的没见到过这种事情吗？"

他反问："你见到过？"

她没接话，抱着膝盖的手指渐渐收紧，在腿部勒出一道红痕，半晌悠悠说了句："你是活在天上的人。"

程榆礼愣了愣，而后轻笑一声，对她的揶揄不加辩解。

下一秒，秦见月的手被他攥住，程榆礼转移了话题，问她："明天晚上有个局，去玩吗？"

"谁组的局呀？"

"朋友。"

"好啊。可以。"

程榆礼蛮自律的一个人，他基本没怎么带她去过那些灯红酒绿的场所，也是趁着节假日才这样放松娱乐一回。

程榆礼看一眼手机时间，又看一眼秦见月。她穿着他的 T 恤，并不合身，便当裙子了。程榆礼没忍住，将她一把扯到自己怀里，她失声惊叫着，脸颊撞到他的肩上。

听见他不怀好意的邀请："明晚八点出门，去掉睡觉时间，算算今天还能来几个回合？"

秦见月不可思议道："……你还要来啊？"

他轻笑一声，反问她："你这就够了？"

话音未落，男人的手已然撩起她身上宽大的 T 恤。

好不容易整理好的衣服又缠乱作一团。

秦见月轻握他的手腕，心跳如擂说："你不是很节制的吗？"

程榆礼掀开眼皮看她，一贯清明的眼神略显晦暗，因她这问话，男人轻轻抚在她腰间的手稍用力一扣，秦见月上身酥软，躺倒在他怀里。

贴在她耳后的唇微启，沙哑道："最近有点儿节制不住了，满足一下？可以吗，老婆？"

他这绵软的声音居然让她听出点儿撒娇的意味。

秦见月红着脸，轻握他的腕。

她如果真的不愿意，程榆礼一般是不会逼迫她的。但有时，夫妻之间兴许不需要这类事事周到的礼数。

于是在她闷不吭声这一瞬间，他不再请求她的意见，热切的吻便重重地压了下来。

吻得太深，气都喘不上，秦见月觉得头晕目眩，但并没有将他推开，只紧紧抱着。前戏变久，过程中她疲倦喘息，撩起眼皮，发现低头吻她的程榆礼也半睁着眼在看她。

似乎有一些细致的东西在他们之间落地生根。两个大小不一又不得不挤在一起的齿轮一点点地契合上。而这种微妙的变数是无法言传的，她只能亲身去感受。

2

新年的日子过得很闲适。

就是节制不住的某人弄得秦见月腰酸，某人也不因此闲着，早上起床前还替她揉一揉腰背。

白天在家里打牌，参与者：秦见月、程序宁、程乾、沈净繁。

看牌的：程榆礼。

男人啊，就是娶了媳妇儿忘了娘，程榆礼没有欣赏打牌的心情，却是很护犊子地坐到秦见月旁边。秦见月想的是她牌技太烂，而对面人看起来都十分老油条，她很担心说："会不会输很惨？"

程榆礼闲闲地倚在她身侧，手指夹着一张扑克牌，冲着左手边的小孩点了点："有这个小东西在，只管赢。"

程序宁愣了下，急得喊援兵："太奶奶您看！他好没礼貌啊！"

程榆礼露出势在必得的淡笑。

沈净繁指了指程榆礼："程榆礼，你少讽刺人。"

老人家都护短，程榆礼敛了笑意，不免嗟叹，这货生下来之前，他才是奶奶的宝啊。

程乾在牌桌上都是严肃的，也正是因为他在，秦见月这牌打得是战战兢兢，一时一看爷爷的脸色。

但她逐渐发现，程乾也有弱处。比如说他预备出一张牌，沈净繁明目胆侧过身去看，不乐意就用拐杖捅他一下。程乾吓得脸一青，颤颤地缩回手，这种一物降一物的感觉把她逗乐。

不过很快，秦见月就乐不出来了。

哪像程榆礼所说的，程序宁根本就是个棋牌高手，秦见月眼前的筹码一摞一摞送出去都快没了，程榆礼看不下去，帮她指点指点才能扳回来两成。

秦见月面皮薄，一直输，输得脸都发烫。又是个敏感的性子，保不齐要胡思乱想觉得自己好没本领了。

程序宁乐得冲程榆礼吐舌头。

程榆礼淡然接受她的挑衅，不置可否地挑一挑眉，半晌，他起身挪到另一侧，悠悠道："我来看看小东西是不是作弊了。"

"你才作——"她话音未落，手里被塞了一个夺目的压岁钱红包，粗略摸一摸，够厚。

程榆礼虚着声，凑她耳边："够不够？"

程序宁咳了一声，被"贿赂"得失了声。

又一沓塞过来，比方才那堆还厚。程序宁被他的阔绰惊讶得嘴巴都张大。

"嗯？"

"……"

"让婶婶赢。"

程序宁无比愉快地给他比了个"OK"的手势。

下了维持了四小时的牌桌，秦见月盘腿坐在沙发上，高兴地点着钞票。程榆礼也叠着腿坐在旁边，看着她乐呵呵的样子。

"其实我牌技也没有那么烂对吧？"数完了，秦见月高兴地回头看他，心情大好。

程榆礼微笑点头："当然。"

电话打来，催着程榆礼去某会所。他不搭腔，只懒洋洋地说："谁跟你们花天酒地，玩点儿健康的行不行？"

于是，原本定在声色场所的活动，因为扬言要带家属的程公子被迫改了行程，最终约在 KTV，像学生聚会一样健康热闹。

在秦见月看来，程榆礼的朋友都是生脸，这一圈人是他的发小，跟他高中在班里认识的不同，个个都是京城赫赫有名的纨绔子弟。

他给她一一介绍，人见了都喊嫂子，看在程榆礼的面子上，对她毕恭毕敬的。秦见月也乖乖巧巧，往旁边一坐，就静悄悄听人唱着。

程榆礼偏头看她喝果汁："唱歌吗？"

同时有人喊："听说嫂子唱曲儿好听啊，来一首我们听听。"

秦见月恰好刚刚过去点了一首歌，正让人起着哄，她兴头上来了一些，牵了牵程榆礼的衣袖，眼里满是期待："一起唱好不好？"

"哪首？"他过去滑动点歌屏幕。

秦见月手指虚虚地戳了一下歌名：《我要你》。

程榆礼略一沉吟："你唱吧，我有点儿五音不全。不献丑了。"

他说罢，也没挪眼看她，转头就去接过旁人递来的话筒。被人手焐热的话筒落在秦见月手里，歌曲的前奏已经响起来了，秦见月呆呆地没跟上节拍。

一丝一缕的失落将心口密密地填满，她攥着话筒紧紧抿唇。

"怎么了？"程榆礼发觉她没开口，手又伸过来轻抚她的发，好奇问，"不是你点的？"

"是的。"可是，这是情歌欸……她一个人唱也奇怪吧。

秦见月没再说什么，她启唇慢吞吞唱了起来。她常年唱京戏，在唱小甜歌时都让人听出一股中气十足的韧，又不失甘甜柔靡的娇。

也不知道大家是在捧场还是真觉得她唱得不错，KTV 的天花板都快被掌声震碎了。

秦见月独自唱完，放下话筒。后边没有兴致再点歌，只旁人点完了把她推到台前，她才给面子地去唱两句。

活动结束，他们回到侧舟山的家里。

秦见月这天晚上话很少，她是心里有点儿小难过，没听到他唱歌。但她死撑着情绪，也没给人脸色看，就闷闷地自我较劲。

程榆礼不是个没眼力见的，见她一回去就闷在书房读剧本。本是休憩时间，新年的热闹劲儿还没过去，哪有这样刻苦的。

秦见月绷直身子坐在私人定制的官帽椅上，伏在桌前，台灯也没开，就这么半明半昧地瞧着纸上的字，也没看到心里去。

动一动耳，听着渐渐靠近的脚步声。

很快，一道轻轻柔柔的触碰落在她的腰间。

“腰还酸不酸？”

秦见月摇头，不抬头看他。

而后她被托着腰和腿弯抱起，悬空一瞬又落下。

是程榆礼在椅子上坐下了，他又顺势将她放在自己腿上，动作轻松自如得很，很快框住她的臂。

这下被擒住，她是逃也逃不脱了，视线还闪不开。秦见月鼓了鼓嘴巴，憋出四个字：“干什么呀？”

程榆礼用手指蹭蹭她的脸：“不高兴什么呢？”

“没有不高兴啊。”秦见月努力挤出一个“没有不高兴”的笑容给他看。

他又轻轻碰她的唇：“嘴巴噘得这么高，都能挂油瓶了。”

“没有，没有！”

“没有？”

“我看剧本呢，你别影响我。”秦见月侧过身，动手去翻她的打印纸。

程榆礼扣下她的纸页，又把她搂回来：“大年初二看什么剧本，明天急着给领导演出？”

秦见月闷不作声，她坐在他腿上，脚不碰地，没规律地轻轻晃着。

“我猜猜看，”程榆礼眼神淡淡地打量她，“是因为我没唱那歌儿？”

“……”

秦见月脑袋垂得更低了，有几分默认了的样子。

他说：“我不会唱。”

她梗了梗脖子：“不会唱啊？那你刚刚说的什么啊？你明明说的是你五

音不全！”

程榆礼失笑，点头道："是，我是五音不全，但我也不会唱这歌儿。这不冲突。"

秦见月这下是真噘起嘴巴来了，嘟囔一句："你不说清楚。"

程榆礼煞是无辜："我能知道你因为这事儿不高兴？"

"没不高兴。"她嘀咕。

他一手拥着她，一手拿出手机搜索，说："我现在唱给你听。"

秦见月惊讶说："啊？你不是不会唱吗？"

他不以为意："是不会，你教教我不就会了？"

秦见月别扭地绞着手指："你自己跟着歌学，我才不教。"

程榆礼似笑非笑地，低头看着手机歌词页面："音感不好，要逐字逐句地学。"

"真的吗？"

"骗你做什么？"他把手机放桌上给她看，眼神澄明真挚，"骗你我能有什么好处？"

"……"

"想不想听我唱？"

"……想的。"

程榆礼笑着拍拍她："来吧，秦老师，教教我这个五音不全的徒弟。"

"那我唱了，你学。"

他点头："嗯，我学。"

秦见月抓起手机，又怀疑地看他一眼，清清嗓子，开口唱："都怪这夜色，撩人的风光。一二，唱！"

程榆礼很乖巧地跟上："都怪这夜色，撩人的风光。"

这不是挺会的吗？！

秦见月继续："都怪这吉他，弹得太凄凉。"

程榆礼跟着继续："都怪这吉他，弹得太凄凉……"

"哦我要唱着歌，默默把你想，我的情郎，你在何方，眼看天亮。"

她的声音轻轻柔柔，在灯光隐秘的书房里荡漾，让人仿若置身温暖的水波。

一时安静下来，她好奇看他："怎么不唱了？"

程榆礼说："太长了跟不上，重来一遍。"

好吧，果然是笨鸟，这都跟不上。

秦见月耐心地又唱了一遍："哦我要唱着歌，默默把你想，我的情郎——"

又没声音跟上。秦见月警觉地看过来。

程榆礼笑得惭愧："有点儿绕，没记住，得麻烦老师再来一遍。"

她吁了一口气，忍耐，当老师要有耐心，于是又开口，唱了一遍："哦我要唱着歌，默默把你想，我的情郎……"

程榆礼一脸满意地挑眉："继续。"

秦见月觉得有哪儿不对劲，她红着脸，声音不自觉地唱了下去："你在何方，眼看——天亮——"

意识到被戏耍，秦见月搁下手机，气呼呼的："程榆礼，你耍人！态度好差，我更生气了！"

"真的？"程榆礼笑着，轻抚她的脸蛋，声音虚虚地浮着，"那生完气我还是不是你的情郎？"

"你好坏啊你好坏啊你好坏！"秦见月急得想走。他不放人，她只好在他腿上扭动着抗议。

程榆礼还在笑着，点点头说："果然，还是给我一个人唱比较动听。"

秦见月捧着羞红的脸："快放我走，我不跟你玩了！"

程榆礼拨开她挡脸的手指，非得看她面红耳赤的样子。

秦见月挣扎了一阵，无果。闹完了冷静下来，她轻轻揽着他的肩膀，细声细语地问："你说，我是不是太小心眼了？"

程榆礼不以为意："怎么就那么喜欢自省呢？"

他又道："沟通，沟通很重要。"他轻轻揪她发红的脸，指尖都是热热的，低低问，"好吗宝宝？"

秦见月一愣："好肉麻啊，我才不是你的宝宝。"

他笑着亲她的脸颊，哄小孩的语气："谁说的，你就是我的宝宝。"

3

程榆礼哄人有一套，没给秦见月冷战的机会。

秦见月明明被几句甜言蜜语念得心里乐开花，碍于面子，噘着的嘴巴也没放下来。忸怩片刻，在程榆礼的注视之下，她看似无奈地轻道："怎么办啊，我都快被你惯得无法无天了。"

程榆礼："怎么无法无天了？说来听听。"

她想了想："都敢顶撞爷爷。"

他淡淡说："这不是随我嘛，我看到老爷子就想刺他两句。"

"你胆子真大。"秦见月被逗笑，"那天爷爷说，你娶我进门不是把我当菩萨供着的。我当时在想，他要是说，给你五百万，离开我孙子，我早就走啦。"

程榆礼笑了，惩罚似的拍她的后脊："我出五千万，你给我回来！"

秦见月也笑，掐着手指装模作样的："这么多呀，那我得好好算算我能在你们程家讹多少钱。"

程榆礼抓住她的手："要什么不是依着你？还用得着想办法讹我？"

他盯着她低垂的睫看了看，浅淡的吻落在她薄薄的眼皮上："想想明天上哪儿玩。"

秦见月说："我明天和朋友出去玩呢，没你的事儿。"

他说："不带我一起？"

秦见月嗔着："都是小姑娘，你怎么好意思的。"

程榆礼浅浅笑着看她一会儿，倏地埋首在她颈间，伤心语气，慢吞吞道："要寂寞了。"

秦见月摸摸他的脸，假意安慰："寂寞就寂寞吧，死不了人。"

这话不能乱说，倒霉的是她自己。

肩膀被咬上一口，不疼，只是痒，痒得她颤身。

细而长的指骨覆上她的颊，程榆礼看她："再说一遍？"

恰好，妈妈打来电话，秦见月如蒙大赦，一边接听一边穿好衣衫。

秦漪嚷嚷着："什么时候来把咕噜咕噜带走啊！要死了哎哟喂在我床上蹦——哎哟哎哟你个祖宗欸。"

秦见月起身说："我现在过去吧，大过年的别说那个字呀。"

"咕噜咕噜"是秦漪给边牧取的名字，因为摸它的时候，狗的喉咙里会发出咕噜咕噜的声音。

挂断电话，她问："我们去接狗狗好不好？"

"可以。"程榆礼表示，"正好一家三口也要一起过个我们的年。"

秦见月嘴角勾起一个漂亮的弧度，不知道是为他对狗狗的接受表示欣慰，还是为那一句"一家三口"。

车开到兰楼街，夜已变深，雪也变深。

胡同里挂满暗红色的灯笼，谨防车子在窄路走不通畅，程榆礼将车停在路口，牵着见月往里面走。两人都穿黑色大衣，她微微仰头看他，跟他说小时候在这里堆雪人和铲雪的旧事。程榆礼浅笑着听，敛眸看地面，睫上挂上几粒晶莹雪珠。

他给秦漪带了一些自己做的寿司，又担心惊扰她休息，打了个招呼让人早些休息，便牵着狗狗出来了。

往回走，沿着来时的脚印，中间又多出一串狗狗的脚印。

咕噜咕噜吐着舌头摇尾巴，身子比初来乍到时宽阔许多。

秦见月攥着它的狗绳，挽住程榆礼的胳膊。她仰面看着天上簌簌飘落的雪花，还有一盏被简易固定在屋檐瓦片下面的白炽灯。

朦胧雪色让人探不清眼前虚实，就连巷口都模糊得好似尚有一段遥远脚程。秦见月忽地心生感叹："小时候很喜欢雪天，现在好像也是一样。可惜明天就天晴了，好想留住这个冬天。"

一墙之隔，某家院落里拉二胡的声音传来，吱吱呀呀，不成曲调。

程榆礼微微思忖，征询她的意见："有个办法要不要试一试？"

秦见月不解："嗯？"

他将狗绳拴在旁边路灯之下。

秦见月的手被牵起，程榆礼说："来跳支舞。"

她微愣："现在吗？"

他说："你听这个二胡的声音，有一点点规律。三节拍，华尔兹。"

秦见月还没反应过来他是怎么听出来这个三拍音乐的，便一下被他搂住腰，转了个小圈。她松松盘起的发因这个小幅度的转动而散落，在空中划出一道带着浅香的弧线。

秦见月愕然看着他："怎、怎么跳？"

程榆礼笑问："不会？"

他的鞋尖轻轻在雪上点了两下，等候节拍，然后迈步往前："抬左脚。"

秦见月着急忙慌抬脚后退。

"右脚。"

"……"

程榆礼的动作不快，带着她耐心十足地教学。秦见月跟着他的走动和指挥逐渐熟悉了舞步的规律，再去找二胡旋律的节奏。

可是，哪有什么节奏，全是凭他自己判断抓取的。亏他也能从这古怪的伴奏里找到平衡点。

秦见月索性不再去听，伴随着程榆礼的动作，与他一起悠哉跳起了这支华尔兹。

很快适应的她被他夸赞一句："很好，聪明。"

她忍不住笑起来。

秦见月抬眼，看向他清淡的双目，无论四季变换，这双眼总这样清净自如。他有种深藏不露的运筹帷幄的能力，在感情里，在处世上。但从情绪中反映出来，都是简单的、淡然的。

程榆礼也看着秦见月。

他总觉得，她的唇很美，无论何时，都覆着一层淡淡的血色。

是勾人欲望的红。

脚下的雪被他们踩得七零八落，雪粒微溅，踏雪声轻轻浅浅。

旁边一对情侣走过。

女人叹道："哇，好浪漫。"

男人轻嗤："小资做派。"

程榆礼摇了摇头，无奈一笑。

"好了，从此一提到今年的最后一场雪，你就会想起你和程榆礼在雪里跳了一支舞。幸运的话，这段记忆延续到晚年，你就会永远记得，这个冬天你和我在一起。从开始到结束。"

时光需要回忆去点缀。

他说："这样，你就留住这个冬天了。"

看似在出谋划策，其实只是霸道地想占据她的回忆。

秦见月温和地笑着，抬头看他，没有戳穿。不管有没有跳这支舞，她都会永远记得。

缥缈的雪下，万物虚空，唯浪漫永恒。

点点滴滴聚流的温柔，淌过荒废多年的大地，让她在历尽千帆的蒙蒙雪雾里，也能拨开迷眼的灰，重拾清澈与光亮。

有那么一刻，她不再感叹红尘的兴衰，不再遗憾世上总有悲欢离合。当一切成为过去时，她只为他一句晚年而热泪盈眶。

——程榆礼，你不会比我更希望我们可以一起变老。

她被拢进他的大衣，彼此相互依偎着往前走，走过温柔的万家灯火，抵达最后一道门，那是"我们的家"。

秦见月第二天要面见的朋友是齐羽恬，两人说好一起去冰湖上玩，齐羽恬也顺利地放上了年假。

太久没见了，齐羽恬比秦见月记忆里又瘦了不少，而秦见月原本在齐羽恬的记忆里，貌似是个竹竿，见面后，齐羽恬摸摸下巴，若有所思看着秦见月："宝贝，你怎么让男神养得珠圆玉润、珠光宝气的。"

文绉绉的词汇一出来，秦见月只惊骇地捕捉到两个"猪"了。

"啊？真的吗？"她惊慌捂着脸，"我妈妈也说我胖了，可是阿礼说没有效。"

齐羽恬叹一声，摊手道："诡计多端的男人啊。"转身去买糖葫芦。

秦见月还在纠结："我真的胖了吗？他诡计多端的目的是什么呢？"

见她煞有介事在思考的天真模样，齐羽恬不由得笑起来："你不胖亲爱的，你是之前太瘦了。"

一串糖葫芦被放到她的手里，齐羽恬道："来，难得过年，咱们敞开了吃。"

"嗯。"秦见月点点头，不过，"一根糖葫芦就叫敞开了吃吗？怪不得我会变胖，这放在平时，估计就是个开胃菜吧。"

她嘀咕着："我还真是好吃懒做啊。"

齐羽恬走在前面，嚼着糖葫芦。她穿着很普通的黑色羽绒服和牛仔裤，即便裹了层层线裤，两条腿还是很细长。从上学起，齐羽恬的身材就属于回头率非常高的那一类。人都爱美女，秦见月看呆了。

"可能你老公就是想让你好吃懒做吧。"

秦见月愤愤咬牙："诡计多端！"

两人往阳光普照的湖面上走，晴空万里，齐羽恬笑了下，露出两颗甜美的梨涡。

"我记得有一回体育馆后门有两拨人在打架，好像是为了一个妹子，打得那叫一个激烈，妹子扯都扯不开，路人劝也劝不住。那时程榆礼好像是要去体育馆打球，那两拨人挡住他的路，然后他就走过去。"

齐羽恬回过头看见月，手插裤兜里，学了一下程榆礼那个慵懒淡漠的劲儿，轻描淡写地说了句："借过。"

她接着说："你知道吗？神奇的是打架的人还真停下来让他过去了。那场面绝了。他进去之后，两拨人又开始掐得你死我活，打得嗷嗷叫唤。我真的笑死。"

秦见月想象一番那场面，也跟着不由得笑起来。

两个人待在一起就不停地聊以前。秦见月想着，共享回忆真是一件非常幸福的事情。从朋友这里得知他的过去，很神奇。想要知道更多，又担心会不会露出深藏的马脚。

尽管对程榆礼关注得足够多，但因为当年她内向封闭的性格，也难免会错过一些热议的八卦。

"听说他每天都会收到礼物，有的女生还在比谁送的贵，什么表啊，玉器都有。但他基本不会收，能退的都退了，有的找不出来谁送的，最后全放他书柜里。后来他们教室后面有四五个柜子都是他收到的礼物。"

"关于程榆礼的江湖传说还是很多的，毕竟风云学长嘛，男神是真的男神。我还以为你对他不感兴趣，他的事情都没跟你讲多少。以前就完完全全想不到他会被什么样的人擒住，甚至是男人还是女人都猜不到。"

秦见月喃喃道："喜欢他的人真的很多。"

齐羽恬点头如捣蒜："非常非常多。"

"为什么呢？"她挺好奇的，光看相貌，程榆礼身上有种拒人于千里之外的冷。

"长得帅啊，还有那种只可远观，不可亵玩的感觉吧。而且对谈恋爱得心应手的那些漂亮女孩来说，征服他也会有成就感。脑补一下高中能跟程榆礼出双人对的话……爽死了好吧，虚荣心狠狠被满足。"

齐羽恬摊手："可惜，没人有机会体验到。"她又伸手臂搭在秦见月的肩上，"没想到啊，居然被我好姐妹拿下了。"

秦见月："……嗯，不要光天化日说这个。"

齐羽恬被她的天真报意逗乐，哈哈一笑。

她们去坐滑冰车。

齐羽恬继续道："我现在都不期待高岭之花下神坛了，好想看高岭之花为爱发疯。"

"为爱发疯？"秦见月有点儿不太懂齐羽恬的意思。她知道齐羽恬喜欢看小说，脑子里有很多奇奇怪怪的想法，但是这听起来未免有几分丧心病狂。

齐羽恬解释："就是有朝一日，你把他甩了。然后他痛哭流涕，要死要活地喊：秦见月，求你别走！"

秦见月一愣，忙摇头道："怎么可能啊，程榆礼不会这样的。"

齐羽恬踩着小车往前走，说着："那我就不知道咯。"

岔开话题，秦见月问："对了，那天钟杨去找你，后来呢？"

"后来什么，"齐羽恬偏过头来看她，"没有后来。"

"你们没……没发生点儿什么，或者，进展也没有吗？"

齐羽恬说："他没拿下我，我也没拿下他。"

秦见月不解："怎么这样说呢？"

齐羽恬想了想："你知道吗？他们这种人都是情感很淡漠的。我不想赌。"

秦见月警惕地问："哪种人？"

齐羽恬淡道："要什么有什么，要钱可以有钱，要爱可以有爱。众星捧月，活在天上，得天独厚。既然如此，为什么非要让自己去吃爱情的苦呢？一帆风顺多好，这样的人生就没有吃苦的道理。

"没在一起是因为对他来说，过程比结果重要。我的想法相反。况且他那是喜欢我吗？只是觉得没拿下我很挫败，仅此而已，没有更多了。

"能比吗？"

齐羽恬平淡地看着秦见月。齐羽恬的眼睛大而亮，像只澄澈无辜的兔子，灵气十足。长相甜美可欺，声音也温暖软甜。每次看到她，秦见月都能理解程榆礼想揉自己脸的冲动，于是忍不住去扯她的颊。

而这样一个女孩却有超乎想象的理性。

秦见月不免问："那你打算怎么办？"

齐羽恬又不知道从哪里掏出来一个泡泡机，给秦见月："我戴口罩吹不了，你吹给我看。"

秦见月接过去，听话地给她吹了一把。大的小的一齐飞天，在最鼎盛的日光之下一一破碎。舍不得叫天空只剩泡沫的碎屑，秦见月便强迫症犯了似的吹个没停。

"我喜欢男神，可我只跟舔狗谈恋爱。哪天男神变舔狗了，我就答应他。"

因她这番话，秦见月有点儿绕进去了，百思不得其解。秦见月又纳闷地想了想，索性不思了。

来来去去这几句道理，秦见月只存留下来一句往心里去了：他们要什么有什么，为什么要让自己去吃爱情的苦呢？

又莫名去想，如果她真的离开，程榆礼会是何种姿态面对。

他会说一句"我不强求"，继而妥善处理好后续，附上一笔数额可观的分手费，说一句珍重。

思考之间，被莫名其妙的想法侵蚀，她的手顿时变得绵软无力。秦见月滞住了指尖在愣神，半天没再吹出去一个，只看着斑斓的泡泡在空中悄然碎尽。

年味渐散，拜年的客还络绎不绝。程家的客人太多，大多是来恭维程乾的，没几个值得他花心思招待。程乾和沈净繁他们照旧在牌桌前来去，散漫度日。

那天回老宅是因为程榆礼的围巾落在家里。

秦见月坐副驾，提出："我下去取吧，你就待在车上好了。"

程榆礼也没拒绝，闲闲等候的姿态："有事叫我。"

往家里走，秦见月观察到院里停了一辆一看就价值不菲的典雅款黑色轿车，她不认得车牌，但也见怪不怪了，程乾的客人就没有与他阶级落差太大的。因而他不正眼瞧她，自然"情有可原"。

隔着院子里巨型的落地窗，秦见月脚步微滞，她看见里面升腾的炉火，而旁边是谈笑风生的程乾和沈净繁。

程乾脸上漾着慈祥笑意，是秦见月从未见过的长者姿态。

站在他们身后，给沈净繁捏着肩膀的女人只有一个背影，粉色头发被染回黑色，飘逸落在肩头。

隔着密不透风的玻璃，仿佛都能听见他们的说笑声。

再往里走，秦见月推开门。沈净繁的声音便轻快地落在秦见月的耳朵里——

"网红啊！网红好啊，赚得多不多？"

夏霁从沙发后面，倾身伏在沈净繁的肩头，给她用手指比画了一下，不无得意的声线："这个数。"

"哎哟小九出息了。"沈净繁拍拍她的手背，连连称赞道，"姑娘大了真是出息了，太争气了。哪个男人的身家能配得上你？"

夏霁嘻嘻一笑。

秦见月不由得握紧拳，指甲嵌进手心。

在程乾和沈净繁旁边还坐着一个面带微笑的男人，但不难看出男人的相貌是严肃正派的。他叠着腿坐，寡言少语。程乾跟他聊什么，他便轻微点头，是很少见的没有在程老爷子面前露出讨好姿态的客人。

"哎？程榆礼不在家里啊？我还想——"

秦见月迈步往前，打断说："爷爷、奶奶。"

众人皆抬头看她。

秦见月微笑说："我回来取一下东西。"

趴在沙发上玩闹的夏霁徐徐直起身来，眯眼打量秦见月。

沈净繁忙给她介绍："小九，来给你介绍介绍，这就是阿礼的媳妇儿。还没见过吧。"她又冲着秦见月招手，唤秦见月过去。

夏霁抱起手臂，若有所思："咦，我真觉得眼熟。我们以前是不是见过？你是不是三中的？你认识我吗？我叫夏霁。"

秦见月微微启唇，声音并不大："我叫——"

话音未落，被人截断——温热的掌心覆在她的腰间，她侧脸去看高挑的程榆礼。他轻搂着她，和这里的客人温和地打招呼，声音低沉，带点儿轻松的懒意："夏叔叔今儿过来了，怎么没提前说一声？"

秦见月仍看着对面女人那双上扬的狐狸眼，对上她视线里的犹疑与一抹微不可察的讶异，她淡笑着说："我是秦见月。"

第十三章 / 不能分离

将不清的掌纹，落地的茶花。

1

程榆礼是在外面见到了夏桥的车，才匆匆前来迎一下客。

夏桥闻声，忙起身走过来，伸手向程榆礼。他个头低一些，程榆礼微微折身，松开秦见月，转而握住他的手。

夏桥面含笑意说："成家了，看着稳重多了。"

夏霁仍没记起来这个秦见月是哪号人物，她放弃思索，手随意地搭在她老爸的肩膀上，佯装不满的语气："哎呀老夏，你以前就天天夸他稳重，我怀疑你到底是在夸他，还是在讽刺我啊？"

她说完，家里人都笑起来。沈净繁说："要不是你小时候成天惹是生非的，你爸估计也不会看谁都稳重。"

夏霁又走回去："我现在也成熟啦，你也夸夸我呗。"

程乾插话说："成熟没看出来，鬼点子倒是一套一套的。"

夏霁道："我不就是把你那竹子不小心给弄折了嘛，你到现在还记仇呢！小心眼！"

程乾闻言，竟也不恼，还笑眯眯地嗔怪她："麻烦得很，惹事精。"

夏霁鼓了鼓嘴巴，做起鬼脸。

程乾面上的笑意未敛，秦见月未曾在他身上汲取过这样慈眉善目的温度。

众人在笑，程榆礼脸上只带一点儿应付性的笑容，游离在他们的欢乐边缘。

秦见月也不知道此时她的神色看起来如何，她只觉得脸上的肌肉有一点儿僵硬。

手被牵起，程榆礼打算拉她过去坐，而她慢慢松开，温暾地说了句："你们先聊，我上去取一下东西。"

程榆礼敛眸看她，有话要说的神色，却欲言又止，最后轻轻应："嗯。"

秦见月转身往楼上去。程榆礼的卧室在三楼，她走得腿脚酸胀，脊背汗湿。步入三层廊上，秦见月瞥一眼客厅。程榆礼和那位夏叔叔围坐在茶几一角，攀谈姿态。

夏霁在爷爷奶奶二人之间绕来绕去，看起来还是那么活泼灵巧。

遥遥看下去，秦见月握着门把，掌心攒汗。这样心思复杂的暗中注视，眼下黯然酸楚的心境，让她仿若回到少女时期。绷不直的腰脊，抬不起的视线，在暗处演着独角戏，眼皮上积蓄着一层又一层的汗，构成她此刻进退两难的局势。

秦见月往下呆呆地望着，四五秒后，程榆礼倏地抬头看她一眼。

拧开门把，秦见月进了房间。

屋里充斥恬淡果香，她找出他遗漏在衣帽间的围巾。秦见月没急着出去，她双腿没出息地犯软，找地方坐下。

她原以为时隔多年的一场账终于要开始一一清算，甚至做好上阵的准备，没有料到夏霁却不记得她了。这让她全副武装的身体一瞬佝偻下来，盔甲没有派上用场，被赋予的勇敢没有得到及时有效的发挥，拳头打了棉花上。

大家都往前看，独独秦见月作茧自缚。

既然如此，还有没有必要往事重提？或是假意友好，恩怨翻篇，加入他们两家在客套和亲密之间的微妙热络。

手边是程榆礼的围巾，是羊绒质地，纯净的浅灰色。秦见月捏着布料，放在鼻息下面闻。

一股他颊上的香气，她闭上眼，感受埋首在他颈间的暖。

手机响动一下，秦见月取过来看。想是她消失太久，他的关怀来得及时。

程榆礼：怕见外人？

程榆礼：我找个借口溜，你下来吧。

临走前，夏桥跟程榆礼说改天有空一起吃饭，程榆礼点头应声，秦见月也得体地笑着，微微点头说好。

坐上他们的车，秦见月如释重负。她问："是外人吗？看起来关系很好，还以为是亲戚呢。"

程榆礼在冰雪渐融的路面缓慢开车，应道："是外人，家里人都领你见过了。"

秦见月"嗯"了一声："那个女孩，和爷爷奶奶很熟的样子。"

程榆礼道："有的人天生就善于哄老人家开心。"

秦见月没什么笑意地牵了牵嘴角："那你跟她熟吗？"

"我怎么隐约记得你问过这个事儿。"程榆礼微微偏头看她，"你跟她是不是认识？"

秦见月说："不认识。"

程榆礼想了想，接上上面的问题："不熟，早就没联系了。"

"那以后还会见吗？"

沉吟片刻，程榆礼略一思忖，笑了下："想起来了，那天是不是你看见她的照片，说漂亮。"

他腾出手来揉她的脸："记性倒是好，醋到现在。"

秦见月笑说："对啊，看人家太美了，莫名其妙就有点儿危机感。"

他说："叫你删你不删，我自己删了。"

她一愣："啊？为什么啊？"

程榆礼浅浅地勾唇："这不是预感到我太太有危机感，以绝后患。"

没有见识过他还有这样"残忍"的一面，这其中必然不只是有要给秦见月安全感的缘故。她知道程榆礼跟夏霁本身就不对付，许是被死缠烂打不耐烦，许是被出言不逊惹怒，种种理由让他不愿留下这个"朋友"。

"要检查吗？秦女士。"

秦见月摇头："你自己删的，和我又没关系。"

耳边是他轻笑的鼻息声。程榆礼说："是，应该的。不用等着督促。"

她垂着头淡笑，被他塞了一颗糖，心情算是好了些。

想起夏霁说自己是网红，秦见月不太了解这个圈子，她打开手机搜索了一下"夏霁"的名字，但搜索引擎上显示的内容不多，只有在某个网友论坛里出现的关键词里，捕捉到一个信息。

原来夏霁在网络上的昵称不叫夏霁，叫程如九。

点进这个帖子，主题是：有人知道夏霁吗？就是程如九。我三中的学姐。没想到现在居然做网红了。

帖子的内容是在讨论夏霁的生活作风。既然提到本名，必然就会牵扯到网络上不予显示的另一面。

秦见月刚往下翻了一小部分，看到一张截图。是有人在夏霁的微博问昵称的由来。

——为什么姓程啊？

——因为喜欢的人姓程啊。

身体里一股无形的酸水上涌，手机滑落。秦见月身往前折，捂住口鼻，似欲呕吐。胃里空无一物，她吐不出来。

程榆礼靠边刹住车，递来杯子："来例假不舒服？"

秦见月摆手，也没有接过水杯。

他又问："吃坏了？"

"没有，没有。"她飞快地摇着头，催促道，"你快点儿开吧，我想回家躺着。"

程榆礼欲言又止，见她回避的姿态，想必是实在不适，便加快了车速。

假期过完，很快复工。秦见月自那日身体的强烈反应过后，有几天一直恹恹。

程榆礼没说假话，外人确实是外人，夏家父女俩过后便没再现身，只当拜了个年，就像所有一年一会的亲朋。

回到戏馆，秦见月交上去磨了一个寒假的作业。在沈净繁的开导之下，她意识到自己的急于求成会给京剧本身带来一些磨损，就如花榕所说，这其中的艺术价值会被冲击，被取代。

她放弃了以舞剧结合话剧形式的舞台创作，那则以话剧《风雪夜归人》为蓝本的改编文稿便不作数。在线上和三春班的各位同门商讨之下，最后大家定下来一个新的原创剧本，剧名为《兰亭问月》。

那天齐羽恬也在，秦见月想了一个曲线救国的方针，利用好流量明星的资源，请她帮忙造势。齐羽恬也爽快地答应帮她做宣传。

冬天厚重而冗长，叫人睡不饱。花榕到时，头都没梳好，眼也睁不开，遥遥便看到一个纤瘦的女孩坐在观众席的太师椅上，低头玩着手机。

他走过去："小姐，我们今天排戏，不演出。"

齐羽恬戴了顶鸭舌帽，戏馆无人，她便没遮脸，抬起头说道："搞清楚，我是特邀嘉宾。"

花榕嘴巴张成"〇"形："你是、你是、你是……"

"啊，我是我是。"齐羽恬频频点头。

"女神！可以合个影吗？我好喜欢你！"

"呃……"齐羽恬为难地说，"我今天没化妆。"

同时，台上在读剧本的南钰喊道："花花你在那儿干吗呢？咱们都准备排练了，就差你一个，赶紧上来！"

花榕想跟齐羽恬合影，又架不住师姐在催。他对齐羽恬说："女神，看你难得来，我得给你表演一招——看好了，这叫飞腿上桌。"

于是这个表现欲旺盛的小师弟"噌"一下转了个身子，两秒就"飞"上了高台。

齐羽恬一下都没看清怎么表演的，非常给面子地鼓起掌来："哇，精彩精彩。"

花榕得意地颔首，被陆遥笛拧着耳朵拉走。

他嚷嚷道："嗷！疼死了！你轻点！"

秦见月在后台台口规矩地读本，南钰在一旁说事："这两天咱们将就一下在戏馆排，等后天孟老师那边批准下来了就能去剧院了。咱们这儿技术有限，舞美什么的差点儿意思，所以今天就先练一下曲子和走位。"

众人点头说好。

《兰亭问月》是一个融入了穿越元素的剧本，故事讲了一位民国时期的小花旦今月误入 21 世纪，她穿着戏袍仓皇走在人潮汹涌的大街上，去寻找当年鼎盛一时的"兰亭戏园"。

这个穿越过来的女孩对周围新鲜的一切都很新奇。在这一路寻找、探索跟迷失的过程中，传统文化与现代社会的流行产业发生碰撞。年纪尚小的今月感到深深的迷茫：在这个疾速发展的时代，该如何安置我们在夹缝中生存的乡音呢？

找了一路的今月最终发觉，在正阳门外那座日日人满为患、一票难求的"兰亭戏园"已成一座废墟。

她捻着水袖怆怆哭道：我才刚成角儿，咱们的戏楼子就没了。

她抬头望月。今人不见古时月，今月曾经照古人。它也曾见证过一方繁华，又目送那繁华走向衰落。

一束追光落在舞台中央。

穿着便服排练的秦见月掩面而泣，最终在飘摇的舞步中倒地不起，乌黑的长发像是整个盖住她瘦弱的身躯。

她没有力挽狂澜的能力，只有着满心哀痛、无奈又不甘放弃的赤诚。

沉静许久，舞台下传来响亮的掌声。

"好看！"齐羽恬喊了一声，"太棒了宝贝！超级精彩！"

秦见月站起来，整了整她的毛衣和头发。回程途中，秦见月坐在齐羽恬车上看他们的彩排视频，逐帧分析。

齐羽恬问她："你们那个节目制片人是谁啊？"

秦见月说："我不知道是谁，不太懂这些，孟老师说是她的同门。"

齐羽恬道："奇怪了，我怎么没听说有这么个节目备案。你们老师说是五月份？"

秦见月也有点儿茫然，她点点头："是的。"

"那我回去再了解了解吧，可能看漏了也不一定。"

秦见月没吭声。

齐羽恬又问："你们这个剧里的兰亭戏园是真实存在的吗？"

秦见月回答："不算真实存在的，就是从前那些戏院的缩影。以前京城的戏班子还是很多的，后来慢慢拆掉了不少。其实……"

见她欲言又止，齐羽恬追问："其实什么？"

"我们沉云会馆当时也是要拆掉的，是程榆礼花钱买了下来，原来这都不是他的地盘。"

"哇哦，"齐羽恬笑着，戏谑说，"男神的身姿又伟岸了不少。"

秦见月也羞涩地笑起来。

将她送回家里，合院的灯一应亮着。秦见月在冷风里吹久，向往着家里的暖融，不自觉加快步伐，推门进厅，暖气将身体包裹，她放松地吁了口气。

程榆礼在家里做简易的糕点。他最近的爱好从焚香变成了研究食物。

人在厨房，穿件浅色毛衣，背影宽阔，双腿修长。裤脚微微吊着，露出纤细骨感的脚踝。他手中在清洗东西，耳与肩夹着手机在通话。听见秦见月的脚步声过来，程榆礼回头看她一眼，放下手机。

下一秒，她扑过去将他抱住。

"今天好冷。"她声线轻柔，撒娇地在他胸口蹭，"你猜我怎么度过的？"

程榆礼放下手里的厨具，含笑问："怎么？"

"我想着等排练完就可以回来抱着你不放了。"秦见月笑眯眯地抬头看他，"就干劲十足了。"

"辛苦了。"程榆礼低头，轻吻在她眉间，"练得怎么样？"

她自吹自擂地竖起大拇指："非常好。"

眼尖瞄到旁边案板上的水果，秦见月接过去清洗，又取来水果刀，细致地切。

程榆礼在她耳边说："那我得抽时间去看一下。"

秦见月拒绝道："你到时候直接看我们的舞台吧。现在才哪儿到哪儿呀，都没成型。"

他不接茬，眼含宠溺的淡笑，倚在桌前平静看她。少顷想起什么，他说了句："对了，我爸妈下个月回来，一块儿吃个饭？"

秦见月切水果的手顿住一下："我们吗？"

"叫上你妈妈一起，还没好好聚过一次。"

切好的梨被搁在碗中，秦见月抓了一小片往他嘴里塞。她欣然同意："好啊。"

程榆礼捉住她的手腕，推开那片湿津津的梨。

"梨不能分。"

"什么？"秦见月很意外。

他一字一顿地，重复一遍："不能分'离'。"

秦见月忍不住翻白眼，那片梨被她很坚持地塞进他的口中："无语，还讲究这个。"

2

今天的晚餐是墨西哥卷饼和几道意式甜点，高脚杯里装着细腻的阿芙佳朵，冰激凌被咖啡浸润。程榆礼做任何事情都细致入微，即便只是一时兴起的爱好。他精益求精，连拉花水准都属上乘。

"好精致哦，我都不忍心把它切碎。"小金属勺片里映出秦见月清澈的脸与浓黑的发。她举着餐具，悬起、舍不得落下。

无情的叉尖嵌入浑圆的冰激凌，顷刻搅碎。程榆礼两根长指夹住叉柄，旋了一周，将奶油递送到见月的唇边："尝尝。"

秦见月顺势含住那一片冰激凌，香草的味道混着苦咖的涩，她没有嚼，只用舌头将它裹成液体："好甜呀，我给两百分！"

程榆礼将叉子放在餐盘之中，托腮看她："好了，少吃一点儿，很凉。"

"不行不行，都快化了。我要赶紧把它吃完。"

他嘴角轻掀，笑得清润。

秦见月用完精致晚餐，想起程榆礼的公司落实之事，于是问他道："你买楼了吗？"

"在南岭街。"

"听说那里寸土寸金。"虽然在他面前提这个，影响并不大。

他果然大方地说："小数目。"

两人交谈还没几句，后院传来狗叫声。秦见月用湿巾擦干净手，忙急着去宠幸她的狗儿子。咕噜咕噜又更了名，程榆礼嫌四个字唤起来复杂，干脆就叫它"咕噜"。

咕噜摇头摆尾冲着秦见月，笼子一打开，它就飞快地扑到秦见月的身上。

"好香啊。"秦见月摸摸它干燥的毛发，嗅了嗅。

程榆礼悠闲倚在一边，说道："叫林阿姨带它去洗了澡。"

咕噜对秦见月表现得不是一般的热情，黏人地趴在她的身上半天不肯下来，吐着舌头往见月的脸上舔。她哭笑不得地把它扯开："我不在的时候它黏你吗？"

程榆礼苦不堪言地点头："一样。"

两只玩具球，一只小足球，一只网球。

"来逗逗它。"秦见月把网球塞到程榆礼手里，"看它去捡谁的球。"

她揉揉狗头，鬼使神差抛出个问题，抓着咕噜的耳朵说："这样，爸爸妈妈要是离婚了，你捡谁的球，今后就跟谁，好不好？"

咕噜晃着身子，热情吐舌，不知是听没听懂，见准两个同时抛到远处的球，四只爪子就飞快地蹬了出去。

一分钟后，程榆礼的网球被捡回。

他拨开咕噜的嘴巴，从中取出球，幽幽说道："跟爸爸，爸爸不会问这么泯灭人性的问题。"

"……"

秦见月还绞尽脑汁在想如何反驳，那人手上的球又被掷了出去。

秦见月晚上睡之前收到齐羽恬的消息。

齐羽恬在微博发了一条秦见月演出时的彩排照片，附上一张二人合照。没有太张扬，她是发在超话里面的。粉丝纷拥过来喊老婆，也有不少在夸秦见月：哇，好漂亮的小姐姐，是剧照吗？

齐羽恬回复：是我的朋友啦，人家是京剧演员哦。

粉丝：太漂亮啦！好有气质！果然！老婆的朋友也是大美女！

齐羽恬：到时候节目上了，大家多多支持宣传！

粉丝们：老婆说什么就是什么。

尽管很多都是在卖一个面子，秦见月还是看得心底愉快开花。

"乐什么，让我也高兴高兴。"程榆礼在一旁瞧着她，散漫地开口。

秦见月把手机塞到枕下，侧过身去抱住他，亲亲他的嘴巴。

结婚快一年，她已经不像初识那般羞赧跟拘谨，与他相处自如起来，有着老夫老妻的趣味。秦见月此刻眼神颇有几分惆怅意味地看着他："你说我们的戏会有人看吗？"

程榆礼笃定说："当然。"

"你在哄我是吧，你明明都没有看。"

他说："我看好你的才华。"

程榆礼手臂揽紧她，手掌托在秦见月的腰腹，低头吻一下。

秦见月笑着说："你这样盲目支持会让我迷失自我的！"

窗户外边，雾锁东南。程榆礼垂目看她绯色的颊，余光里是飘摇的山茶花瓣，两相映红。他低头与她对视，不知道秦见月心里在打什么算盘，她就这么看着他，不出半晌，竟不觉间脸越发变红，她握住他的手往上挪。

平淡又不平淡的夜，春雷滚滚在耳边，秦见月躺在程榆礼怀里倒是睡得意外甘甜。她总算不再噩梦缠身，再厚重的闷雷也不惊扰她的幸福，而化为梦境里为他们的喜事奏乐的锣鼓。

睡得不踏实的人变成了程榆礼。

他不做噩梦，频繁做梦这事本身对他而言就足够吊诡了。程榆礼绝不是夜长梦多的人，不论是考试失利或者与家人隔阂，从没有任何困惑能够震荡到他最深处的安宁。恐惧、不安、焦虑，这类词汇离他遥远，他多么六根清净一个人。

程榆礼也没有料到某一天他会半夜三更从梦里惊醒。

是梦到有人替他看手相，指着他的婚姻线说三道四。

虽说梦境大多不可信，但涉及命理的一些内容，听起来颇为玄学。

想必是那梨让人吃坏了，程榆礼大半夜不睡觉，盯着自己手掌看了会儿，可惜他丝毫不懂，只会显得行为古怪。

于是他又挪眼看向窗外，那朵飘摇的山茶于无声处让春雨打落了。

翌日，秦见月起床时，程榆礼竟还躺在身侧，难得一次见他睡过了头。

空气清新，她想感受晨光沐浴，转而去到院落里洗漱，瞥见那只从沈净繁那里被带回来养的鹦鹉。她含着一口沫子，冲它起调："月——"

鹦鹉梗着脖子："月月，我老婆，月月，我老婆！"

秦见月失笑，学着程榆礼的动作，敲它脑壳："笨死了。"

程榆礼一边步子往外面走，一边低头执着看着自己的手心。

"程榆礼，"秦见月刷完牙齿，回眸问他，"你觉得自由很重要吗？"

他手插裤兜里，什么也不做，只站在门口看着她："当然。"

"那你为什么要结婚呢？"

"自由和结婚并不相悖。"

她又指了指那只鹦鹉："那你为什么要养鸟呢？"

程榆礼被噎了下，想了半天，只抛出来一句："回答不上来。"

秦见月不敢置信地笑了下，竟然还有让他吃瘪的问题。

他转移话题说："快来吃早餐吧，小哲学家。"

吃完早餐，程榆礼开车送秦见月去排戏。这无波无澜的婚姻，如他向往的一般温馨。一起度过平平静静的夜、平平静静的早晨，一起用餐，逗鸟，遛狗。两人就这样平心静气相处过来这些时日，程榆礼此刻却无端觉得心中空落。

不知是为他捋不清的掌纹，还是为落地的茶花，抑或是囚笼里的鹦鹉。

宇宙是个信息场，一旦汲取到一些似是而非的信息，心头便会开始缠乱作祟，令其成为搅人心神的某种心理暗示。程榆礼手肘撑在窗框，不动声色地揉了揉僵硬的眉心。

秦见月下车时，听见他说了句："晚上我来接你。"

她说："我不知道几点结束。"

程榆礼说："不管，我等你。"

"你不要不耐烦就好。"

他笑了下："怎么可能。"

秦见月欣然一笑，他从不会对她丢失耐心。

3

连着几天秦见月都在排戏，有时孟贞会过来看一下，给他们一些指点。

孟贞认为他们这部《兰亭问月》的剧本不够出彩，原因出在题材的选择上，剧目的教化意义太过鲜明，但出于其中的腔格、板式、表现手段都可圈可点。总体来说这是一个很新颖，有突破性，也有明显缺点的本子。

但对于这帮年轻人来说，能做到这个程度，已经实属不易。

她便没有再泼冷水，只对唱词做了一些精进。

排了半个月有余，到后期进入剧场排演，孟贞请来专业的舞美设计老师帮他们进行舞台策划。

秦见月见到了节目的制片人彭总。这位姓彭的先生是一个中年男士，孟贞的朋友。

如孟贞所言，他不是专业戏曲界大师，只是一个戏曲迷，想要创办这个节目的目的是为了推广京剧。

彭总上来便友好地和几个年轻人谈天，不谈剧本创作，谈做节目要遭遇的种种，举手投足之间颇有商人做派。

秦见月哪懂这节目里面的条条框框，她属于一心唱曲的那类人，因此听得一知半解。

只要说这节目对文化推广的作用有几成，她就点头表示高兴和认同。

一切谈得到位，彭先生的想法很开阔，听得各位都充满信心。于是只等项目落地，秦见月那时并没有多想什么。

她的生活里，除了排戏之外，还有一件要紧事——家长见面。秦见月抽空和秦漪出行了一趟。

秦见月开了几回她的小二手车，就得心应手多了，没再在路上出过岔子。她开着车带妈妈去购物。

"我们去高级商场看看吧，买点好的衣服鞋子，别让人看笑话。"秦漪坐在副驾，这样对见月说。

秦见月说："好。"

"对了，你哥正好也快回来了，他说要一块儿去。"

秦见月闻言，细眉轻蹙："你怎么这么着急跟他说呀。"

"咋了，我嘴快你又不是不知道。不想让你哥去啊？"

"不是的，我有点儿怕他惹事。"

"不能，不能。"秦漪摆手说，"到时候我看着他，再说咱们婚礼上不是都见过吗？我看对方也挺和气的。"

秦见月想说，婚礼是婚礼，婚礼是要给足面子的，那种喜庆日子，谁能不和气呢？

但她一想，妈妈的话也有道理。

秦见月现在已经能够尽可能铲除掉心里那层发霉的部分，不让它再出来作祟。

她拧巴又阴暗的小心思，被自尊心驱使着时不时冒出来刺一下身边人的锋利刀刃，已经在阳光雨露的滋润之下离她渐远。

连齐羽恬都说，秦见月变得开朗了很多。她拒绝让磨损自己人格的那些卑劣再一次出现。

秦见月转移了话题，和妈妈聊一聊衣服风格，说了没几句就到了商场。

秦漪去试了一双鞋，是长筒靴，秦见月安静地坐在外面等候。

手机有消息进来。秦见月点开看，是名为"春春春"的群聊。

孟贞：孩子们，还在排练吗？

陆遥笛：没有啦，今天周五！下班早。

孟贞：行。

孟贞：通知个消息，彭总刚刚联系我，说了一个事情。他个人很看好我们的表演，也想办好这个节目，只不过到目前项目还没有正式进行策划，一直处在拉投资的阶段，而且情况不是很乐观，投资人对节目备案不大看好，毕竟他们出钱，还是以赚钱为主，彭总之前没有提过这个事情是因为，他也想尽可能为我们争取一下。

孟贞发出来这段话像是没有结尾的话。

有好半天，她没再发言，不知道是不是在打字。

秦见月反复读着这里面的信息，她觉得此刻的大脑和心脏都有点儿麻木，感官迟钝，比情绪先到来的是手心的汗液。

花榕：什么意思啊？不办了？？？那我们练这么久算什么？

孟贞说：他说得比较模棱两可，我也不大明白具体的情况，不过彭总给我提了一下，说他的节目还是要办的，可能会改成一个说唱节目。我认为，他的意思多半是要放弃我们了。

孟贞讲话一直比较柔和折中，"放弃"二字实在刺眼。秦见月加重呼吸，想顺一顺气，但喉咙口阻塞着，实在难以通畅。

花榕：既然最后要放弃我们，那他那时候吹得天花乱坠干什么？微笑／微笑／不给人希望就不会失望，糟老头子坏得很。

孟贞：注意言辞。

花榕：我就说了，他又听不见。微笑／微笑／

孟贞：彭总也是不得已。

南钰：是啊，老师都说了彭老师已经努力过了。

陆遥笛：好无语啊，白练那么久了。通宵改本子我都要吐血了。

南钰：算了，只怪我们没本事吧。人家也想挣钱啊。摊手／摊手／

秦见月想说些什么，但指尖发颤，打不出一个完整的字。

"月月，这双怎么样？"

秦见月闻声，抬头看去。

秦漪似乎对脚上的鞋很满意，她笑得春风满面，看向秦见月。这样的笑意不禁让秦见月想起二十年前秦漪在台上唱戏的光景，那时她才四五岁，坐在戏馆的客席，脚凌空荡着，直愣愣看着台上唱曲的妈妈。

那穿云裂帛的唱腔、优雅至极的身段、华丽精美的戏袍，让她生平第一次对美有了隐隐约约的意识。

然而眼下，一场车祸造成的伤痛让秦漪的走路姿势变得很难看。

她扭一下脚，靴子的光面就随之弯折一下。她穿着展示柜里崭新的靴子，就这么朝秦见月一跛一跛走了过来。

秦见月用余光捕捉到店员眼里不加掩饰的嫌弃烦躁，下一秒那眼神又转变成对鞋子的心疼。

秦见月在母亲的厉声鞭策中度过童年，练四功五法、耍花枪、倒立，脸憋得通红，立不住，泪也跟着倒流。

她委屈巴巴地喊妈妈："我立不动了。"

秦漪斥她："想上台，想成角儿，就得给我立着！"

老师说了：有志者，事竟成。抱着"总有一天我会成角儿"的想法，秦见月就这么立过了数不清的春夏秋冬，熬过了练不完的唱念做打。她没喊过累。

青春期是个难熬的阶段，要经历倒仓。通俗来说就是变声，对普通少年来说这只是正常发育阶段，但对戏曲演员是个艰涩的难关。嗓子对唱曲儿的而言至关重要，倒仓像是渡劫，熬不熬得过，能不能有副成熟的好嗓音，全看造化。秦见月就是为数不多熬出头的那几个。

她记得秦漪对她为数不多的美言，那句"看来月月天生是吃这碗饭的"让她高兴好久。

一个人能找到自己的乐趣，顺从天意发挥出天赋，得多不容易。

风霜雨雪她很少再提，只不过偶尔某些委屈的时刻，会像一块细石压迫着心头柔嫩之处，慢性的折磨让疼痛显得不那么锐利，却后劲十足地抵住她坚固的信念。

秦见月慢悠悠地开着车，午后日光刺着眼皮，她微微眯眼。

秦漪在给秦沣打电话："我跟月月出来逛街，你到哪儿了……那行，我先问问月月方不方便。"

说着，她捂着手机声筒，看向秦见月："你哥说他也要买两套好衣服，叫你帮忙斟酌斟酌。"

秦见月迟钝地"嗯"了一声，看一眼妈妈："不用这么兴师动众吧，只是吃个饭而已，你们搞得我都紧张了。"

秦漪说："这不是不想给你丢面子嘛。"

秦见月想了想："我问问阿礼有没有衣服给他穿，你叫他先别买。花冤枉钱，又买不到足够好的。"

秦漪欣然同意："我跟他说。"

回到家里，一下变得无所事事，秦见月心中空荡，说不清心里是轻松了还是变得更为沉重。

"春春春"的群聊界面，最后停留在孟贞的话：我尽可能再争取一下吧。我知道大家都很累，这段时间也的确辛苦，很不容易。各自调节好心态，说到底也就是一个节目而已，这次没办成还有下次，机会留给有准备的人，才能总会有用武之地。

一大段绿色的框映在眼中。没人再回复，这沉默中有失望亦有失落。秦见月反复读了几遍老师的话，心稍稍静下来一些。

刚才一路闷热的掌心总算褪去一层灼人的燥。

倾诉是最好的排解方式，秦见月把这件事告诉了齐羽恬。

齐羽恬也是个忙人，没及时回复。等到再收到消息已经傍晚，春日山脉遮着半片夕阳，余晖躺在陈年的梁上，秦见月站在胡同口去看街尾那团鲜艳的春梅。

齐羽恬：/惊恐 怎么会这样？

齐羽恬：我帮你想想办法。

不出一分钟，秦见月在她的朋友圈看到齐羽恬的吆喝：各位金主爸爸，走过路过不要错过！看看我们新生代京剧演员的拿手好戏呀！都是俊男靓女，走过路过不要错过！！！

底下附上一段他们排演的视频。

秦见月不由得失笑。

一样的春天，一样的口号。

"走过路过不要错过！全校俊男靓女最多的京剧社！快来看看啊——你看这句行不行。"

笔端不留情面地敲在齐羽恬的头上。

钟杨睨她一眼："俗。"

齐羽恬捂着脑袋，用笔敲回去，嘀咕说："你才俗。"

钟杨的书呆子同桌叫小步，是个努力型学霸。他推一推眼镜，煞有介事说："要我说，口号都不重要，俊男美女往那儿一站就能吸引到人了，甚至不需要喊。"

秦见月恳求的眼神缓缓地落在钟杨的身上。

"看我干什么？"大少爷抱起手臂，哼笑一声，不以为意说，"我是不可能给你站桩的。"

秦见月抱拳乞求："拜托拜托。"

齐羽恬抱拳乞求："拜托拜托。"

小步加入他们的乞求："拜托拜托。"

钟杨轻咳了一声，讳莫如深的谨慎语气："作业有点儿多呢。"

秦见月举手："我教语文！"

齐羽恬举手："我教英语！"

小步举手："我教数学！"

半晌，钟杨满意一笑："行。"

有了班草的助力，京剧社团的彩旗在操场上飘得最高，迎春的梅花开在他们的上空，叫人满心希冀。

无时无刻不在为支持她的好友而感动，秦见月给齐羽恬的朋友圈点了个赞。

她回到家中衣帽间，翻出了一套程榆礼的黑丝绒西装。秦沣的身型魁梧许多，不确定能不能穿上。

翌日带西装给秦沣试一试，秦见月拧着眉看秦沣试装。他吸着气，身前的扣子险些都快崩开了。

程榆礼发去消息问：能穿吗？

秦见月回：有点儿小。

程榆礼：这儿还有几件，叫他来家里试。

于是秦沣跟着秦见月回了趟侧舟山。秦沣见什么都稀奇，荷花池有意思，狗也有意思，他整个人兴冲冲的。程榆礼好心搭了几句腔，从柜里拎出来几件衣服给秦沣，叫秦沣去更衣。

等待期间，程榆礼坐回沙发，懒懒地撩了下眼皮，跟秦见月说："不是说了不用这么讲究？"

秦见月跟他挤在一起："你爸妈不是讲究的人吗？"

"管他们做什么。"程榆礼悠悠合眼，对一切都表现得漫不经心，他自然不会理解她的忐忑，"轮不到他们计较。"

秦见月看着他静止的睫毛与鼻梁，欲言又止。

手机消息传进来，秦见月轻靠在他肩上："他们晚上喊我去聚一聚。"

"谁们？"他睁开眼，瞥她侧脸。

"同门。"

"嗯。"

一会儿，秦见月看了看手机，又说："算了，不去了。"

他问："什么原因？"

"他们去喝酒，算了，我怕我喝多了祸害人。"

二人同时想起上一回那番戏码。她这个意有所指的话，让程榆礼轻笑："想喝就喝，怎么说得跟我影响了你似的。"

秦见月乖巧说："你都不喝，我也不能喝。要自律。"

他说："我喝多了你弄不动我，我喝多了我还弄不动你吗？"

程榆礼伸手轻轻捏她耳垂："注意身体，注意安全就行。"

半天，秦见月凑过来蹭他的鼻尖："那……我真去了哦。"

程榆礼很大度："嗯。"

他将那件秦沣穿不上的西服扯过来，盖在二人头顶，秦见月被闷在衣服里面，被呼吸交错的热裹住，听见他的悠然私语："上回你乖得很。"

秦见月一愣，声音也小了许多："你……你有没有在那时候做坏事啊？"

他诚然道："上回没，后悔到现在。"

"后悔"两个字被他咬得很重。少顷，程榆礼轻淡地笑了下："今天酌情考虑，要不要弥补一下遗憾。"

不正经的话，被他讲得散漫悠闲。

说着说着就陷入古怪氛围，唇瓣贴住她的，不轻不重地压下来，秦见月想要推开他的吻，而她的反抗却加深他的力度。

直到——

"喀喀！喀喀！"天花板都快被秦沣这嗓门咳破了。

秦见月忙掀开衣服，绷直了身子站起来以证清白。

秦沣也有点儿茫然无措，半天才指身上的衣服："这件可以？"

秦见月抓抓脸颊，也没仔细看衣服，净想着把他支开，于是又指了指旁边两件，将要说"你再去试试这个"，话音被身后的人截断。

程榆礼倒是淡然自若得很，不慌不忙允道："挺好，就这身吧。"

秦见月从善如流，忙说："嗯，就这个，就这个，挺好。"

选好衣服，秦见月跟着秦沣的车一起出门。

程榆礼从书房出来送二人，架着的眼镜还没脱下，给他清隽的一张脸平添斯文败类的气质。男人立在门口，没送远，手插在西裤口袋里，对秦见月说了句："结束说一声，晚上让人去接你。"

秦见月面露惧色，怕得不敢动弹，只好点点头："嗯，好的，我不喝多。"

程榆礼慢条斯理推了下眼镜，淡道："多喝点儿，不碍事。"

"……"她接不上话，只顾着转身钻进秦沣的车里。

秦沣一边调整着领带，一边纳闷地看着她："咋了，脸这么红？"

秦见月咬紧后槽牙："快开车吧你。"

秦沣无语地摇着脑袋，一头雾水说："我是真搞不懂你们两个，眉来眼去什么啊，我哪儿又得罪你了？"

秦见月撑着额："……闭嘴，不要懂。"

秦见月没跟程榆礼说节目黄了这事儿。

他会知道纯属意外。

那天晚上是恰好想起个什么要紧事赶去公司，回头路上路过戏馆那条街，见到门口人头攒动，像是观众拥堵在这儿。程榆礼忙在工作上，有好一阵子没来了，他听见月说因为最近排戏，所以没开门营业，心下疑惑着这不是挺热闹，就进去瞅了几眼。

找了个方桌子闲适坐下，听了曲《白蛇传》。

程榆礼从前爱听戏，就纯粹爱听曲儿。后来自打有了惦记的人，来这戏馆就为了看人。看她一颦一笑，看她在戏里演着七情六欲，贪婪地想象着她将那些情绪带出戏外的样子，听曲儿的心就不纯粹了。

难得一回，还能投入进去，时而合目，听那悠扬唱段在耳边悠久地绕。

台上的是孟贞，她唱的是程派青衣。

程榆礼戏听到一半，为一旁的动静睁了睁眼。不消他招呼，自有人殷勤地上来为之沏茶，对方毕恭毕敬地喊声"程先生"。

他说"多谢"，待人离去，将茶推给一旁的阿宾，问道："你觉得这曲唱得怎么样？"

阿宾不是一般的圆滑："那肯定不如我们太太唱得好听。"

程榆礼听笑，不置可否，片刻道："去招呼一下孟老师。"

"好嘞。"戏已唱罢，阿宾忙起身去后台。

没一会儿，孟贞被领过来。程榆礼起身迎接。

"程先生今天得闲了？好些日子没见你过来了。"孟贞卸了头饰，捋着自己的头发。

程榆礼还穿着一身精致西服，华丽锃亮，与这古朴氛围多有不搭，一见就是忙完工作来歇了个脚的样子。他没答这话，反开门见山问道："前些天月月跟我说你们在排一个什么戏，练得怎么样了？"

孟贞闻言，愣了愣，眼神只轻微那么一闪，就让程榆礼看出一点儿苗头。

他往前一步，压低声音试探问："节目不办了？"

孟贞讪笑一下："月月没跟你说这事儿啊？"

程榆礼微微低头，眉梢若有所思地轻挑："哪儿出了岔子？"

既然程榆礼都问得这么直接，孟贞也没瞒着，将事情一五一十地告诉他。

程榆礼听罢，问一句那制片人叫什么名字。

孟贞答："彭良。"

他心道，很陌生。

半分钟的沉默里，用指腹在裤兜里揉搓两下烟盒，程榆礼说："你通知他们接着排吧，这事儿不至于没着落。"

孟贞也不笨，有一些事情不好明着讲。听出他的弦外之音，她眼神略显感激说："谢谢程先生。"

程榆礼淡淡"嗯"了声，叫阿宾去开车。

这天，秦见月回来得不算晚，今天是难得没安排的晚上，大家都喝得有些上脸。时不时想起上回"神志不清"带程榆礼去探索她的秘密之事，怕再次嘴巴漏风，秦见月还是没有敢喝多，只是微醺。

微醺也是醺，因此她今夜还是显得比平时话多了很多，缠着程榆礼，抱着他胳膊说："我今天知道一个事情，好神奇哦，我那个师弟，就是上回跟我吵架的那个，他居然是孤儿哎。今天他们在讨论大家为什么学戏，花榕是因为说他小的时候家里没钱，就被他爸妈送到村里的戏班子，他们再也没管过他，后来他就跟着戏班子的班主长大，再也没去找过他爸妈。是不是好可怜？"

程榆礼坐在椅子上，看她泪眼汪汪的模样，慢悠悠地说了一声："是。"

秦见月紧抱着他的胳膊，脸颊在上面轻蹭："你不懂，我感觉大家都好辛苦。"

他问："哪儿辛苦了？"

"就是……"秦见月欲言又止，抿了抿唇，又摇头，"算了，不说了。"

"为什么算了？"程榆礼挑她下巴，看着秦见月低垂微湿的眼尾，声音沉下来不少，又道，"都没问你，你们几个今天为什么不排练去喝酒？"

"喝酒就喝酒嘛，有什么理由啊。"

"借酒消愁？"

秦见月拧眉："我才没有愁。"

程榆礼看她半晌，轻揉她倔强的眉心："你最好是真的没有。"

从混沌的意识里抽出一点点理智，秦见月掀起眼皮，无辜看他："你是不是知道了啊？"

程榆礼拨开她脖子里的碎发，轻柔地替她整理，淡声说："不就是节目没人投资吗？我投。"

秦见月顷刻间泪盈于睫："……真的吗？程榆礼，你是认真的？"

他用指腹一点点地蹭着她眼尾的潮气："我骗过你？"

"没有，没有，谢谢，谢谢。"秦见月语无伦次地道着谢，又是感谢又是崇拜地看他，"可是，那是不是要花好多钱啊？我感觉做节目好贵啊，我不太懂。"

程榆礼不以为意地轻笑："洒洒水，用不着跟你男人说谢。"

"嗯，嗯。"泪水就要夺眶而出，秦见月低着头，又问，"那你为什么愿意花这个钱啊？"

他淡淡说："因为不想看你不高兴。"

秦见月忙抗拒着摇着头，道出真心话："不行，你换个理由，不要让我愧疚。"

程榆礼失笑："嗯，纯粹是想支持一下国粹的发展。"

她点头，说："谢谢，好人有好报。程总，你真是个好人，你会活到一百岁的！"

忍耐了好久的情绪绷不住在此刻决堤，但秦见月不想再在他面前哭了，她急忙转过身去，摇摇摆摆往浴室去："我今天可以自己洗澡。我没喝醉，证明给你看，我平衡特别好。"

秦见月伸长两条手臂，迈着碎步往前走。程榆礼看着她的背影在笑。

担心她在浴室滑倒，程榆礼跟进去，一把擒住在调整花洒的秦见月，另一只手腾出来冲洗不常用的浴缸，最后将嗷嗷乱喊的人丢进去，程榆礼揪她的脸："就坐里面洗，不要出来。"

秦见月点头："好的，好的。我没有喝多，你不用担心。"

她仰面看他。程榆礼松弛地站着，又面露那副思考人生的眼神。在淡橘色光影下，他的轮廓有种迷蒙美感，身姿宽阔，一双淡淡神色的眼自然而然地融于雾气之中。

"那个……"半天，秦见月忍不住开口。

他躬身往前，听她耳语："什么？"

"我的意思是，你不要像个护卫一样一直站在这里，会影响我的发挥。"她弱弱地开口，眼被水洗过般清澈，无辜看他。

程榆礼笑着，掬了两朵水面的泡泡放在她的发顶："有事叫我。"

见他出去，秦见月松下口气。

晚上不宜喝茶，程榆礼便煮了一点儿沸水，清闲烫盏，静心思考。

办节目这事还真是有点儿触及他的知识盲区，一来他对演艺圈的情况知之甚少，难免棘手。没有经过市场调研，贸然接一个项目，这草率行事不是他的风格。程榆礼百分百的谨慎和理性一向会让他将任何重要大事妥善地拉到一个平衡状态。

但他此刻确信，他无法游刃有余地操控眼下这桩事。

二来最近公司刚起步，有许多事情要忙碌。尽管还没有叫他到焦头烂额的地步，但免不了要分去许多精力。

杯面被洗净，热气氤氲。程榆礼搁下手头的东西，拿起手机拨了一通电话。

对方很快接通，说了声："喂？"

"祁正寒，劳您驾，帮个忙。"

第十四章 / 空中楼阁

道阻且长的春天。

1

第二天早上，秦见月起床时，程榆礼在餐桌前替她剥着一个鸡蛋，听她慢吞吞的脚步声传来，他悠悠道："早。"偏头看一眼睡得迷糊的秦见月，"头发打结了。"

"啊？"秦见月忙挑起自己的发尾着急细看，"哪里打结了？"

程榆礼轻轻地笑："骗你的。"

"……"好幼稚。

鸡蛋被放在小碗中。

秦见月神色凝重地坐下，昨天发生了什么她都还记得，只不过当时被感性支配，只顾着欣喜感动，此刻才腾出清醒的想法来仔细思考。

五分钟前，她收到齐羽恬一则不容乐观的消息。

齐羽恬说她去咨询了她的老板，老板直言不讳说戏曲节目招商很难，几乎没有做成功的可能，除非是央视那一类固定了受众的频道，而对这类频道来说，它们更看重节目在文化等方面的教育和宣传价值。

戏曲节目想要打开受众群体，很艰难。老板表示自己可以理解那位彭总的做法，商人重利，无可厚非。

赚不到钱，你做它干什么呢？有一腔爱好又怎么样，它能支撑着人走多久？

秦见月嚼碎鸡蛋，食之无味，又喝一口牛奶，温暾开口说："程榆礼，我们昨天是不是商量了一个大事啊？"

他平静道："没有商量。"

她愣一下："难不成是我做梦吗？"

"是我单方面决定的。"

秦见月心里五味杂陈，默不吭声把鸡蛋吃完了。过了许久，她说："你要不要再好好地考虑考虑？不要这样冒失。我很过意不去。"

程榆礼始终淡然："一个节目而已，有人想办就顺水推舟了，不用想得那么严肃。"

她嘟囔说："我是怕你赔钱呢。"

"机会总得有人提供，其他的就顺其自然。"他说了和沈净繁一样的话。

秦见月似懂非懂："那你之前有没有做过这种节目啊？"

程榆礼没正面回答，只说："交给一个朋友了，他熟悉影视圈，帮我安排靠谱的制片人。"

"制片人？那个，孟老师说她的那个朋友，叫彭什么的……"

"不熟的人不用。"他用完餐，擦一擦指，"左右摇摆，一点儿魄力也没有。万一他哪天又把你们摆一道，岂不是又要跑出去喝闷酒了？"

程榆礼尾音带点儿笑意，嘲弄的意思。

秦见月羞愧低下头，又过一会儿，喃喃问了句："你哪个朋友啊，要不要请他吃个饭？"

他说："他叫祁正寒。"

秦见月恍然："啊，是他啊。"让她了然于胸的，他的高中同学之一。

"认识？"

"啊，不、不是。"该死，又说漏嘴了。

程榆礼笑："听说过是吧？"

"对，对的，是听说过。校草，校草……"秦见月冒一头汗，抵着额，不让他看到她的一脸惊恐。

他回答说："他很忙，应该没那个闲工夫跟我们吃饭。"

秦见月点点头，她自然听从他的意思。

这事说起来是解决了，可是秦见月觉得心里并不舒畅。不像被满足愿望，而是在被纵容任性，说不上的古怪，一切都源于她舍不得让程榆礼吃亏。

最后，她还是忍不住又劝一声："你还是再仔细想想吧。"

程榆礼打断她的话，不以为道："做都做了，我不后悔。你也别乱想。"

秦见月鼻子一酸，闷闷地"嗯"一声。

节日的事尘埃落定了。交给熟悉的人办，程榆礼放心，钱不是问题。

程榆礼的公司做的是无人机，前段时间忙里忙外，到年初才算堪堪稳定下来。近来悠闲，他下班早。人事那边给他招来一个助理，是个女孩，叫小孙。

程榆礼坐在椅子上跟他爸爸通电话，小孙敲了敲门，也不等他回应就进来，程榆礼并无情绪地瞥过去一眼，女人穿件黑色 A 字裙，裙摆被拉得很高，有刻意之嫌。她个子高挑，身材诱惑力十足。

"什么事？"他挂掉电话，见她着急样，开口问道。

"程总，夏先生说联系不上您，问您今天有没有时间，谈一下融资的事。"

程榆礼屈起手指，抵了抵太阳穴："知道了，我一会儿给他回电。"

高楼的窗户涌入冷风，办公室里充斥着一股倒春寒时节的凉意。

得到指示的小孙没急着走，反而跨前一步。程榆礼抬眼，用匪夷所思的眼神看着她。

女人躬身往前："气温低，您得把衣服穿好，小心着凉……"她说着便大胆地抬手要替他扣上衬衣最上面的一颗扣子。

下一瞬，被男人一把握住手腕，程榆礼用紧拧的眉头和锐利的视线提醒她越界。

小孙面色尴尬地稍往后退一些。

程榆礼抬起手，用指尖点了点自己醒目的婚戒。

"抱歉，抱歉……"女人低着头，紧咬着唇瓣，见程榆礼不吭声，又不免抬眸，胆战心惊地打量一眼。

程榆礼没再说什么，小孙不像是个会看眼色的，竟也没走，就在那儿呆呆杵着。程榆礼自行将衣服慢条斯理地扣好，他取走西服外套，起身便迈步往外面去。女人即刻跟上，他不多言，但走得急。

直到目送程榆礼上了车，女人才止步，尽责体贴得很。

程榆礼坐上车，没立刻开走，他拨出去四通电话。

第一通打给夏桥。

他开口便道："叔叔，我接到您邀请了，不过今儿不太方便，我爹妈回国，说好了一块儿聚聚，您看下周成吗？"

夏桥说："看你安排，时间上我都可以。"

程榆礼说："那我到时候联系您。"

第二通电话打给人事。

程榆礼说："你通知一下孙小姐，让她另谋高就吧。"

人事傻眼了："啊？她昨天才上岗。"

"就说没通过考核。"

"这，招人的时候也没说有试用期啊。"

程榆礼道："我说了算。"

"好，好的。我现在就和她说。"

第三通电话打给他母亲。

他说："我这边结束了，现在过去接你们。"

谷鸢竹不是个啰唆的性子，简明扼要道："OK，尽快。"

最后一通电话，是打给秦见月。

起因是她兴冲冲发来消息说：我发年终奖啦！哈哈！我现在是富婆！

程榆礼没回消息，直接拨了语音电话过去，他把车子发动，笑问："发了多少钱？"

秦见月骄傲语气："富婆的事你少打听。"

他笑意更盛，手扶在方向盘上轻轻摩挲着："好，我不问。你做好准备被我讹吧。"

他把手机放下，挂上耳机，去程家接父母。一路开得悠闲，程榆礼没什么心事，也没什么想说的，但他没肯让见月挂电话，就听着她在那头跟秦沣交代这个交代那个，秦沣一个劲地应："是是是，行行行，好好好。我不闹，我不说话，我把嘴缝上行了吧！"一副急眼的腔调，把程榆礼逗笑。

电话开了免提，听见一道气息轻拂而过的笑声，这笑里很难说没有嘲讽的意思，秦沣立刻咋咋呼呼："你你你，你笑什么？！"

程榆礼："……"

程榆礼语气不满地喊她名字："秦见月，你把耳机戴上。"

秦见月："……"

天黑得早，月色攀上沉沉的天幕。圆月在春意盎然的柳枝之间明灭不定，程榆礼掀起眼皮看了会儿，降下车窗。和煦的风吹进来，掀动他衬衣薄薄的领子，那浅淡月色安稳地落在他的肩上。程榆礼莫名想起一句歌词：我承认都是月亮惹的祸……才会在刹那之间只想和你一起到白头。

"好好好，戴上了。"那边窸窸窣窣好一阵，秦见月乖乖地说。

"真戴上了？"男人语调轻懒，将信将疑的口气。

"对啊，这有什么好骗你的。"秦见月很是纳闷。

她侧过身去，帮秦沣整理着衣服的领子。

听见那头程榆礼轻轻笑了声："那我现在说我爱你，哥哥应该听不见吧。"

秦见月的手指顿住，顷刻间脸色绯红，绯红溢满耳根，蔓延到脖子。

秦沣嚷嚷："咋了咋了，好没好？"

她抿着唇，闷涩地开口："嗯，他听不见。"

秦沣急了："谁听不见？我听不见？我听不见什么啊？"

秦见月低头浅笑："怎么这么突然？"

程榆礼莞尔一笑："都是月亮惹的祸。"

秦见月抬眼看窗外，果然看到一轮皎皎的月。

接到父母之后，程榆礼车里的气压就低下来很多。

他父母是沉默谨慎的人，尤其是爸爸程维，整个人像个冷硬的机器，二十多年间，相处甚少，程榆礼从未在程维的身上感受到过父亲的温度。譬如此刻，程维坐在车后座，捏着一本口袋书，垂首细读，不大像资本家的行事做派，离知识分子又差了那么点儿人情味。

妈妈谷鸢竹，笑面虎一只，就像上回，逮着秦见月还能夸句"机灵"，不算太刻薄。

刻薄是留在人后了。谷鸢竹睨一眼一言不发的程维："我记得以前读书时候，读《红楼梦》，老师说什么来着，古代戏子地位最低啊，那谁谁说林黛玉长得像唱戏的，把她气个半死。是不是？"

话是说给爸爸听的，阴阳怪气到了程榆礼耳边。他冷不丁说一句："林黛玉是清朝人，你也是吗？"

谷鸢竹顿了下，哼笑了一声。

程榆礼压了车速，要靠边停的意思，瞥一眼后视镜："不想吃可以取消。"

"取消什么取消，礼我都带了。"

程榆礼不疑有他，因这聚餐是谷鸢竹提出来的。

他拒绝过两回。程榆礼本就是亲缘淡薄的人，他自小不需要父母来为他主持什么，遑论他和秦见月二人搭建的婚姻。

但是谷鸢竹不依，多提了几次。她有意在晚年多与程榆礼亲近一些，好歹也是唯一的儿子。等她提第三次，程榆礼也没再推托的道理了。

他没有立场去怀疑母亲的用心，事到临头却也难免会忐忑。秦见月忐忑什么，他就忐忑什么。他来时路上心里还乐观些，结果谷女士三言两语就讽得他五味杂陈。程榆礼用指轻轻抵着唇角，有话要说，又没吭声。

"妈，"最后他还是忍不住开口道，"别为难见月。"

谷鸢竹说："为难？你这话说的，我是哪儿来的恶婆婆是吧？还能把你媳妇儿怎么样啊？"

程榆礼说："你要不是诚心的，这饭咱们就不吃了。"

谷鸢竹偏头看旁边的丈夫："老程你听听，他冲谁呢？"

程维总算合上手头的书，幽沉开口说："不是诚心的，我们会大老远跑这趟？"

程榆礼说："我没求着你们来。"

"少说混账话，开车。"程维声音拔高许多。

程榆礼沉吟片刻，再次上路。谷鸢竹往后一躺，又奚落几句："还真是有了媳妇儿忘了娘。"

程榆礼一直在试图规避一些东西，麻烦、争端、家庭跟家庭之间的琐碎碰撞。

他希望他的父母不管他，那就永远不要管他。孑然一身于他而言是非常舒适自如的状态。婚姻自主，一切自主，他乐得孤单逍遥。

但是这太过理想，稳定的和睦更是理想中的理想。

把棘手事藏到家里的老祖宗沈净繁身后，看着安妥，想来也是下策。奶奶又能替他担待几年？

他以为的婚姻的状态，该是在柔和平静的二人世界里，相伴相守，直至垂垂老矣。但落到实处，似乎又远非如此。

2

普通的中式餐厅，是程榆礼订的地方。他做抉择自然是深思熟虑。但谷鸢竹挑剔，到了才知道是中餐，嫌油污重，嫌人多吵闹。她用块小方巾抵着鼻尖，闻着那巾面的上玫瑰精油气味，但香味再烈也盖不过餐馆内油焖菜肴的浓郁。

"怎么挑了这么个地方？"

程榆礼淡道："我和月月都爱吃中餐。"

谷鸢竹吁一口气，没说别的。

三人分两旁静坐，氛围割裂得像是挤在一起拼桌的陌生人。

服务员好奇窥探片刻，把菜单递过来给程榆礼。他指了下对面的父母，示意要他们先点。

菜单被送过去，程维看了看菜谱，也没细选，挑了几道贵的报上。

接下来，包间里又陷入持久的沉默。

程榆礼自然闲适，倚在椅子上安静地等。

程维翻看手机，谷鸢竹用湿巾一会儿擦手一会儿擦脖子。程维时不时应付下谷鸢竹，叫她别那么多事。

程维是有点儿大男子主义的个性，他跟谷鸢竹的婚姻状态非常传统。他叫她别那么多事不是劝她接受这里的环境，而是看不惯她在旁边叽叽喳喳，丢他的面子。

程榆礼没再看他们，敛眸用温水清洗手边的碗筷，洗好放在一边的空位，继而再慢条斯理地擦拭自己眼前的杯盏。

十分钟不到，秦家三个人姗姗来迟。人高马大的秦沣先映入视线，程榆礼旋即往后看去，捕捉到秦见月的身影。他伸手接过她，秦见月被拉到他旁边的位置坐下。

"哎呀，亲家来了，好久不见好久不见。"谷鸢竹笑得和善，迎接秦漪，见她后面跟了个男人，她揉了揉太阳穴，"月月哥哥叫什么来着，我总想不起来。"

"秦沣，一个三点水加个丰富的沣。"秦沣露出被秦见月训练过好几次的得体微笑。

"长得不错，真结实。"谷鸢竹拍拍秦沣的肩。

秦沣笑意渐深，朴实得很。

程维也站起来跟他们打招呼，说婚礼有事没去成云云，让多海涵。

几个人客套了一圈招呼落座。程榆礼自始至终没站起来，只轻轻揉着秦见月的手，静听他们寒暄。

"给月月准备了个礼物。"谷鸢竹取出礼品盒，隔着圆桌递给见月，"看看喜不喜欢？"

秦见月展开礼品盒，赫然看到躺在里面的宝石项链。她惊愕片刻，不知该不该收，求助眼神看一眼程榆礼。

他微微颔首："收下吧。"

她僵硬地笑了下："谢谢妈。"

秦见月不是油嘴滑舌的活络性格，秦漪便帮她美言道："真是不好意思，又叫你们破费了。"

谷鸢竹笑说，"哪儿的话，一点儿小心意。这不是好久不见了，我在外面还常惦记着月月呢。我看着这项链就觉得衬她，立刻就拿下了。"

秦漪说："在国外买的，那得不少钱吧？"

谷鸢竹说："没多少，就四五十万。"

"嚯！"秦沣忍不住竖起大拇指，眼含惊叹，"这叫没多少！"

秦见月觉得天灵盖一麻，有点儿想给秦沣递一个眼刀，只是垂下的眸子没勇气抬起。

片刻，一道温润体贴的声音在耳边响起："吃什么？给你夹。"

秦见月抬眼望了望桌面，她一时间没接上话，程榆礼已经给她夹过来两个肉丸子。

"谢谢。"她低低说。

程维没有进食，虽然菜都是他点的。许是这里食物都不合口味，他手交握着放于桌前，十足的领导架势，开口问道："小沣最近在忙什么？"

"我啊，"秦沣抬起喝汤的脑袋，"在开车。"

程维微一扬眉："司机？"

"啊，是。在外地开长途。"

谷鸢竹插话说："怎么不去小礼公司找个清闲的活儿干干，外面风吹日晒的多累啊。"

秦沣笑着："嘻，我又没什么文化，能干什么活儿啊。"

程维问他："什么文凭？"

秦沣说："高中毕业就没念了。"

程维缓慢点头。

谷鸢竹又冲程榆礼说："你也是啊小礼，主动点给哥哥铺铺路，开车不行，开车太辛苦了。"她一边说一边摇头。

程榆礼看一眼脸色微青的秦沣，又淡淡瞥向他妈妈，开口道一句："人各有志，各司其职。"

"那不对劲，谁能把司机当志向啊。"谷鸢竹一本正经地摇头。

秦见月想抽出餐桌下面满是汗渍的手，被程榆礼不动声色地握回去。他说："都是工作，哪分贵贱。"

秦沣也想尽快结束这个话题，忙附和道："对对，我开车挺快活的，有的时候开得是有点儿累人，开得累也赚得多些。而且自由，叫我坐办公室我可坐不住。"

程榆礼轻轻点头，认同道："快乐很重要。"

于是很顺利地，话题被掠过去。

秦漪又跟两人侃了会儿他们在外面创业的事，程维直言说有回国的打算。不知真假，程榆礼心里几分诧异，但他懒得多问，只动着筷子平静给秦见月夹菜。她沉默得像个游离于饭局话题之外的小孩。在他的喂食之下，秦见月一会儿便饱了肚子。

谷鸢竹忽地问道："月月最近还在戏园子里唱曲儿呢？"

她还是被推到了话题中央。秦见月点头说："嗯，对。"

程维抽了几根烟，又喝了点儿酒，筷子还是没动过，仍旧是领导姿态，开口说："我倒是不太懂这一行，唱戏有什么出路？"

出路……出路这个词，用在这里好奇怪。

唱戏就是她的职业、她的工作，不知道为什么，会让程维点评出了一种暗无天日之感。

秦见月问："您指的是哪方面的出路？"

"职业规划，比如说，你的晋升方向，或者怎么样利用好你的优势涨一涨身价。"程维不愧是个自小被调教起来的商人，讲话的语气里溢出满满铜臭味，而他身旁的谷鸢竹也用期待的眼神看向秦见月。

她想了想，轻声地答："可能以后有一点儿名气的话，能获得一点儿艺术方面的奖项。"

"艺术。"不苟言笑的程维在这个词上面笑了下，意味不明地点头，"艺术奖值钱吗？"

秦见月噎住。

很快，一道坚定的声音在耳边如春风般拂过，程榆礼说："艺术家是无价之宝，名垂青史，怎么能用金钱衡量？"

她微微偏头看程榆礼，程榆礼眉间褶皱轻叠，不快难掩。他和父母说话语气并不重，但秦见月看着他为自己反复地斡旋，也有种说不清的滋味。

她苦涩地笑了下，自嘲一般说："嗯，不是什么行业都有出路的。"

这顿饭吃下来，整体还算愉快，氛围融洽。程家父母一直慈眉善目，但秦见月心里被钉上了一根无形的刺。

吃完犯困，只想回家待着。秦见月喜欢跟程榆礼两个人单独在一起，因为他是真的懂得照顾她的情绪。而这维持了一个多小时的家庭聚餐让她殚精竭虑，她需要面对的是伪善的照顾之下那赤裸的优越。

回到家中，耳畔那些高高低低的声音总算消失殆尽，只剩程榆礼关切而磁性的声线沉在心底，心才变静。秦见月也想强颜欢笑说些什么，但不可抑制地寡言下来。

秦见月很细腻，程榆礼也敏锐。她洗完澡卧于床侧，被他从身后拥住。程榆礼捏一下她的耳朵："生气？"

"没有生气。"秦见月摇着头。

她不撒谎，没生气。

秦见月不是个容易生气的人，相较之下，她更为复杂的情绪是伤心，是失落，是黯然。

她在此时突然回顾起秦漪对她说的门当户对的重要性。秦见月那时多么不以为意，她天真地觉得是母亲的想法太过落后，而程榆礼也一路保护好了她的天真。

为什么她会觉得他们的关系还不错？相处这么久，她一直很愉快。

因为他们婚姻里的洁净，一直都是他用教养撑起来的空中楼阁。

她站在楼上看星星月亮，纵使忽视一时，也不可能永远发现不了脚下的湍急的水。黑色水流，卷进混浊的沙与污泥。

在他家人的眼里，她就是个没有"出路"的艺术家。字字讽刺，扎得她四肢百骸止不住钝痛。

"他们一年也就回来一次，"程榆礼静静地揽她的肩，"别太当回事。"

良久，秦见月淡淡"嗯"了一声。

他转移话题问："明早吃什么？"

"想吃你不会做的。"

"有什么我不会做。"

秦见月想了想："蟹黄包！"

确实是他不会做的。程榆礼也想了想说："还是煮粥吧，将就点儿。"

秦见月："喊。"

说是要煮粥，他还是起了个大早去外面街上给她买早餐。秦见月睡得迷糊间听见程榆礼说："买回来了，趁热吃。"

她闷闷的："嗯。"

"我去公司了。"

"拜拜。"她还支起手臂冲他挥了挥。

又过很久，秦见月才起，蟹黄包被他放在保温盒里。看着食物，想着他东奔西跑找店铺的样子，秦见月的愉悦心境里又掺一点儿酸与涩。

她只是静静地看着这诱人美食，可惜早晨没什么胃口，实难下咽，于是在冰箱前站了会儿，最终取出一杯酸奶喝。她偏头去看外面的日光，漫无目的地耗时。工作性质的原因，她不需要朝九晚五赶去戏馆，今天的排练很晚。

秦见月听了会儿《西厢记》，她轻轻跟着哼，剧情演的是崔老夫人棒打鸳鸯的场景。

就这么听着，酸奶杯被掏空，反应过来时，她竟已经呆从八点坐到了九点。

她正要起身，忽闻外面有动静传来。

秦见月循声望去，合院大门被推开。程榆礼一身正装，脚步匆匆往里面走。

很奇怪。

他迈进门厅往里面走，鞋也不换，到了秦见月的跟前，眉间有几分不合他性子的愁思与急切。

他看到旁边原封不动的蟹黄包："怎么没吃？"

"看起来有点儿油腻。"又怕他不高兴，她解释说，"我一会儿中午吃，不会浪费的。"

程榆礼没太在意这个，车钥匙被他泄气般随意地丢在一旁。

秦见月纳闷地问："东西忘拿了吗？叫人送一下好了呀，你怎么还亲自回来？"

"不是。"他站在餐桌前，倏地就这样不合时宜地倾身过来，捏住秦见月的下巴。

"想到你心里不快活，我根本没法干别的事。"

秦见月意识迟缓，不等她慢吞吞地反应过来这是怎么了，瞬间便被凶残地吻住。程榆礼俯身，捧着她的脸，一时间吻得又急又乱，就像他从未如此失衡的心情。

秦见月被困在他的身下与椅背之间，她坐在其中，感受这个吻的热度。他的嘴唇柔软而滚烫。干涸的河床被浇上瓢泼的雨水，地表为之振奋与陷落。秦见月从讶异的心情中缓过神来，竭力地迎合，攥住他的小臂，当语言贫瘠的时候，只剩下一味的亲昵。

这兴许比讲理更为有效。

两人亲到沙发上，程榆礼的西服已经被散乱地剥去，他用手指松动着领带。热情过剩，衣衫都被攒出褶皱。

一个漫长而湿热的吻，代替语言，持续了二十几分钟。

除却在床上，他们很少吻这么久，但意料之外，并不干瘪麻木。程榆礼的吻技可圈可点，带给她被滋润的柔情。

唇瓣渐离，秦见月心跳渐缓。她抬起发热的眼皮，看着程榆礼在此刻变得混浊厚重的双眸。

"你，大老远回来就是为了亲我吗？"秦见月开口问了个很傻的问题。

程榆礼凝视她的眼，半晌不语，又少顷，他霍然擒住她的手腕。

翻个身，交换位置。秦见月一下趴卧在他的胸口。

男人的手掌顺势按在她的脑后，她被视若珍宝地抱着。

再度开口，程榆礼的嗓音微哑，带着一些无能为力："怪我，是我没处理好这个事。"

"什么事啊？"她愣愣地问，又说，"如果你说是昨晚那顿饭，其实我已经……不太难过了。"

声音低弱下去，秦见月也不是很有底气地说："这不能怪你啊，我总不能永远不见你的父母，你又不是孤儿。"

隔着衬衣薄薄的料子，感受到他紊乱起伏的胸口。

"真的，程榆礼，你不要难过，你一难过，我一会儿也要开始了，好不容易调整过来的。"

说这话时，秦见月鼻子都泛酸。好半天，听见他浅浅的一声笑。程榆礼用手指轻轻揉她的耳，无奈语气："怎么这么懂事。"

"我说的是实话，而且啊，"秦见月抬头，用指责的眼神看着他说，"你怎么上着班还能跑回来，太不负责了吧。"

她又嘲笑说："没想到程总还是个恋爱脑啊，真是大跌眼镜！"

程榆礼笑起来，给她解释说："这两天闲。"又凑到秦见月耳边，窃窃私语，"况且我是老板，只有我管别人的份儿。"

秦见月说："这话你也说得出口。这叫什么啊？春宵苦短日高起，从此君王不早朝？"

程榆礼笑得眼弯，声线温润："还没昏庸到这份上吧？"

秦见月也微微笑着，讽刺他："我看是快了。"

他捉住她的手："真不生气了？"

"本来就说了我没有生气。"

秦见月敛眸，瞥见他腕上的手表，转移话题道："这个你怎么还在戴呀。"

程榆礼抬起手，看了看他的手表，不明所以："怎么了？"

这个表是有来头的，此前他们定情，他给她一串佛珠，又"勒索"来一个发圈。后来他日日戴那只粉色小猪，程榆礼当然不害臊，但秦见月瞧见了却很不好意思，她在结婚第二周给他买了这块表，不是很贵的，但在她力所能及的范围内花了高价。且他在军工研究所就职，也要兼顾到清廉作风，于是她叫他戴表，不要戴小猪。

再后来，是程榆礼辞职换岗，秦见月就叫他别戴了，到了那些大老板面前，这个价位的表就显得拿不出手。

程榆礼嘴上应着行，但并没有付诸行动。

她说："看起来好廉价，你要是出去谈生意，不太好吧。"

他晃晃手腕，笑言："戴着谈过几次，很顺利。现在已经是我的招财法宝了。"

程榆礼一贯会说好话，惹她笑得脸红。

他轻揉她的掌心："发了多少钱？"

"……"秦见月诧异，就当时高兴跟他那么提了一下，这人居然记挂在心上，看样子是非要讹她一顿不可了。

秦见月故作偷偷摸摸的样子，在程榆礼的掌心写下一个数字。

她说："其实是上次去剧院演出，那帮领导给的。"

程榆礼悠闲说："撮一顿？"

"又吃呀，我都快被你养成猪了！"

他打量她片刻，若有所思说："不至于，还差那么一点儿。"

秦见月愣了下："什么意思啊？"她捶他胸口，"不带你吃了，我一毛不拔了！你休想占我便宜。"

他笑着，把她按回怀里。

不"早朝"的清晨，拥抱的时候会向往地老天荒。秦见月静静窝在他怀里，过了好久，她喃喃说："程榆礼，我已经很满足很满足了。"

她生来平庸，是丢在人群里最不起眼的那一抹色，没有精彩纷呈的故事，没有被众星拱月的经历，没有做过别人故事里的女主角，只有偷偷在日记本里写下一笔一画的黯然，藏在宽大的校服之下的纤弱四肢，她卑微到尘埃里、只能用梦境去点缀平静无波的每一天。

每一天，由苦楚、酸涩、以及自我畅想的甜蜜组成。

想到他，脚步都变得轻快，即便只是看着他的背影，她也有力量。

无论此后再多的风浪，她不后悔喜欢过他。

不是光鲜的人才有青春。情到极致，暗恋也可以浓墨重彩。

时至今日，她可以给十六岁的秦见月一个交代了——你喜欢的人是值得喜欢的，你的青春从不曾荒废。

只是眼下再多的东西，她攀不起，求不得，被他好声好气哄个两句，也变得无关紧要了。

程榆礼可以很自如地放下他的身价融入她的家庭，而反过来，要她进他家门却是无比困难的，自古"攀高枝"不是一个好词，她又笨拙迟钝，怎么能游刃有余呢？

那一天，笼子里的鹦鹉终于不用人教，也学会说"我爱你"。

秦见月闻声，欣喜地要起身去看，躺了太久，站直身子一瞬晕了下，撞倒茶几上什么东西。

　　秦见月连忙俯身拾起来，是一个巨蟹座的占卜水晶球。灰黄色的球体里面，是立体的半透明星座图案，浪漫而精美，仿佛一个小型宇宙。

　　疑心摔坏，秦见月仔细掰弄检查，果然看到在球心有一道细小的裂缝，无法补救地出现在球体的最中间。

　　她略感遗憾地揪眉，不动声色地又放回去。

　　檐下的鹦鹉在重复"我爱你"，狗狗在院里玩球，茶树上的花今年开得少，却凋得快。秦见月推开门，闯进这个道阻且长的春天。